JAK PODRYWAJĄ SZEJKOWIE

Marcin
MARGIELEWSKI

JAK PODRYWAJĄ SZEJKOWIE

Prószyński i S-ka

Projekt okładki
Agencja Interaktywna Studio Kreacji
(www.studio-kreacji.pl)

Zdjęcie na okładce
Mariusz Tokajuk

Makijaż
Aga Lamcha-Chełkowska

Redaktor prowadzący
Michał Nalewski

Redakcja
Anna Płaskoń-Sokołowska

Korekta
Katarzyna Kusojć
Marianna Chałupczak

Łamanie
Ewa Wójcik

ISBN 978-83-8169-031-7

Warszawa 2019

Wydawca
Prószyński Media Sp. z o.o.
02-697 Warszawa, ul. Rzymowskiego 28
www.proszynski.pl

Druk i oprawa
CPl Moravia

PROLOG

Nad propozycją wyjazdu na kontrakt do Dubaju myślałem około pięciu sekund. Po kilku latach spędzonych w Londynie byłem gotowy na coś nowego i każdy pomysł, może z wyjątkiem wyjazdu do Indii czy na Alaskę, zostałby przeze mnie rozważony. Niektóre – jak ten – pod rozwagę nie były brane w ogóle. Tak! Lecę! Poza wysoką pensją i niemal niekończącym się latem najbardziej kusiło mnie to, że była to podróż w nieznane. Brzmi świetnie, ale szybko okazało się, że nieznane na początku bywa bardzo bolesne, a nad propozycjami wywracającymi życie do góry nogami warto myśleć nieco dłużej niż pięć sekund. Zaczęło się od mało przyjemnej procedury obejmującej między innymi pobranie odcisków palców i obowiązkowe badania na obecność wirusa HIV, przeprowadzone kilka godzin po przylocie. To miało ze mnie zrobić pełnoprawnego rezydenta Zjednoczonych Emiratów Arabskich. Zabrano mi paszport, a w jego miejsce wciśnięto podstemplowaną przez pracodawcę kserokopię i zakwaterowano w luksusowej klatce, którą w każdej innej sytuacji uznałbym za fantastyczny hotel – w tej przypominała mi więzienie. Przez kolejne dwa miesiące słuchałem głównie o tym, czego mi nie wolno, za co mogę pójść za kratki, co może się dla mnie skończyć deportacją. Te informacje wywoływały we mnie poczucie zamknięcia i nieprawdopodobnej frustracji, którą wypłakiwałem w codziennie zmienianą poszewkę poduszki w moim apartamencie. A potem, za sprawą kilku poznanych w różnych okolicznościach osób, nastąpił przełom i okazało się, że surowe reguły, którymi mnie karmiono, od kiedy tam przyjechałem, są tylko po to, by można było je omijać. Zaczynałem stopniowo wsiąkać w ten przedziwny świat, który szczyci się sięgającymi nieba wieżowcami, choć prawdziwie niebosiężna jest w nim przede wszystkim wszechogarniająca hipokryzja.

I już nie płakałem. Śmiałem się w głos i naprawdę fantastycznie bawiłem, choć tej zabawie zawsze towarzyszyły pewne wyrzuty sumienia. Mieszkałem w miejscu, w którym łamanie praw człowieka jest na porządku dziennym. Sprawiedliwość społeczna jest pojmowana w dość swoisty sposób, a wysokość pensji zależy nie od umiejętności czy wkładu pracy, tylko od paszportu i koloru skóry. Robotnik z Bangladeszu, pracując sześć dni w tygodniu, zarobi miesięcznie tyle, ile obywatel Unii Europejskiej wydaje dziennie na jedzenie. I nikt nie odważy się tu zbuntować, bo w autorytarnych krajach to nigdy nie jest dobry pomysł.

Miałem dwa wyjścia: unieść się honorem i wyjechać w imię ideałów albo zrobić to, co większość – wejść do jaskini lwa i spróbować się z nim zaprzyjaźnić.

W gruncie rzeczy Dubaj jest nieprawdopodobnie nudnym miejscem, dlatego wszystkim moim znajomym, którzy wybierają ten kierunek, zawsze mówię, że warto tam pojechać albo na kilka dni – obejrzeć i wrócić – albo się tam przeprowadzić. Pierwsza opcja pozwala na zwiedzenie Dubaju bez nudy, druga daje szansę na poznanie ludzi, zbudowanie przyjaźni, a wtedy każde miejsce na ziemi staje się znośne. Nigdy, przenigdy nie jedźcie tam na dwa tygodnie wakacji. Nuda bywa śmiertelna.

Te lata spędziłem na ciężkiej pracy, częstych podróżach, głównie do innych krajów Bliskiego Wschodu, beztroskich zakupach i imprezowaniu, które często przybierało niespotykane w Europie formy. Nigdy nie sądziłem, że jedna z takich imprez, i to po kilku latach od powrotu do Polski, sprawi, że wrócę do Dubaju w dawno porzuconej roli dziennikarza z zadaniem opisania fascynujących przygód jednego z żyjących w Emiratach szejków.

Wpadłem do Dubaju z odwiedzinami. Mój przyjaciel Wael od dawna mnie do tego namawiał, więc postanowiłem w końcu się pojawić. Spotkanie z Waelem oznaczało, że zaliczę wszystkie kluby w mieście, ale tym razem do listy naszych dawnych miejscówek dołączył klub Armani Prive, znajdujący się niemal na szczycie otwartego dla publiczności najwyższego na świecie budynku Burj Khalifa. Od początku był legendą. By się do niego dostać, należy nie tylko mieć co wydawać, ale przede wszystkim być ubranym absolutnie idealnie. I drogo. Szczerze mówiąc, nie do końca byłem przekonany, że to miejsce dla mnie, ale Wael, który był wytrawnym znawcą nocnego życia Dubaju, przekonywał mnie, że to doskonały pomysł. I choć wtedy absolutnie tak nie myślałem, dziś muszę przyznać mu rację. Stwierdziłem, że nazwa klubu zobowiązuje, wbiłem się więc w garnitur od Armaniego i ruszyliśmy do Burj Khalifa.

Mknąc windą przez dziesiątki pięter, rozmyślałem, jakie to niezwykłe, że budynek, który jeszcze nie tak dawno był zatkniętym na środku pustyni żelbetonowym szkieletem, teraz zapiera dech w piersiach. Pamiętam, jak budowano Burj. Kiedy przeprowadziłem się do Dubaju w dwa tysiące szóstym roku, z ziemi wystawało tylko co najwyżej pięćdziesiąt pięter, ale kolejne przybywały w niespotykanym tempie. Wtedy wszyscy znali ten wieżowiec jako Burj Dubai. Skończony miał ostatecznie przypieczętować potęgę Dubaju jako cudownego miejsca, które wyrosło na pustyni z boskiej woli, i dać

Dubajczykom, którzy są zaledwie kilkuprocentową mniejszością we własnym kraju, poczucie wyższości. Niestety okazało się, że Burj Dubai jest nawet dla Dubaju zbyt drogi i by go ukończyć, pieniądze musiał wyłożyć prezydent Zjednoczonych Emiratów Arabskich, szejk Khalifa bin Zayed Al Nahyan z Abu Zabi, co spowodowało, że świat poznał swój nowy, najwyższy budynek pod nazwą Burj Khalifa. Zawsze zastanawiałem się, dlaczego w Dubaju usypuje się wyspy i buduje się tak dużo wzwyż, skoro większa część emiratu to pustynia z połaciami terenów do zabudowy. Im wyżej, tym lepiej. Czyżby kompleksy? Wyścig trwa. Aktualnie wygrywa Dubaj, ale Saudyjczycy budują już swoją Kingdom Tower, która ma przewyższyć Burj Khalifa o sto siedemdziesiąt metrów. Dubajczycy nie składają jednak broni, ich Dubai Creek Tower ma mieć o kolejne trzysta pięćdziesiąt metrów więcej. Ta licytacja przypomina nieco porównywanie swoich męskości przez dorastających chłopców.

Gdy dotarliśmy do klubu, było sporo po północy. Chociaż lokal zwykle zamyka się o trzeciej nad ranem, wcześniejsze przybycie tu jest w złym guście. To świadczy tylko o jednym – Armani Prive to miejsce, w którym nie bywa się dla dobrej zabawy, tu chodzi o to, by się pokazać, zaznaczyć swoją obecność, a tym samym wysoki status społeczny. Szybko okazało się jednak, że nawet w klubie dla VIP-ów można być VIP-em jeszcze bardziej. Wael wcisnął mi w dłoń drinka i gdzieś poszedł. Gdy pojawił się ponownie, bez słowa pociągnął mnie za sobą. Po chwili znaleźliśmy się w nie mniej ciemnym, ale znacznie mniej zaludnionym pomieszczeniu, które – sądząc po dwóch elegancko ubranych osiłkach pilnujących wejścia – nie było powszechnie dostępne.

– Muszę ci kogoś przedstawić – powiedział Wael, który od momentu, gdy znaleźliśmy się w klubie, był bardzo oszczędny w słowach.

Stanęliśmy przed wyższym od nas o głowę, przystojnym mężczyzną w świetnie skrojonym garniturze. Miał egzotyczną urodę, ciemną skórę i raczej na pewno nie był Arabem.

Ukłonił się i podał mi rękę na przywitanie. Nie przedstawił się jednak.

– Jesteś z Polski. – To bynajmniej nie było pytanie.

– Tak się składa – odpowiedziałem nieśmiało, nie do końca pewny, czy to dobrze, czy źle.

– Piękny kraj, piękne kobiety, piękne konie – podsumował.

Dwa pierwsze określenia są wobec Polski używane dość często, trzecie funkcjonuje głównie na Bliskim Wschodzie. Polska wciąż jeszcze kojarzy się tu z mekką dla miłośników koni pełnej krwi.

– Miło to słyszeć... Nie sądziłem, że mój kraj ma tu aż takich fanów.

– Byłem w Polsce wiele razy, zmieniła się nieprawdopodobnie na przestrzeni lat. – To też częsta opinia, zresztą bardzo prawdziwa, i zawsze z przyjemnością ją słyszę.

Nasza rozmowa przez dłuższy czas nie schodziła na inne tematy, zacząłem się nawet zastanawiać, po co Wael mnie przedstawił właśnie temu człowiekowi, ale wiedziałem, że w takich miejscach nikt nie pojawia się przypadkiem i że nasze spotkanie musi mieć jakiś ukryty cel.

Miało!

Wael dzięki swojej pracy miał bliskie kontakty z wieloma dworami królewskimi i książęcymi w większości krajów Zatoki Perskiej. Pracował dla gigantycznego koncernu modowego mającego prawa do dystrybucji ubrań i akcesoriów marek takich jak Armani, Gucci, Prada, Fendi. Organizował prywatne pokazy kolekcji w pałacach. Tak wyrobił sobie niezwykłe koneksje, które, jak się później okazało, pozwoliły mu na rozwinięcie skrzydeł. Na razie miały pomóc mnie.

Wael jest typem, który lubi myśleć o sobie jako o przyjacielu świata – zna wszystkich i jeśli ktoś kogoś szuka, on zawsze ma właściwą osobę wśród znajomych. Hydraulik? Kandydat na nowego papieża? Aktor do reklamy? Pisarz do spisania wspomnień? Ty zgłaszasz życzenie, a Wael na pewno znajdzie tego, kogo szukasz. Wynika to zapewne z jego dobrego serca, ale nie bez znaczenia jest też pochodzenie. Wael jest Libańczykiem. Dość stereotypowym. Genetyczną krzyżówką człowieka i pawia. Dumny, pewny siebie i przesadnie zadbany. Przewrażliwiony na punkcie własnym i swojego kraju. Gdy wpada w tyradę na temat wyższości Libanu nad resztą krajów, zawsze obraża go pytanie, dlaczego nie mieszka w Libanie. Logicznym następstwem narodzin w absolutnym raju na ziemi wydawać by się mogło spędzenie w nim reszty życia, tymczasem Wael wyemigrował z niego, jeszcze zanim skończył dwadzieścia lat. Zawsze obrażała go też moja ignorancja, gdy wrzucałem go do jednego worka z Arabami. „Libańczycy nie są Arabami! Jesteśmy Fenicjanami", mówił urażony.

Na szczęście Wael równie szybko się unosi, co wybacza, i jest wspaniałym przyjacielem. Kiedy usłyszał, że szejk jednego z dobrze znanych mu dworów szuka dziennikarza, który spisze jego historię, swoim zwyczajem pochwalił się, że zna idealnego człowieka do tej roboty. Człowiekiem tym miałem być ja – i to dlatego tego wieczoru znalazłem się w Armani Prive. O prawdziwym powodzie spotkania z tajemniczym fanem Polski dowiedziałem się jednak dopiero dwa dni później, kiedy na moją skrzynkę przyszedł dość nietypowy mail. Jego nadawcą był Namib al-Hanbali. W pierwszej chwili pomyślałem, że to zapewne jeden z tych nigeryjskich książąt, którzy walczą o spadek, i że z wielką chęcią się nim ze mną podzieli, jeśli tylko pomogę mu w walce, przelewając na jego konto tysiąc dolarów, ale nie wyrzuciłem wiadomości do spamu. Przeczytałem ją. Namib pisał w imieniu księcia Muhammada

Abeda ibn Sajida, sługi bożego i syna… tu padła nazwa emiratu i nie, nie był to Dubaj. W zgrabnych, dość oficjalnych słowach przeczytałem o propozycji spisania wspomnień księcia. Książka miała opowiedzieć prawdziwe historie, ale moim zadaniem było zaburzenie ich chronologii i wprowadzenie koniecznych zmian, tak by nie do końca było wiadomo, kim jest główny bohater. To, co zaskoczyło mnie najbardziej, to fakt, że książę nie chciał, by była to biografia, chciał natomiast, by została wydana w Polsce.

Po co zatem spisywać wspomnienia? I dlaczego właśnie Polska?

Bardzo mnie to intrygowało, bo takie opowieści z życia z reguły składają się w biografię. Chęć wydania wspomnień emirackiego szejka w Polsce wydawała mi się w tym czasie jeszcze większym dziwactwem. Większym niż zamawianie tapicerki z wężowej skóry do odlanego z dwudziestoczterokaratowego złota ferrari, którego głównym pasażerem jest roczny leopard w brylantowej obroży. Dzisiaj to wszystko już ma sens. Wiem, dlaczego to nie mogła być biografia, dlaczego wspomnienia muszą być anonimowe, dlaczego powinny ujrzeć światło dzienne i skąd ten sentyment do Polski.

Wael pękał z dumy, gdy opowiedziałem mu o mailu od Namiba.

– Musisz mi tylko obiecać, że jak już napiszesz książkę, będę jej pierwszym czytelnikiem – zapowiedział.

Tę obietnicę mogłem złożyć bez problemu. Wtedy jeszcze nie wiedziałem, że on sam dopisze do tej opowieści bardzo ważny rozdział.

– JAK PODRYWAJĄ SZEJKOWIE –

Marcin Margielewski

CZĘŚĆ I

ROZDZIAŁ 1

Książę

– Allah stworzył wiele pięknych rzeczy, ale najbardziej udały mu się konie i kobiety – książę Abed przekonywał mnie o tym na każdym z naszych spotkań. Miał szczęście dorastać otoczony pięknem, ale z fascynacją godną zapalonego kolekcjonera opowiadał tylko o swoich wierzchowcach i damach, które spotkał na swej drodze.

Mówi się, że nie można mieć wszystkiego. Książę Abed, syn jednego z arabskich szejków, jest żywym zaprzeczeniem tej tezy. Wysoki, szczupły, z burzą kruczoczarnych włosów, oliwkową skórą, śnieżnobiałymi zębami. Mógłby zdobyć serce niemal każdej kobiety. I to zanim dodamy fortunę trudnych do policzenia miliardów dolarów, które niewątpliwie w oczach wielu pań czyniły go jeszcze bardziej atrakcyjnym.

Zastanawiałem się, co spowodowało, że postanowił opowiedzieć o swoim życiu. Wiedział, że jego historia zostanie opublikowana, ale nie zrobił tego dla sławy, bo większej nie potrzebuje, a wywiady i tak musiały pozostać anonimowe. Sam nawet wybrał sobie pseudonim.

– Abed oznacza „wielbiciel". Skoro mam ci opowiedzieć o tym, jak rozkochują szejkowie, powinienem się nazywać właściwie – wyjaśnił. – Książę Abed, wielbiciel kobiet.

Może zwyczajnie lubi się chwalić? A może zrobił to z nudów? Powody księcia długo pozostawały dla mnie tajemnicą, ale z czasem zaczynałem je odkrywać, aż w końcu poznałem w pełni. Spotkaliśmy się tylko trzy razy, jednak książę to niezwykle rozmowny człowiek. Historii opowiedzianych przez niego wystarczyłoby na dwa tomy. Wcale się nie dziwię, że kobiety są nim zafascynowane. Gdy obejmie władzę w emiracie zarządzanym dziś przez jego ojca, świat na pewno usłyszy o nim nie raz. Na razie słuchać miałem ja.

Po raz pierwszy spotkaliśmy się w Emiratach. Instrukcje przyszły mailem. Stałem przed wejściem do hotelu The Address, niemal przyklejonego do gigantycznego centrum handlowego Dubai Mall. Doskonale widać stąd Burj Khalifa, a wieczorem to świetne miejsce do obserwacji widowiskowych pokazów tańczących fontann, które u wielu wywołują ekscytację. Miałem być przed wejściem do hotelu punktualnie w południe. Wiedziałem tylko tyle. Spodziewałem się, że za chwilę podejdzie do mnie osoba, która zabierze mnie na górę i wskaże apartament księcia. Hotel, w którym przeciętna polska pensja z trudem starczyłaby na dwie doby, wydawał mi się godnym arabskiego szejka. Wkrótce przekonałem się, że moje przypuszczenia nie mogły być dalsze od prawdy.

Pod hotel podjechał kruczoczarny aston martin. Zatrzymał się na mojej wysokości. Ciemnoskóry kierowca, ogolony na zero, ubrany w szary, elegancki garnitur godny brytyjskiego arystokraty, wysiadł z samochodu, by otworzyć drzwi pasażera. Spojrzał na mnie. Wyraz jego twarzy był łagodny, godny zaufania. Idealny do roli seryjnego mordercy. Wydał mi się znajomy, ale kompletnie nie wiedziałem, gdzie mogłem go spotkać. Zawahałem się. Wsiąść? Samochód miał mnie zabrać na umówione spotkanie z księciem, ale równie dobrze mogłem skończyć na pasku telewizji informacyjnych podających wiadomość o zwłokach Polaka znalezionych gdzieś na pustyni. Kierowca wpatrywał się we mnie uporczywie i ewidentnie zapraszał do środka, choć przez cały czas nie powiedział ani słowa. Ważyłem w głowie ryzyko. Z jednej strony mogłem stracić szansę na szczery wywiad z prawdziwym szejkiem, z drugiej – życie.

Po chwili siedziałem w samochodzie.

– Raz kozie śmierć – powiedziałem półgłosem.

Kierowca nie zareagował. Zachowywał się jak dobrze zaprogramowany robot i przez chwilę nawet pomyślałem, że nim jest. W końcu kogo jak kogo, ale szejka na pewno stać na zakup tak zaawansowanej technologii. Wkrótce dotarło do mnie jednak, że mimo nieprzeliczalnego bogactwa szejkowie nie wydają pieniędzy tam, gdzie nie muszą, a zatrudnienie imigranta z Sudanu jest wielokrotnie tańsze od zakupu inteligentnego robota.

Mężczyzna jechał szybko, sprawnie manewrując małymi uliczkami po zjeździe z wielopasmowej Sheikh Zayed Road*. Jechaliśmy w kierunku plaży Jumeirah**. Jeszcze przez chwilę wiedziałem, gdzie jesteśmy, ale wkrótce kompletnie straciłem orientację. Wyjechaliśmy na odludzie i zobaczyłem pustynię. Wróciły obawy, że za moment rozegra się ten mniej optymistyczny scenariusz. Ponieważ jednak nie mogłem nic zrobić, postanowiłem przyjąć z godnością los, który był mi pisany. Kierowca

* Najdłuższa autostrada w Zjednoczonych Emiratach Arabskich, ciągnąca się przez kilka emiratów od Abu Zabi po Ras Al Khaimah. Biegnie przez sam środek Dubaju. Na wielu odcinkach ma 7–8 pasów ruchu w każdą ze stron.

** Znajdująca się nad wybrzeżem ekskluzywna część Dubaju, wybiegająca w głąb Zatoki Perskiej słynną sztuczną wyspą zwaną Palm Jumeirah.

obserwował mnie w milczeniu. Czasami miałem wrażenie, że próbuje się uśmiechnąć, ale nie odezwał się ani razu. Może był niemową od urodzenia, a może ktoś odciął mu język, zapewniając sobie pełną anonimowość. Człowiek bez języka jest znacznie bardziej wiarygodnym powiernikiem tajemnic.

Pędziliśmy z niewyobrażalną prędkością, a krajobraz w ogóle się nie zmieniał. Hektary piachu, gdzieniegdzie porośnięte jakimiś krzakami, które w tych warunkach mogły tylko niechybnie uschnąć na wiór. Krajobraz hipnotyzował. Straciłem rachubę czasu. Z letargu wyrwało mnie gwałtowne hamowanie. Zatrzymaliśmy się przed wielką bramą wieńczącą wysoki mur, ascetycznie zdobiony arabskimi motywami. Jego piaskowy kolor niemal zlewał się z pustynnym otoczeniem. Gdy spojrzało się na niego pod kątem, mur po kilku metrach dosłownie się rozpływał; niezwykłe wrażenie potęgowało wibrujące od gorąca powietrze, które zacierało jego kres. Przez chwilę zastanawiałem się, czy jest prawdziwy. Może to iluzja stworzona dla zamaskowania tajnych operacji lub po prostu po to, by ukryć jakieś perwersyjne hobby, na przykład seryjne morderstwa wścibskich dziennikarzy. Czyli to już... Pewnie jak ze mną skończą, porzucą mnie pod tym murem.

Kierowca wysiadł i obszedł wóz, by otworzyć moje drzwi. Postanowiłem się nie opierać; i tak bym nie wygrał. Był ode mnie co najmniej dwie głowy wyższy i znacznie lepiej zbudowany. Będąc posłusznym, miałem lepszą pozycję negocjacyjną. Może jak będę grzeczny, zanim ze mną skończą, zabiorą mnie chociaż do McDonalda na moje ostatnie w życiu frytki. Fantazje o frytkach niewątpliwie były wynikiem mieszanki ekscytacji i strachu podgrzanego pustynnym powietrzem. Musiałem się wziąć w garść. Wysiadłem. Uderzyła mnie fala nieprawdopodobnego gorąca. Kierowca mechanicznym ruchem zamknął drzwi i skinął na mnie. Miałem iść za nim.

Przeszliśmy przez bramę, za którą stał drugi samochód. Tym razem był to maybach exelero. Również idealnie czarny i lśniący jak rozgrzana smoła. Po chwili stało się jasne, że dalszy ciąg podróży odbędę na jego pokładzie. Kierowca otworzył drzwi i wzrokiem zaprosił mnie do środka. Wsiadłem posłusznie. Przyjemnie chłodne wnętrze pachniało egzotycznymi kwiatami. Na rozłożonym stoliku oddzielającym dwa miejsca dla pasażerów stały kryształowe kieliszki zdobione misternymi cięciami i butelka Laurent-Perrier* Rose w tonacji różowego złota. Założyłem, że czeka na mnie, ale mój nastrój w dalszym ciągu był daleki od tego, w jakim z reguły otwiera się szampana. Poza tym jedyne, czego w tamtej chwili chciałem się napić, to czysta, zimna woda – życzenie zbyt plebejskie, by oczekiwać jego zaspokojenia na pokładzie samochodu należącego do szejka.

Gdy tylko zamknęły się za mną drzwi, maybach ruszył. Nie wiedziałem, kto go prowadzi; od kabiny kierowcy oddzielała mnie czarna szyba. Ktokolwiek to był, pracował dla szejka, więc starałem się za wszelką cenę zachować spokój i sprawiać wrażenie pewnego siebie. Nie było to łatwe. Szyby auta były przyciemniane w taki sposób, że również z wnętrza niewiele można było zobaczyć. Po oślepiającym świetle pustynnego słońca półmrok był niezwykle przyjemny i relaksujący, ale też bardzo mnie niepokoił. I tak nie mogłem już nic zrobić. Spojrzałem na swój telefon. Nie miał zasięgu, co tylko podniosło moje i tak już wysokie ciśnienie. Wprawdzie w samochodzie dostrzegłem telefon, który z pewnością działał i mógłby mnie uratować z opresji, ale niby do kogo miałbym z niego zadzwonić? I czy faktycznie byłem w opresji? Jedyne, co mnie kusiło w tej sytuacji, to szansa na zadzwonienie z mitycznego telefonu Vertu – marki, której zwykli śmiertelnicy

* Oryginalny, ekskluzywny szampan produkowany we Francji od 1812 r.

zwykle nawet nie znają. Produkowane przez nią telefony komórkowe są tak ekskluzywne, że nie wymagają reklamy. Mijałaby się z celem, bo większości ludzi po prostu na nie nie stać. Wykonane z platyny lub dwudziestoczterokaratowego złota, w najtańszej wersji kosztują trzydzieści pięć tysięcy funtów. To zaawansowane technologicznie dzieła sztuki jubilerskiej. Personalizowane zgodnie z życzeniem klienta, z dzwonkami nagrywanymi przez londyńską Królewską Orkiestrę Symfoniczną. Przy nich najnowszy iPhone to plastikowa, niewiele warta zabawka.

Ponieważ ewentualność rozstania z życiem nie wymagała ode mnie przygotowań, postanowiłem skupić się na drugiej możliwości – na wywiadzie z księciem. Wyjąłem mój kieszonkowy notes, nieco zmęczony upałem i daleką od komfortu podróżą w ciasnej kieszeni. Nie miałem w nim pytań, choć w mojej głowie buzowało ich mnóstwo. Wpatrywałem się przez jakiś czas w pustą kartkę i zdałem sobie sprawę, jak niewiele w tej sytuacji zależy ode mnie. Nagle samochód skręcił i zatrzymał się gwałtownie. Nastała cisza. W kompletnym bezruchu czekałem na bieg wydarzeń. Pomału zaczynałem się oswajać z sytuacją. Zaczynałem rozumieć, że to przejęcie kontroli przez drugą stronę jest całkowicie zamierzone. Mam czuć respekt, strach, ale ma on w pewnym sensie być irracjonalny. Ma być w mojej głowie. Tak by faktami łatwo było mu zaprzeczyć. Przecież świadomie umówiłem się na wywiad. Wiedziałem, że zostanę na niego doprowadzony. Wszystko stało się zgodnie ze scenariuszem. Nikt mnie nie straszył. Nikt mi nie groził. A jednak w ciągu ostatniej godziny zdążyłem już wyobrazić sobie doniesienia o swojej śmierci, pogodzić się z nią, ba... nawet zaplanować swój ostatni posiłek. Niewątpliwie mojej bujnej wyobraźni pomogły historie o arabskich terrorystach, grasujących z maczetami po pustyniach w poszukiwaniu niewiernych przedstawicieli zepsutego Zachodu i skracających ich o głowę, ale wszystko, co się wydarzyło przez ostatnią godzinę, miało mi w tym pomóc.

Tym razem drzwi samochodu otworzyły się z przeciwnej strony. Przesunąłem się powoli po siedzeniu i wysiadłem. Słońce oślepiło mnie niemal zupełnie. Wzrok powoli wracał, potęgując wrażenie miejsca, w jakim się znalazłem. Zaparło mi dech w piersiach.

Opcje były jak zwykle dwie: albo umarłem, tylko tego nie zauważyłem, i właśnie dotarłem do raju, albo po prostu jestem w raju, bez przechodzenia przez formalności związane z umieraniem. Prawdą okazało się to drugie, choć do dziś trudno mi w to uwierzyć.

Stałem na granitowym chodniku okalającym olbrzymi zielony klomb, pośrodku którego pyszniła się strzelista, stylizowana, marmurowa fontanna. Zieleń trawy na klombie była wprost niewyobrażalnie soczysta, niespotykana w tej części świata. Jeszcze przed chwilą znajdowałem się na bezkresnej, wysuszonej na proch pustyni, a to miejsce zdawało się nie mieć najmniejszych problemów ani z brakiem wody, ani z temperaturą. Dookoła rosły rzadkie w tym regionie drzewa liściaste, niektóre pokryte drobnymi, jasnoróżowymi kwiatami. Przestrzeń między drzewami porządkowały alejki rozchodzące się geometrycznie niczym promienie słońca, od okręgu klombu w głąb ogrodu. Każdą z nich dekorowały idealnie przystrzyżone krzewy. Dopiero po chwili zauważyłem, że alejka, która znajdowała się dokładnie naprzeciwko mnie, z mojej perspektywy przesłonięta nieco przez fontannę, była szersza. Tak naprawdę była drogą dojazdową. To tędy przyjechał maybach, którym mnie tu przywieziono. Oszołomiony widokiem, jaki roztaczał się przede mną, nie zauważyłem nawet, że samochód odjechał w nieznanym kierunku. Czy zostałem sam? Na szczęście to miejsce nie nastrajało mnie tak pesymistycznie jak pustynia. Wizja ścięcia maczetą opuściła moją głowę, ale wciąż zastanawiałem się, co dalej. I coraz bardziej niecierpliwie czekałem na rozwój wydarzeń.

Obejrzałem się za siebie. To wystarczyło. Moim oczom ukazał się nieprawdopodobnie majestatyczny pałac, ewidentnie wzorowany wycieczkami do Wersalu i Disneylandu. Gdybym był jego fundatorem, pewnie zamówiłbym coś równie drogiego, choć zdecydowanie prostszego w formie, ale nawet na miłośnikach dalekowschodniego minimalizmu ten bliskowschodni przepych musiał robić wrażenie. Marmurowe schody, lśniące złotem poręcze prowadzące do olbrzymich, kutych, hebanowych drzwi. Czteropiętrowy budynek w kolorze budyniu waniliowego lśnił w słońcu, a miejscami połyskiwał, jakby obsypano go brylantami. Szyby w oknach łamały światło jak najwyższej klasy kryształy. Całość robiła wrażenie wyciętej z disneyowskiej bajki. Brakowało tylko, by książę przyleciał na latającym dywanie i zdradził mi kulisy romansu z księżniczką Jasminą.

Moim zachwytom przyglądało się dwóch mężczyzn stojących u wrót pałacu. Nie zauważyłem ich wcześniej. Byli ubrani w białe kandury*, a na głowach mieli zawiązane po emiracku kefije**. Byli tego samego wzrostu, przystojni, śniadzi, niemal identyczni. Jestem pewien, że dobrano ich w parę właśnie ze względu na podobieństwo. Doskonale dopełniali ten perfekcyjny obrazek.

Drzwi pałacu się otworzyły. Dostojnym krokiem wyszedł z niego wysoki mężczyzna o znajomym wyglądzie. Na głowie miał niemal

* Również *dishdasha* – to najczęściej biała, zwiewna szata, długa do ziemi, wykonana zazwyczaj z cienkiej bawełny. W zależności od kraju kandury różnią się nieco krojem, miewają stójkę, kieszenie lub hafty.

** Również *ghutra, szmag* lub *hatta* – tradycyjne arabskie nakrycie głowy u mężczyzn, kwadratowy kawałek materiału, złożony i owinięty w różny sposób dookoła głowy, po rodzaju wiązania kefii można często rozpoznać pochodzenie człowieka, który ją nosi. Kefija jest czasami utrzymywana na głowie za pomocą pętli ze sznurka, nazywanej *agal*.

identycznie zawiązaną chustę i również ubrany był w śnieżnobiałą kandurę. Uśmiechnął się do mnie i wtedy go rozpoznałem. To kierowca, który odebrał mnie spod hotelu. W tradycyjnym stroju wyglądał zupełnie inaczej – jeszcze bardziej dostojnie, ale to zdecydowanie był on. Szedł w moim kierunku, rozkładając ręce w powitalnym geście.

– Witaj! – powiedział.

A jednak nie jest niemową, pomyślałem, zastanawiając się, o co tu chodzi.

– Mam na imię Namib i pozostaję do twoich usług. Jesteśmy zaszczyceni twoją wizytą.

Namib, Namib, Namib... Oczywiście! Namib! To z nim korespondowałem w sprawie tego spotkania, to on przesłał mi wielostronicowy kontrakt, to jego spotkałem w ciemnym prywatnym pokoju klubu Armani Prive. Nie można było tak od razu? Po co ta szopka? I czy on stroi sobie ze mnie żarty? Jeszcze przed chwilą byłem przekonany, że wiezie mnie na śmierć, a teraz rozmawiamy o zaszczytach? Nie byłem w stanie wypowiedzieć ani słowa. W naszych dotychczasowych kontaktach wydawał mi się nieprawdopodobnym sztywniakiem. W mailach brzmiał formalnie, jako kierowca nie brzmiał w ogóle. A teraz stał przede mną – pogodny, przyjazny, uśmiechnięty.

– Mamy nadzieję, że podróż do pałacu nie była dla ciebie niedogodnością, a jeśli wiązała się ze stresem, gorąco przepraszamy. Protokół – wyjaśnił krótko. – Nie stójmy tak. Książę będzie wkrótce gotowy na umówioną rozmowę. Zapraszam do środka.

Teraz to ja zachowywałem się jak niemowa. Byłem zmęczony odpuszczającym pomału stresem związanym z „protokołem", zaskoczony oboma wcieleniami Namiba i wciąż oszołomiony widokiem pałacu.

Ale to, co miało mnie naprawdę oszołomić, znajdowało się dopiero za drzwiami pałacu. Ujmujący chłód wnętrza uderzał od wejścia. Po raz pierwszy od dłuższego czasu poczułem ulgę i spokój. Pałac onieśmielał przepychem, ale też intrygował, kusił. Wyłożona włoskim marmurem podłoga odbijała światło kryształowego żyrandola zawieszonego w holu. Był tak wielki, że trudno go było ogarnąć wzrokiem. Na pewno nie było to możliwe z miejsca, w którym stałem. Zawieszony był na wysokości minimum dziesięciu metrów i oświetlał całą przestrzeń. Jego światło odbijało się nie tylko w podłodze, ale również w rozwieszonych na niemal wszystkich ścianach lustrach w bogato zdobionych ramach. Podobno o gustach się nie dyskutuje, więc nie będę oceniał estetyki wnętrza pałacu, choć ewidentnie ktoś tu ostro przesadził. Jednemu trzeba oddać sprawiedliwość – nic tam nie było udawane, nie było mowy o imitacjach. Złoto było szczerym złotem, a marmur marmurem w każdym calu. Rozglądając się na lewo i prawo, podążałem za Namibem. Dotarliśmy do wielkich, lakierowanych na biało drzwi. Te były jakby wycięte z apartamentu przy nowojorskim Central Parku. Architekci wnętrz zatrudniani przez arabskich szejków nie biorą zakładników. A może sami są zakładnikami i wstawiają w projekty wszystko, co podoba się ich sponsorom… W końcu klient nasz pan. A co dopiero klient płacący w petrodolarach.

Za drzwiami czekał mnie powrót do znanej z poprzednich pomieszczeń mieszanki rozmaitych stylów, ale trzeba przyznać, że tu całość sprawiała wrażenie zdecydowanie bardziej przemyślanej. Wyłożone jedwabiem w kolorze ciemnej wiśni ściany dość dobrze współgrały z ciężką kolonialną sofą i dostawionymi do niej dwoma fotelami. Pomiędzy nimi stał złoty stolik z marmurowym blatem, wyraźnie nawiązujący do lat dwudziestych. Był też kominek – niezbędny element każdego szanującego się pałacu wzniesionego na pustyni, a jedną ze ścian poświęcono na bibliotekę. Wyłożona od góry do dołu książkami w identycznych, czerwono-złotych okładkach, ewidentnie pełniła rolę wyłącznie dekoracyjną. Książki były nietknięte, żadna z nich prawdopodobnie nigdy nie została przeczytana, ale i tak to w sumie miłe, że książki uznano za ozdobę godną pałacu arabskiego księcia. Przy nowojorskich drzwiach stał jeszcze jeden fotel, mniejszy niż ten z kolonialnego kompletu, ale wciąż dość okazały.

Namib zapytał, czy czegoś się napiję. Poprosiłem o wodę gazowaną. Mężczyzna ukłonił się i wyszedł z pokoju. Po chwili drzwi otworzyły się ponownie i do środka wjechał mały wózeczek prowadzony przez ubranego na czarno chłopaka o śniadej karnacji i niezwykle drobnej posturze. Sprawiał wrażenie nastolatka, ale nie byłem w stanie zweryfikować jego wieku, bo chłopak przez cały czas miał spuszczoną głowę. Tuż za nim do pokoju wszedł Namib.

– Czym możemy cię ugościć? – zapytał, wskazując barek, na którym stało około dwudziestu butelek z wodami z całego świata. Rozpoznałem wśród nich swoją ulubioną.

Chłopiec prowadzący wózek ani na moment nie podniósł wzroku. Ani wtedy, gdy do kryształowej szklanki nalewał wybraną przeze mnie wodę, ani wtedy, gdy ją podawał. Chwilę po tym, jak szklanka znalazła się w mojej dłoni, zniknął bez śladu.

Namib poprosił, żebym usiadł na sofie.

– Książę wkrótce do nas dołączy – powiedział, po czym ponownie wyszedł z pokoju.

Siedziałem w ciszy, chłonąc przyjemną woń roztaczającą się dookoła. Mieszanka kadzidła i cytrusów. Była intensywna, ale nie męczyła zmysłów. Arabskie perfumy bywają tak ciężkie, że zmarłego potrafiłyby ocucić, ale te miały w sobie delikatniejsze, uwodzące nuty. Obserwowałem drzwi wejściowe do pokoju, oczekując gospodarza. Trema mieszała się z niecierpliwością, ale wiedziałem, że to już niedługo, że już za moment. Drzwi jednak się nie otwierały.

W pewnej chwili usłyszałem szum, jakby ktoś jednym ruchem odsłonił zasłony, ale te pozostały nietknięte. Ku mojemu zdziwieniu pokryta jedwabiem ściana po mojej prawej stronie rozsunęła się, a w jej oślepiającym świetle pojawiła się postać w tradycyjnych emirackich szatach. Nie miałem wątpliwości. Książę we własnej osobie. Ubrany w białą kandurę z misternie zawiązaną białą ghutrą na głowie, wyglądał dostojnie, choć skromnie. Nie miał na sobie żadnej biżuterii poza wąziutką, grawerowaną arabską inskrypcją bransoletką z białego złota na prawej dłoni. Sam fakt, że złoto było białe, wiele mówił o księciu. Nie był zwykłym, rozkochanym w błyskotkach Arabem, któremu ilość złota w złocie doskonale rekompensowała brak gustu.

Tuż za nim podążał Namib. Wstałem, lekko zaskoczony. Po pełnej przygód i zwrotów akcji wycieczce do pałacu nie mogłem oczekiwać, że książę tak po prostu wejdzie do pokoju, ale nie spodziewałem się przenikania przez ściany. Książę podszedł do mnie, wyciągając dłoń na przywitanie. Był uśmiechnięty i sprawiał wrażenie, jakby spotykał się ze starym kumplem. Ta niezwykła otwartość zbiła mnie z tropu. Po całej szopce z „protokołem" spodziewałem się, że spotkanie będzie chłodne i pełne dystansu. Wyobrażałem sobie, że książę zasiądzie na tronie, a ja będę musiał przed nim klęczeć bez zgody na spoglądanie w jego oblicze. Tymczasem on objął mnie ramieniem i łagodnym gestem wskazał, bym usiadł na sofie. Sam zajął miejsce na fotelu tuż obok.

– Witam. Niezmiernie się cieszę, że wreszcie możemy się spotkać twarzą w twarz – powiedział, uśmiechając się szeroko.

Twarzą w twarz? A kiedykolwiek spotkaliśmy się inaczej?

To powitanie wydawało mi się bardzo dziwne, ale nie mogłem się teraz nad tym zastanawiać.

– To dla mnie wielki zaszczyt – wydusiłem z siebie.

Potem było już łatwiej. Opowiedziałem księciu to, co w zasadzie już wiedział – o moich zamiarach, o tym, że w książce wystąpi pod pseudonimem, że może sobie go nawet sam wybrać. Zapewniłem o anonimowości. Mówiłem o tym wszystkim, choć oczywiście to nie ja dyktowałem tu warunki. Wszystko zostało ustalone wcześniej. Dokładnie opisane w kontrakcie.

– Abed oznacza „wielbiciel". Skoro mam ci opowiedzieć o tym, jak rozkochują szejkowie, powinienem nazywać się właściwie – wyjaśnił. – Książę Abed, wielbiciel kobiet!

– Niech zatem tak będzie. Książę Abed, wielbiciel kobiet! Brzmi świetnie! – powiedziałem.

Książę zdawał się zadowolony z tego, że właśnie został bohaterem książki. Zanim zaczął swoją opowieść, zapytał mnie jeszcze o moje pochodzenie. Okazało się, że ma wiele wspólnego z Polską.

– Allah stworzył wiele pięknych rzeczy, ale najbardziej udały mu się konie i kobiety – powiedział. – To zaskakujące, że piękne konie i równie piękne kobiety mieszkają właśnie w kraju, który w Allaha nie wierzy. Jakby Najwyższy chciał wam, Polakom, coś przez to powiedzieć… – Uśmiechnął się.

Czyżby chciał powiedzieć, że Allah podarował Polkom i polskim koniom urodę na kredyt? Czy miała to być zapowiedź podboju? Jak wkrótce się okazało, Abed poczynił już nad Wisłą pierwsze kroki w tej sprawie.

ROZDZIAŁ 2
Aukcja

Od dziecka wiedziałem, że mogę mieć wszystko, czego zechcę. To może brzmi dziwnie, ale powiedzenie, że nie brakowało mi niczego, to zdecydowanie za mało. „Brak" to słowo, które w dzieciństwie chyba nie istniało w mojej świadomości. Pamiętam, że czasami brakowało mi tylko taty, bo jego obowiązki sprawiały, że nie widywałem go całymi tygodniami, ale w sensie materialnym miałem absolutnie wszystko. Wśród naszej służby jedna z osób zatrudniona była tylko po to, by ten stan utrzymywać, przez cały czas. We wczesnych latach był to stary Sammer, ale nie pamiętam go dokładnie. Gdy dorastałem, zastąpił go Namib, którego miałeś już okazję poznać. Namib zapewniał mi wszystko, czego potrzebowałem. Nie wyobrażałem sobie życia bez takiej asysty i prawdę mówiąc, do dziś sobie tego nie wyobrażam. Choć moje potrzeby na przestrzeni lat znacznie się zmieniały, nie wiem, co bym dziś bez niego zrobił, jak przetrwał te wszystkie lata. Wiem, że to brzmi jak wyznanie przedstawiciela klasy próżniaczej, ale będąc przez wiele lat pozbawiony możliwości stworzenia prawdziwych przyjaźni, mając ograniczone przez ważne funkcje moich rodziców kontakty z nimi, było mi to niezwykle potrzebne. Namib świetnie się sprawdził w roli wiernego przyjaciela.

Młodzieńcze lata spędziłem w jeździeckim siodle. Nie pamiętam dnia bez jazdy konnej. Po raz pierwszy na koniu zasiadłem, mając niespełna trzy lata – i tak już zostało. To jest jak narkotyk, potrzebuję go codziennie. Mój pierwszy ukochany koń przybył z Polski. Majestatyczny i dumny, atletyczny, o aksamitnej hebanowej sierści i niezwykle inteligentnym spojrzeniu. Nazywał się Czardasz, ale gdy go dostałem, nie byłem w stanie wymówić tego słowa. Nawet nie próbowałem. Nazwałem go Alaska, bo wiedziałem, że w Polsce jest zimno, a to jedyna nazwa, która kojarzyła mi się z surowym klimatem. Tak, tak, wiem, że Polska nie jest ani tak zimna, ani tak odległa, ale wtedy wydawało mi się, że tak będzie najlepiej. Dopiero gdy Alaska odszedł, dotarło do mnie, że nie powinienem był zmieniać mu imienia. Był w nim fragment jego dziedzictwa. Gdy poznajesz przyjaciół, nie zmieniasz im imion tylko dlatego, że są trudne do wymówienia. Byłem młody i głupi. Znalazłem informację o tym, że czardasz to taniec, i nauczyłem się wymawiać to słowo. Zrozumiałem, że Czardasz to było coś więcej niż tylko imię. Ten koń był tak dostojny, że w każdym ruchu miał zaklęty taniec, to doskonale oddawało jego naturę. Na jego grobie kazałem napisać: „Czardasz – Przyjaciel".

Gdy straciłem Czardasza, miałem około siedemnastu lat. Choć w stajniach mojego ojca nie brakowało wspaniałych ogierów, nie mogłem znaleźć odpowiedniego zastępstwa. Inne konie były równie zachwycające, ale z Czardaszem łączyła mnie prawdziwa przyjaźń. Pomału traciłem nawet radość z jazdy konnej. Moi rodzice obserwowali mnie z niepokojem, bo zaczynało to wpływać na całe moje życie. Byłem apatyczny, znudzony, zrezygnowany. Nie mogłem się pogodzić z tak wczesną stratą, zwłaszcza że przyczyny śmierci Czardasza nie były znane. Służba znalazła go rano leżącego w stajni. Oddychał resztką sił, ale przestał, zanim zdążyłem do niego dobiec.

Minęło kilka miesięcy. Właśnie kończył się ramadan* i wszyscy szykowali się na świętowanie Id al-Fitr**, oznaczające trzydniowe ucztowanie dla uczczenia zakończonego postu. Nie lubiłem tej całej szopki z odwiedzinami bliskich. Zazwyczaj uciekałem wtedy do stajni. Do tej pory Czardasz dawał mi doskonałe alibi, ale tego roku nie miałem wymówki. Już wolałbym dalej głodować, zwłaszcza że tego roku post nie sprawiał mi żadnej trudności. I tak nie byłem w stanie jeść, a Id nie zmienił niczego w tej kwestii.

Tradycyjnie muzułmanie obdarowują się w tym czasie prezentami. Nie żeby mój ojciec potrzebował okazji, by kupić mi prezent, ale Id al-Fitr był dobrym sposobem, by wyciągnąć mnie z apatii. Zaproponował mi wycieczkę, która miała wszystko zmienić. I zmieniła. Dzisiaj, z perspektywy czasu patrzę na ten wyjazd jak na piękny sen i najgorszy koszmar mojego życia zarazem. Zmienił mnie kompletnie. Rozbił i ukształtował na nowo.

– Aukcja startuje za dwa dni. Mamy wystarczająco dużo czasu, by dolecieć i odpocząć – powiedział mój ojciec, planując podróż do Polski na słynną na cały świat aukcję koni. – Rozejrzysz się, a jeśli któryś z ogierów ci się spodoba, zalicytujesz. Cena nie gra roli.

Tymi słowami ojciec z całych sił próbował wyrwać mnie z marazmu. Oczywiście, że cena nie grała roli – my nigdy nie rozmawialiśmy o pieniądzach, ale nie o nie tu chodziło. Szczerze mówiąc, łudziłem się, że na wybiegu zobaczę Czardasza, że wcale nie umarł, tylko wyjechał w odwiedziny do swojego kraju. Marzyłem, że gdy mnie zobaczy, przypomni sobie, zatęskni i znowu

* Święty miesiąc muzułmanów upamiętniający okres objawienia Mahometowi pierwszych wersów Koranu. W tym czasie muzułmanie od świtu do zmierzchu muszą powstrzymać się od jedzenia, picia, palenia i całkowicie od uprawiania seksu. Post łamany jest po zachodzie słońca posiłkiem zwanym *iftar*.

** Święto dziękczynienia obchodzone w islamie na zakończenie ramadanu, muzułmanie w tym czasie odwiedzają się nawzajem, pozdrawiają słowami „Id mubarak", składają sobie życzenia i obdarowują prezentami.

będziemy razem. Jakaś część mnie wiedziała, że to absolutnie niemożliwe, że nie mogę tego dostać za żadne pieniądze, ale lubiłem się tak łudzić.

Do Polski oprócz mojego ojca i jego sekretarza, Mahira, polecieli z nami Namib i mój kuzyn, książę Wasim. Był ode mnie o cztery lata starszy i zawsze traktowałem go jak brata. Mając pięć sióstr, szukałem męskich wzorców, a Wasim był niezwykle imponujący w tym względzie. Wyższy ode mnie o pół głowy, świetnie zbudowany, wysportowany. Doskonały strzelec, wyborny jeździec i nieprawdopodobny podrywacz. Często brano nas za rodzonych braci, bo z twarzy faktycznie byliśmy bardzo podobni, choć ja zawsze byłem jego bardziej wybrakowaną kopią, tak przynajmniej się czułem. Z perspektywy czasu myślę, że ten kompleks odziedziczyłem po moim ojcu. Jego brat, choć młodszy, miał czterech synów, Wasim był trzeci w kolejności. Mimo że ojciec bardzo kochał moje siostry, czuł się niedowartościowany, nie mając męskiego dziedzica. Moje narodziny niewątpliwie były jednym z najszczęśliwszych dni w jego życiu. Poczuł się spełniony jako mężczyzna – miał męskiego potomka, prawowitego dziedzica. Starał się nieustannie mi o tym przypominać. Robił to zawsze, kiedy mógł, kiedy tylko był obok. Paradoksalnie oczekując męskiego potomka, czekał na mężczyznę, twardego i zaradnego, dziedzica, który przejmie tron, tymczasem wychowywał mnie w absolutnym zaprzeczeniu tego założenia. W domu roztaczano nade mną przesadną opiekę, jakby obawiano się, że dorosnę. Żyłem pod kloszem, a moi rodzice w strachu, że mogłoby mi się cokolwiek stać. Nawet jazda konna była sporym problemem. Kiedy miałem siedem lat, spadłem z konia tak niefortunnie, że złamałem nogę. To wtedy przestał się mną opiekować Sammer. Rodzice prawdopodobnie odesłali go, obwiniając o to, co się stało. Jego miejsce zajął Namib, który z roku na rok zdobywał coraz większe zaufanie mojego ojca. Był przekonany, że ma najbardziej odpowiedzialne zadanie w całym emiracie – chronił jego największy skarb. W towarzystwie Wasima udawało mi się czasami wyjść spod klosza. Oczywiście zdawałem sobie sprawę, że Namib nie spuszcza mnie z oka, ale Wasim pozwalał mi zapomnieć o mej wyjątkowości. Mało tego, przy nim zawsze czułem się trochę nieopierzony – i bardzo mi to odpowiadało. Miałem starszego brata, którego świętym prawem było udowadnianie swojej wyższości nad młodszym. To może wydać się dziwne, ale z radością poddawałem się tej hierarchii.

– Będzie się działo – zapowiedział z diabolicznym uśmiechem Wasim, gdy usiedliśmy w fotelach naszej części odrzutowca należącego do mojego ojca. – Poujeżdżamy razem, co, bracie? – Położył rękę na moim ramieniu.

– No pewnie! Podobno polskie konie nie mają sobie równych – powiedziałem.

Dopiero gdy Wasim eksplodował śmiechem, zdałem sobie sprawę, że nie ujeżdżanie koni miał na myśli. Wasim dusił się ze śmiechu, a ja czerwieniałem z zażenowania. Było mi wstyd, że nie załapałem, o co chodzi, i że do tej pory ujeżdżałem tylko konie.

Wasim dorastał wśród chłopaków, ja za wzór miałem jedynie siostry. Podobały mi się kobiety. Wiedziałem, że to one mnie kręcą, ale nie czułem się gotowy na miłosne podboje. W towarzystwie Wasima docierało do mnie, że jestem facetem. Nie zmieniało to faktu, że na „ujeżdżanie" kogokolwiek poza końmi czystej krwi nie czułem się gotowy.

Do Warszawy dolecieliśmy w nocy. Był środek lata. Nie sądziłem, że temperatura w Polsce może być równa tej w Dubaju. Choć w Polsce było jakoś przyjemniej, powietrze nie stało w miejscu, wiatr delikatnie chłodził, nie parzył jak ten pustynny.

W hotelu zajęliśmy apartament z pięcioma sypialniami. Główna przypadła oczywiście mojemu ojcu. Ja i Wasim zajęliśmy sąsiadujące ze sobą pokoje po przeciwnej stronie apartamentu. Dwie sypialnie pozostały puste. Sekretarz taty i Namib nie mieszkali z nami, ale musieli być gdzieś blisko, bo zjawiali się jak zawsze na każde wezwanie w ciągu dwóch minut. Pierwszą noc przespałem jak zabity. Po kilkumiesięcznej żałobie po stracie Czardasza wreszcie poczułem spokój. Może po prostu musiałem wyjechać, zmienić otoczenie. W domu większość czasu spędzałem z Czardaszem, wszystko mi o nim przypominało, posypywało solą rany. Tutaj miałem szansę je wyleczyć. Byłem gotowy na nowe.

Już następnego dnia po przyjeździe pojechaliśmy na aukcję. Ubrałem się w kandurę; tego wymagał protokół. Mój ojciec, choć byliśmy tu z prywatną wizytą, wciąż w pewnym sensie reprezentował nasz kraj. Myślałem, że będę wyglądał, jakbym się urwał z cyrku, ale okazało się, że nie byłem tu jedynym mężczyzną w bieli. W zasadzie było ich tu mniej więcej tylu, ilu ludzi w europejskich strojach. Po sposobie zawiązywania kefii rozpoznawałem szejków z Kuwejtu, Kataru, Arabii Saudyjskiej i Bahrajnu. Mój ojciec witał się z niektórymi niezwykle serdecznie, z innymi bardzo dyplomatycznie i powściągliwie. Nie znałem nikogo w tym towarzystwie. Może gdybym nie spędzał tyle czasu w stajni, byłoby inaczej, ale szczerze mówiąc, towarzystwo czworonożnych arabów odpowiadało mi znacznie bardziej. Tu generalnie liczyło się tylko to, by popisać się swoją fortuną. Aukcje – nie tylko koni – są wśród Arabów dość popularne. To rodzaj hazardu, który generalnie w naszej kulturze jest zakazany. Daje dreszcz emocji, a przy tym pozwala wydać niebotyczne sumy na coś, czego tak naprawdę, mam wrażenie, nawet nie rozumieją. Chodzi o rekordy. Te na aukcjach koni należą do szejków, ale przodują oni także na aukcjach sztuki. Katarska rodzina królewska dzierży na przykład palmę pierwszeństwa w rankingu najwyżej wylicytowanego obrazu – kupili Paula Gauguina* za trzysta milionów dolarów. Do tej pory nikt nie pobił tego rekordu, ale jeśli ktoś tego dokona, pewnie będzie to jakiś szejk.

W sporej sali dla VIP-ów robiło się coraz bardziej tłoczno. Czułem się tym zmęczony, więc poprosiłem Namiba, by wskazał mi drogę na widownię. Tuż przy arenie rozstawione były przykryte białymi obrusami stoły, a przy nich ubrane na biało krzesła. Niektóre z nich były już zajęte. Rozejrzałem się dookoła. Nad strefą ze stołami znajdowała się widownia. Na twardych, wyglądających na bardzo niewygodne ławkach siedzieli prawdziwi pasjonaci koni. Czułem, że tak naprawdę łączy mnie z nimi dużo więcej niż z gronem, które zjechało na licytację. Ludzie na widowni byli prawdziwi. Przyjeżdżali tu z miłości do koni. Nie mieli szans na licytowanie, pewnie często z trudem wyskrobywali pieniądze na bilet, a mimo to byli. Dla nich nie było to targowisko próżności, przebijanie się, kto da więcej, kto komu pokaże. To nie było kupowanie kolejnej drogiej zabawki, podbudowywanie ego. To była czysta miłość do koni.

Przy stołach zasiadało coraz więcej osób. Wkrótce miały się rozpocząć pokazy. Zapowiedziano licytację aż dwudziestu pięciu okazów.

– Przyglądaj się uważnie, synu. Gdy któryś z nich skradnie twoje serce, daj mi znak, a będzie twój – powiedział mój ojciec, obejmując mnie mocno.

Potem odszedł do stolika obok, witając się z jakimś potężnie zbudowanym Saudyjczykiem. Obaj usiedli i zajęli się rozmową, nie zwracając uwagi na to, co się dzieje na arenie. Właściciele koni rzadko sami licytują. Najczęściej robią to wynajęci przez

* Obraz *Nafea Faa Ipoipo?* (*Kiedy się ożenisz?*).

nich specjaliści lub specjalnie wyznaczeni do tego pracownicy. Często robią to nawet przez telefon. Mój ojciec nie wierzył w pośredników w tej sprawie. Lubił się czuć panem sytuacji, a może po prostu lubił dreszczyk emocji towarzyszący walce o cennego konia. Wiedział, że licytuje przeciwko przeciwnikom, dla których – podobnie jak dla niego – cena nie gra roli. To była wojna nerwów, kto odpuści, kto pierwszy zrezygnuje, kto wcześniej pozwoli, by rozsądek wygrał z testosteronem.

Siedziałem obok Namiba, wypatrując Wasima, którego miejsce od początku było puste. Zastanawiałem się, co zajmuje go tak bardzo, że nie ogląda koni. Przecież też je kochał. Od kiedy przylecieliśmy do Polski, nic nie było nawet w połowie równie ekscytujące. Zresztą dla mnie w tamtym czasie w ogóle nic nie było bardziej interesujące. Dlatego postanowiłem nie zajmować się dłużej otoczeniem i skupić się na koniach.

Na arenie pojawiały się jeden po drugim, dostojne, zachwycające, dumne. Prowadzone przez elegancko ubranych opiekunów, którzy, trzymając uprząż, niekiedy musieli poddać się nie lada treningowi, biegnąc przy swoich energicznych podopiecznych. Z głośnika dobiegały opisy koni, które w moich uszach były bliskie poezji. Najpierw wygłaszano je po angielsku, a później po polsku. Odgłosy z hali, harmider rozmów i próbujący je przekrzyczeć megafon świdrowały mi w głowie. Starałem się za wszelką cenę nie słyszeć świata. Przyglądając się każdemu z prezentowanych koni, odcinałem wszystko, co się działo dookoła. Byłem nimi oczarowany, ale chyba podświadomie czekałem, aż pojawi się wśród nich on, mój Czardasz.

Palmeta... El Dorada... Equator... – były piękne, ale nie skradły mojego serca. Sądząc jednak po walce na fortuny, jaka odbywała się podczas ich licytacji, nie cierpiały na brak wielbicieli. Sumy, jakie padały w jej trakcie, były zawrotne.

– Osiemset tysięcy euro po raz pierwszy... Osiemset tysięcy po raz drugi... Dziewięćset! Mamy dziewięćset po raz pierwszy... Dziewięćset pięćdziesiąt! Dziewięćset pięćdziesiąt po raz pierwszy, dziewięćset pięćdziesiąt po raz drugi... Czy będzie milion? Jest! Panie i panowie, milion za tego majestatycznego ogiera po raz pierwszy... po raz drugi... po raz trzeci... Szanowni państwo, Equator znalazł nowego właściciela! Pojedzie do Arabii Saudyjskiej. Gratulujemy serdecznie!

Opiekun Equatora podprowadził go pod lożę, w której zasiadali licytujący. Mogłem obejrzeć konia z bliska. Wspaniały, dumny, jakby rozumiał, ile jest wart, ale nie, nie był tym koniem. Nie on. Żaden zresztą, niestety. Zastanawiałem się, co jest ze mną nie tak. Byłem w miejscu, gdzie jedne z najpiękniejszych boskich stworzeń występowały w liczbie przyprawiającej o zawrót głowy, a żadne z nich nie poderwało mnie z krzesła, nie sprawiło, że moje serce zabiło szybciej.

I wtedy na wybiegu pojawiła się ona. Prześliczna kasztanka Silvia.

Była przedostatnim koniem licytowanym tego dnia, ale ostatni nie interesował mnie kompletnie. Już wiedziałem, że to ona, że to ją chcę zabrać ze sobą, że da mi szczęście.

Skinąłem na Namiba, ale ten był już w połowie drogi do stolika, przy którym siedział mój ojciec. Namib potrafił czytać każdy mój ruch. Czasami mam wrażenie, że potrafi też czytać w moich myślach. Szeptał do ucha mojego ojca. Ten uśmiechnął się do mnie i mrugnął.

– Będziemy licytować – powiedział Namib, gdy wrócił do stolika. – Twój ojciec był zdziwiony, że jesteś zainteresowany klaczą, ale nie oponował.

Płeć konia nie miała dla mnie znaczenia. Obiektywnie każdy z tych koni był cudem natury, dlatego wybór nie był kwestią rozumu, dyktowało go wyłącznie serce.

Rozpoczęła się licytacja. Znałem jej rezultat, a mimo to poczułem stres, ekscytację. To było nawet przyjemne – jak stawanie do walki o serce ukochanej. Nie spuszczałem oka z Silvii, od czasu do czasu spoglądając tylko na stolik mojego ojca, przy którym panowało spore poruszenie. Cena Silvii szybko poszybowała do góry, przebijając milion euro. Najwyraźniej nie byłem jedynym, któremu zależało na klaczy.

– Jeden milion... pięćdziesiąt tysięcy... po raz pierwszy... – cedził prowadzący licytację, jakby chciał kupić czas. – Po raz drugi! Mamy milion sto!

W grze pozostało trzech licytujących. Namib szybko zorientował się w pozycji przeciwnika.

– Licytujemy przeciwko szejkowi z Kataru i biznesmenowi ze Szwajcarii – powiedział półgłosem, jakby zdradzał plany ustawienia wojsk. – Damy radę. – Puścił do mnie oko.

Tymczasem cena Silvii osiągnęła milion trzysta tysięcy euro. Przy tej kwocie broń złożył Szwajcar.

– Milion! Trzysta! Pięćdziesiąt! Tysięcy! Euro! – wykrzykiwał prowadzący licytację. – Po raz pierwszy!

Licytacja wyraźnie zwolniła.

– Po raz drugi... Jest! Jest proszę państwa... Mamy milion czterysta tysięcy euro...! Absolutny rekord! Milion czterysta tysięcy... Milion czterysta tysięcy po raz pierwszy...

Spojrzałem w kierunku stolika, przy którym siedział mój ojciec, ale jego krzesło było puste. Puste! Jak to? Co on wyprawia? Gdzie jest?

– Milion czterysta tysięcy po raz drugi! Milion czterysta tysięcy po... raz... trzeci!

Nie! Nie mogłem w to uwierzyć, nie potrafiłem tego zrozumieć. Jak to się mogło stać?

– Panie i panowie, piękna Silvia została wylicytowana za

rekordową w historii naszych aukcji sumę jednego miliona czterystu tysięcy euro i pojedzie do Kataru!

Jak on mógł mi to zrobić? Jak mógł odpuścić licytację w takim momencie? Co mogło być ważniejsze? Przecież obiecał!

Byłem wściekły. Wyszedłem z sali. Miałem dosyć wszystkiego. Przecież to miała być podróż, która odmieni moje życie. Miała ukoić mój smutek po stracie Czardasza, a tymczasem dała mi poczucie, że straciłem kolejnego konia. Wprawdzie Silvii nie zdążyłem jeszcze nawet poznać, ale miała być moja, jedyna... Trudno mi dziś opisać emocje, jakie mną targały. Żal po stracie Czardasza odżył na nowo, zmieszał się z zawodem, jaki sprawił mi ojciec, a całość potęgowała czysta złość.

– Jak on mógł, Namib? Jak mógł?

Namib stał spokojnie. Wiedziałem, że doskonale rozumie, co czuję.

– Twój ojciec dostał ważną wiadomość – powiedział. – Pewnie nie zauważyłeś, gdy w pośpiechu odszedł od stołu.

– No pewnie, że nie zauważyłem. Przecież miał tam siedzieć! Miał licytować! Obiecał mi! – krzyczałem.

– To musiał być naprawdę ważny telefon. Wiesz, że twój ojciec zawsze dotrzymuje słowa...

– Jak się okazuje, nie zawsze. Co mogło być tak ważne? Co nie mogło zaczekać tych cholernych pięciu minut?!

– Jestem przekonany, że tata wytłumaczy ci to wszystko, jak emocje opadną. Wracajmy do hotelu – powiedział Namib wciąż spokojnym głosem.

Mój opiekun zawsze doskonale wiedział, czego mi potrzeba. Właśnie wtedy chciałem się znaleźć w pokoju hotelowym. Sam. Z dala od tych wszystkich ludzi. Nie znosiłem ich uśmiechów, ekscytacji, pretensjonalnych gestów. Miałem dosyć. To było jak żart w bardzo złym guście. Wiedziałem, że mój ojciec nie przywiózł mnie tutaj, bym przeżył takie rozczarowanie, ale w tamtym momencie absolutnie wierzyłem w taką wersję. Jakie to okrutne! Jak można się tak znęcać nad sercem cierpiącego człowieka! I gdzie, do cholery, jest Wasim?

W hotelu nie zastałem ani jego, ani taty. Zresztą w tamtej chwili i tak nie chciałem nikogo widzieć. Po co? Wszyscy w końcu mnie zostawiają. Jedyne, czego pragnąłem, to wrócić do domu, zaszyć się gdzieś, z dala od wszystkich rozczarowań. To chyba dlatego tak kochałem konie – one nigdy nie zawodzą, zawsze są pełne oddania. Tylko gdy odchodzą, pozostawiają po sobie pustkę, ale to przecież nie ich wina.

Na łóżku w moim pokoju, gdzie miałem zamiar spędzić resztę mojego pobytu w Polsce, leżała kartka. Rozpoznałem pismo ojca. Lubił pisać sam, osobistych notatek nigdy nie zlecał sekretarzowi. Najczęściej takie kartki zostawiał mojej mamie, ta jednak była do mnie.

„Synu,

wiem, że teraz tego nie rozumiesz, ale wszystko Ci wyjaśnię. Wylatuję natychmiast. Namib i Wasim zaopiekują się Tobą. Zostańcie tu jeszcze, tak będzie lepiej.

Kocham Cię,
Tata".

Z ofiary podłego oszustwa, okrutnej gry na emocjach stałem się porzuconym więźniem jakiegoś obcego kraju, zdanym na łaskę nieobecnego kuzyna i sudańskiego służącego. Moja złość na ojca zamaszyście zataczała kręgi. Teraz byłem wściekły na kraj, w którym jestem, na nieobecnego kuzyna i na Bogu ducha winnego Namiba. Nie potrafiłem sobie wyobrazić, co mogło być tak ważne, że mój ojciec porzucił mnie tu po tym, jak w spektakularny sposób złamał dane mi słowo i zniknął z licytacji. Przecież nie mogło chodzić o pieniądze. A może mogło? Może po prostu stwierdził, że dalsze licytowanie było przesadą i najlepiej będzie zniknąć? Teraz, nie mając odwagi spojrzeć mi w oczy, po prostu zapakował się do samolotu i odleciał, by poczekać, aż mi przejdzie. Otóż nie przejdzie mi! Postanowiłem pieczołowicie pielęgnować swoją złość do czasu naszego spotkania. Będę się skupiał na tym, by być dokładnie tak samo zły jak teraz, tak by mu się oberwało. Niech zrozumie, że takie pogrywanie z emocjami jest nieludzkie.

Rzuciłem się na łóżko, odrzucając kartkę od ojca za siebie. Wlepiając oczy w sufit, zastanawiałem się, co powinienem zrobić w tej sytuacji. Zdawałem sobie sprawę, że niewiele mogę. Ta bezsilność frustrowała mnie jeszcze bardziej. Pragnąłem porozmawiać z Wasimem, ale ten wciąż nie wracał. W końcu, zmęczony natłokiem wrażeń, zasnąłem.

Obudziłem się w dokładnie takiej samej pozycji, w jakiej zasnąłem, na wznak. Byłem zdezorientowany. Nie wiedziałem, która jest godzina. Nie wiedziałem, jak długo spałem. Przez uchylone drzwi usłyszałem zniżone głosy Namiba i Wasima. Czułem się dziwnie. Choć wtedy jeszcze nie miałem pojęcia, czym jest kac, dziś wiem, że to najlepsze porównanie do mojego ówczesnego stanu. Olbrzymi stres i gonitwa emocji – od tych wspaniałych z pokazów koni po te okropne związane z wydarzeniami w trakcie licytacji – spowodowały, że czułem się jak struty. Powoli wstałem i doczłapałem do salonu.

– Ooooo... któż to się obudził! – wykrzyknął rozradowany Wasim. Zachowywał się tak, jakby kompletnie nie był świadomy traumy, jaką przeżyłem. A przecież musiał to wiedzieć. Rozmawiał z Namibem.

– Gdzie byłeś tyle czasu? – zapytałem z wyrzutem.

– Braciszku, *habibi**, załatwiałem sprawy, ale wierz mi, będziesz zadowolony i jeszcze mi podziękujesz – powiedział, jak zawsze z pewnością siebie.

Ciekawe, co takiego Wasim mógł załatwiać w kraju, w którym był po raz pierwszy w życiu. To się nie trzymało kupy. Najpierw okłamał mnie ojciec, teraz swoją dość pokrętną wersję wydarzeń próbował mi sprzedać Wasim. Zastanawiałem się, czy w ogóle mogę liczyć na choć odrobinę uczciwości ze strony członków mojej rodziny.

– Sprawy? – spytałem z zamierzoną ironią, choć wyszło trochę jak foch.

– Wszystkiego dowiesz się najdalej za dwie godziny – powiedział tajemniczo Wasim, wciąż wyraźnie podekscytowany skrywaną przede mną tajemnicą. – Zobaczysz, będzie mega! A teraz wskocz pod prysznic i przebierz się w jakieś normal... to znaczy w jakieś europejskie ciuchy. Twoja kandura wygląda jak namiot Beduina.

Chociaż bardzo chciałem się sprzeciwić, nie miałem na to siły. Poza tym ekscytacja Wasima naprawdę mnie intrygowała, byłem też ciekaw, co takiego zajmowało go cały dzień. Dwie godziny oczekiwania, prysznic i przebranie się w inne ciuchy wydawały się niską ceną za wyjawienie tej tajemnicy. Wyczerpałem już swój limit rozczarowań, nie mówiąc o tym, że brak oczekiwań skutecznie mnie przed nimi chronił.

* Z arab. – kochanie, tu: kochany. Słowo używane przez Arabów zarówno w sytuacjach romantycznych, jak i w celu okazania sympatii, również między heteroseksualnymi mężczyznami.

Siedziałem w swoim pokoju w ciszy. Rozglądając się, zauważyłem, że nie ma w nim telewizora. Dziwne, wydawało mi się, że każda z sypialni jest wyposażona w telewizor. Przecież chyba nikt go nie usunął. Jaki miałby w tym cel? Stwierdziłem, że telewizorów po prostu w tym apartamencie nigdy nie było. Nie żeby mi tego brakowało. Miałem dość stymulantów. Wolałem ciszę. Wsłuchiwałem się w nią. Zabawne, że gdy się to robi, cisza zaczyna być coraz głośniejsza, jakby przy chwili skupienia wyostrzały się nasze zmysły, wchodziły w inny wymiar. Słuchając ciszy, słyszy się więcej. Lekki harmider za drzwiami nie wywołał mojej natychmiastowej reakcji, ale przysłuchiwałem się mu z uwagą. Wiedziałem, że nic mnie nie ominie, a jeśli nawet, byłem gotowy przyjąć to z godnością. W salonie wyraźnie słychać było przesuwanie mebli i choć cały apartament wyłożony był grubą, miękką wykładziną, nie dało się ukryć, że znajduje się w nim sporo osób. Zastygłem w bezruchu, kontemplując. Iść sprawdzić? Zostać i nasłuchiwać? Podejrzeć przez uchylone drzwi? Ostatnia opcja wydała mi się najrozsądniejsza. Pozwalała jednocześnie zachować twarz i zaspokoić ciekawość. Wstałem bezszelestnie, podszedłem do drzwi i delikatnie je przesunąłem. Przez niewielki otwór dostrzegłem, że z salonu zniknęła sofa, a pod ścianą pojawiły się eleganckie puste lady. To, co zobaczyłem, rozpaliło moją ciekawość na tyle, że postanowiłem wyjść z sypialni i dokładniej rozeznać się w sytuacji. W końcu mieszkałem w tym apartamencie i miałem do tego pełne prawo.

Wyszedłem z pokoju. W salonie nie znalazłem ani Wasima, ani Namiba, było za to sześć ubranych w czarne, hotelowe stroje osób przestawiających meble i ustawiających lady. Okazało się, że sofa nie zniknęła, została jedynie przesunięta w głąb salonu, bliżej okna. Pod dwiema ze ścian ustawiono lady, na których zaczęło się pojawiać jedzenie, które na wózkach przywiozło dwóch szczupłych mężczyzn. Bardzo sprawnie wykładali półmiski z wytwornie wyglądającymi smakołykami. Zrobiłem się głodny. Nie jadłem od wielu godzin i choć mój organizm po niedawno zakończonym ramadanie był przyzwyczajony do głodówki, teraz zaczął się domagać pożywienia.

Pracujące w pokoju osoby powitały mnie jednym słowem okraszonym uśmiechem i bezzwłocznie wróciły do pracy. Wszyscy wyglądali bardzo profesjonalnie, działali szybko, jakby według dokładnie określonego scenariusza. Stało się jasne, że Wasim wydaje w naszym apartamencie przyjęcie. Nie miałem na nie ochoty, ale rozsądek podpowiadał mi, żeby nie oponować, że dzięki temu się najem, a potem po prostu zniknę. Po tak ciężkim dniu nie miałem siły na świętowanie. Zwłaszcza że nie miałem czego świętować. Wasimowi należał się jednak szacunek za trud, który włożył w organizację tego wszystkiego. Stwierdziłem, że gdybym to zignorował, zachowałbym się niewdzięcznie. Miałem wrażenie, że w dużej mierze kuzyn robi to dla mnie. Jakby chciał poprawić mi humor po tym, co się wydarzyło na aukcji.

Ale zaraz... Skoro Wasim zniknął z aukcji, by zorganizować przyjęcie, jego celem nie mogło być poprawianie mi humoru, bo wtedy jeszcze nie wiedział o tym, co się wydarzy. Przyjęcie musiało mieć inny powód – albo po prostu miało się odbyć zupełnie bez powodu. Wasim nigdy zbytnio nie potrzebował pretekstu, by imprezować. Był znanym bywalcem dubajskich klubów. Często wpadał do nich z całym orszakiem kolorowych, rozwrzeszczanych i ledwo trzymających się na nogach dworzan. Oczywiście nie byli oni pracownikami dworu jego ojca, ale Wasim lubił grać samca alfa, a do tego potrzebne jest stado pochlebców. Chętnych na imprezowanie z synem szejka nie brakowało. Na imprezach Trinity, odbywających się co tydzień w jego ulubionym klubie

– Madinat Jumeirah* w Dubaju miał swoją lożę, w której roiło się od blondwłosych piękności z Europy Wschodniej i wymuskanych przystojniaków, kumpli Wasima. Vintage Dom Pérignon**, za którego zaledwie jedną butelkę rodziny zebranych w loży pięknych Ukrainek byłyby w stanie przeżyć miesiąc, lał się tam litrami. Do kryształowych lampek, na piersi rozanielonych kobiet, prosto do gardeł. Wasim szczycił się tym, że potrafił wypić całą butelkę za jednym zamachem. Urządzał sobie nawet z kumplami zawody, których jedynym wymogiem było opróżnienie butelki szampana na czas. Ten, kto zrobił to jako pierwszy, wygrywał. I zawsze był to Wasim. Kobiety, które im towarzyszyły, były niezwykle piękne, ale jakby odciśnięte w tej samej formie. Strzeliście wysokie, zgrabne jak gazele i ewidentnie dumne z tego faktu, podkreślały swoje atrybuty skąpymi ubraniami. Gdyby mój ojciec zobaczył którąś z moich sióstr w takim stroju, umarłby na zawał, ale te kobiety nie były z rodziny, choć najwyraźniej miały nadzieję dostąpić tego zaszczytu, uganiając się za chłopakami z gangu szejka. Wszystkie miały piękne, długie blond włosy, co na Bliskim Wschodzie jest swoistym fetyszem. Sam jestem wielkim fanem blondynek. Mają w sobie jednocześnie niewinność i podniecającą zadziorność. A gdy ta ostatnia podkreślona jest odpowiednim makijażem, wprost trudno im się oprzeć. Wasim nigdy się nie opierał. Znałem historie jego podbojów w szczegółach, choć zawsze dziwiłem się, jak to jest możliwe, że po wypiciu takiej ilości alkoholu jest w stanie spamiętać wszystko tak dokładnie. Myślę, że często koloryzował, ale i tak jego historie były bardzo pasjonujące i rozpalały moją wyobraźnię. Wtedy jeszcze nie miałem żadnych kontaktów

* Ekskluzywny, zbudowany w staroarabskim stylu kompleks z restauracjami, klubami, hotelem i sukiem, licznie odwiedzany przez turystów i mieszkańców Emiratów.

** Jeden z najdroższych i najbardziej ekskluzywnych szampanów na świecie, produkowany od 1921 r. przez koncern Moët et Chandon.

z kobietami, byłem niewinnym chłopcem, w którym ewidentnie budziło się pożądanie do płci przeciwnej, a Wasim pchał mnie powoli w kierunku spełnienia. Każda jego opowieść wywoływała we mnie mieszankę zazdrości, podziwu i podniecenia, jakiego do tej pory nie znałem. Kuzyn zawsze obiecywał, że następnym razem zabierze mnie ze sobą. Nie zabierał, a ja nie brałem mu tego za złe. Miałem inną pasję. Poza tym wiedziałem, że Wasim opowie mi swoją kolejną historię, jak tylko się pojawi, i poniekąd nawet wolałem o tym słuchać, niż w tym uczestniczyć.

– Ja bym tak nie potrafił – mówiłem prawie zawsze, gdy kończył swoją relację.

– Potrafiłbyś. To leży w męskiej naturze, nie musisz się tego uczyć. Kiedy jesteś z kobietą, po prostu wiesz, co robić. To Allah dał nam tę wiedzę, to on pcha nas w ramiona kobiet, przecież po to je stworzył.

– Ale to jest *haram** – mówiłem, a on zawsze odpowiadał:

– Gdyby było *haram*, kobiety nie zostałyby stworzone. Zakazy dotyczą tych, którzy nie potrafią korzystać z dobrodziejstw, jakimi obdarzył nas Allah, ale gdy korzystasz z nich właściwie, Bóg może się tylko cieszyć. Kobieta, która nie ma szansy zadowolić mężczyzny, jest jak koń, którego nikt nie ujeżdża. Kochasz konie, prawda? Wyobraź sobie klacz, na której nikt nie chce jeździć. Stoi smutna, samotna, usycha z tęsknoty, by wypełnić swoje przeznaczenie. Tak samo jest z kobietami. One pragną nas zadowalać. To ich cel na tej planecie. Jak zaczniesz korzystać z tego boskiego cudu, sam zrozumiesz.

Koran faktycznie wprost mówi o tym, że kobiety zostały stworzone dla mężczyzn. „Śmiertelni! Bójcie się Pana, który

* Z arab. – zakazane, grzeszne.

was wszystkich z jednego wyprowadził człowieka, dla którego utworzył niewiastę i okrył ich potomstwem ziemię"*. Wielu widzi w tym cytacie nie tylko służebną rolę kobiet, ale i odebranie kobietom części człowieczeństwa, bo zgodnie z nim Allah stworzył niewiastę „dla człowieka". Jednak nawet jeśli odrzucić tę interpretację, kobieta zawsze traktowana jest tu jako istota mniej wartościowa. „Niewiasty postępować powinny ze wszelką przystojnością, a mężowie tak samo z niemi, ale mężowie mają stopień wyżej nad niewiastami"**. Wątpliwości co do boskiego błogosławieństwa dla kobiet wyraża wiele fragmentów, choćby ten o rzekomej próżności i głupocie płci pięknej: „Czyż powiedzą, że Przedwieczny jest ojcem tak wymyślnego stworzenia, jako jest córka, której młodość przebiega na ubieraniu się i przyozdabianiu i która zawsze spiera się bezzasadnie?"***. Nieznacząca rola kobiet i ich ograniczony intelekt mają oczywiście konsekwencje. Kobiety – całkowicie i bez wyjątku – zależą od mężczyzn. „Mężczyźni mają pierwszeństwo nad kobietami, ponieważ Bóg dał im wyższość nad niemi i wyposaża je przez mężczyzn"****. Z tym wiążą się też odpowiednie przywileje, których doświadczają za sprawą kobiet mężczyźni. „Wasze żony są to wasze pola, uprawiajcie je, ilekroć wam podobać się będzie"*****. Sprzeciwianie się woli męża może się spotkać z dotkliwą karą, a kary cielesne są sankcjonowane i przez wielu teologów wręcz zalecane.

Lekcje, jakie pobierałem od Wasima, na zawsze zostały mi w głowie. Wypływały one bezpośrednio z kultury muzułmańskiej,

* Koran 4:1.
** Koran 2:228.
*** Koran 43:17.
**** Koran 4:38.
***** Koran 2:223.

w jakiej dorastaliśmy, ale szacunek do kobiet nie zależy bezpośrednio od wiary. To coś znacznie więcej. W moim życiu było wtedy wiele kobiet – nie w sensie romantycznym, ale przecież kobietą była moja kochana mama, kobietami były moje siostry. Nie mogłem sobie wyobrazić, że celem ich istnienia na ziemi jest usługiwanie mężczyznom i całkowite im podporządkowanie. Mój ojciec był niezwykle wierny. Choć miał do tego pełne prawo, nie poślubił żadnej innej kobiety. Nawet wtedy, gdy nie udawało mu się spłodzić syna. Moja mama urodziła przede mną pięć córek, a tata nadal chciał mieć syna tylko z nią. I nadal próbowali, ostatecznie doczekując się moich urodzin. Nie mogłem uwierzyć, że mój tata myśli o mojej mamie tak, jak opisuje to Wasim, ani nawet tak, jak mówi o kobietach Koran. Mama była jego przyjaciółką. On często mówił, że ją kocha, a ona była nim zafascynowana jak zakochana nastolatka. Wuj Ahmed, ojciec Wasima, był zupełnie inny. Wasim był synem jego drugiej żony, ciotki Latify. W sumie wuj miał trzy żony. Byłem pewien, że wiedzę na temat celu istnienia kobiet w życiu mężczyzn mój kuzyn czerpał z nauk swojego ojca. Coraz częściej podejrzewałem, że to wiedza bardzo wybiórcza, subiektywna, chyba nawet dość mocno zmanipulowana, ale nie mogłem jej negować, bo brzmiałoby to niedorzecznie. Byłem źrebakiem, który nie mógł dyskutować z doświadczeniem młodego, ale obytego w tych sprawach ogiera.

Nie mogłem znaleźć swojego telefonu.

– Namib, nie widziałeś mojej komórki?

– Zamówię serwis hotelowy do sprzątania sypialni i każę ją przeszukać, książę, jeśli sobie tego życzysz – odparł szybko Namib. – Czy jesteś pewien, że zabrałeś ją z aukcji?

– Nie mam pojęcia.

– Poinformuję zatem stadninę, że być może tam została. Czy życzysz sobie, by dostarczono ci nowy telefon?

Niemal każdy sprzęt w życiu można wymienić na nowy, jednak telefony są w tej kwestii wyjątkowe. Zżywamy się z nimi, zrastamy, są naszymi powiernikami, przechowują w swoich archiwach nasze tajemnice, myśli, rozmowy. Niełatwo tak po prostu je wymienić.

– Na razie nie, wolałbym, żeby znaleziono mój stary. I tak nie spodziewam się żadnych ekscytujących telefonów, więc sprawa nie jest bardzo pilna. Po prostu postaraj się, by go znaleziono.

– Zrobimy, co w naszej mocy – odparł Namib.

Wtedy byłem tego pewny. Dzisiaj już wiem, że w tej kwestii Namib nie był ze mną do końca szczery. Nie mógł być.

Sytuacja w salonie była rozwojowa. Choć nie znałem do końca finalnego zamysłu, wszystko pomału wydawało się zmierzać do celu. Pojawienie się Wasima i Namiba ewidentnie to potwierdziło. Co ci dwaj knuli? Od kiedy wróciliśmy z aukcji, nie rozstawali się ze sobą. Teraz też szeptali i potakiwali. Kiedy obsługa opuściła salon, Wasim podszedł do mnie.

– Gotowy, bracie? – zapytał. Nie zdążyłem odpowiedzieć, gdy Wasim zaczął śpiewać *Tonight's the Night**, wijąc się przy tym, jakby tańczył na klubowym parkiecie.

– *Tonight is what night?*** – zapytałem. – Co ma się dziś wydarzyć? Skończmy już z tymi tajemnicami!

– Pamiętasz, jak wielokrotnie obiecywałem, że zabiorę cię na którąś z moich sławnych imprez? – Wasim usiadł przy mnie

* Z ang. – Dziś jest ta noc; fragment popularnej piosenki Roda Stewarta, w tamtym czasie przypomnianej przez Janet Jackson.

** Jaka noc jest dzisiaj?

na sofie i objął mnie ramieniem. – Postanowiłem, że pierwszą zorganizuję w najbardziej komfortowych dla ciebie warunkach. Tak żebyś nie musiał się nigdzie ruszać. Właśnie teraz w Warszawie lądują Karim, Abbas i Zijad. Niedługo tu będą. Oni znają się na rozkręcaniu imprez. Oczywiście nie tak dobrze jak twój ukochany brat, ale pomogą. Nie zabraknie też pięknych pań. Jeszcze chwila cierpliwości i przekonasz się, co to jest impreza Wasim Style*!

Byłem równie zaintrygowany, co przerażony. Wasim ściągnął tu trzech największych przygłupów na Bliskim Wschodzie. Od kiedy znaleźli się w przestrzeni powietrznej Polski, stali się olbrzymią konkurencją dla wszystkich europejskich przygłupów, a niewykluczone, że i w tym rankingu wysunęli się na prowadzenie. Już sam ten fakt zwiastował kłopoty, a to przecież dopiero początek. W naszym apartamencie miały się pojawić „piękne panie"... I choć nie miałem wątpliwości co do ich urody, byłem prawie pewien, że ich biografie nie nadają się do upubliczniania, na pewno nie bez uprzedniej cenzury. Uspokajało mnie jedno – fakt, że salon przygotowywała obsługa hotelu, świadczył o tym, iż impreza nie będzie „na dziko" i nie wyrzucą nas stąd w środku nocy, bo tylko tego brakowało mi do kompletu po dzisiejszym strumieniu niepowodzeń.

Wasim wstał i podał mi lampkę szampana. Wychyliłem ją, jakbym dopadł wody po wielogodzinnej wędrówce po pustyni.

– Wow! Spokojnie, bracie! Widzę, że pewne talenty są u nas rodzinne – zaśmiał się Wasim.

Zawstydziłem się. Może to była podświadoma próba zrzucenia z siebie ciężaru dnia, może chęć zaspokojenia głodu, a może faktycznie miałem w genach zakodowany talent do imprezowania,

* W stylu Wasima.

który zaczął się ujawniać w momencie, gdy poczułem zapach szampana. To był pierwszy raz, gdy piłem alkohol. Poczułem, jak jego słodko-gorzki smak przepływa przez mój przełyk i przyjemnie rozgrzewa. Po chwili zrobiło mi się gorąco i błogo. Postanowiłem wyluzować.

ROZDZIAŁ 3

Silvia

Nie pamiętam dokładnie momentu, gdy w naszym salonie pojawili się pierwsi goście, ale wkrótce zaczęło się tam roić od ludzi. I chyba po raz pierwszy w życiu nie przeszkadzało mi to zupełnie. Osoby zebrane w naszym apartamencie można było podzielić na dwie grupy, dokładnie według tej samej klasyfikacji, jaką Wasim przyjął, organizując swoje klubowe wypady w Dubaju. Zapierające dech w piersiach kobiety i wymuskane ogiery. Przygłupów jeszcze nie było, ale wiedziałem, że to tylko kwestia chwili.

Gdy przyjechali, w salonie zrobiło się jeszcze głośniej. Zachowywali się jak banda goryli w rui na dopalaczach. Uściski, zderzenia klatami, wrzaski, przybijanie piątek, sztuczny śmiech. Ten żałosny widok, choć zawsze mnie odrzucał, tym razem śmieszył. Biedni chłopcy, tak bardzo chcieli być fajniejsi, niż byli w rzeczywistości. Wszyscy trzej pochodzili z niezwykle bogatych domów, a ich rodziny były biznesowo związane z naszą. To był warunek ich przyjaźni z Wasimem. Mój kuzyn nie bardzo mógł sobie pozwolić na jakikolwiek towarzyski mezalians. Poza tym tylko odpowiedni poziom bogactwa gwarantował zepsucie, dzięki któremu ta czwórka mogła się porozumieć i równie szczerze śmiać się z kretyńskich dowcipów. Nikt inny nie uznałby za śmieszne fontanny z szampana za tysiąc dolarów za butelkę, oni jednak uważali to za niezbędny rytuał każdej imprezy. Nigdy nie mogłem tego pojąć. Nie lubiłem ich towarzystwa, bo przy nich Wasim z troskliwego starszego brata zmieniał się w absolutnego idiotę. Gdy cała czwórka zbierała się w jednym miejscu, rozpoczynały się igrzyska olimpijskie z tylko jedną dyscypliną – zacięcie walczyli o złoty medal dla największego palanta w historii. I zawsze któryś z nich pobijał dotychczasowy rekord.

Igrzyska właśnie się zaczęły.

– Znacie mojego brata, Abeda – powiedział Wasim, przywołując mnie skinięciem ręki.

– No pewnie! – krzyknął Karim, rzucając się w moje ramiona, jakby łączyła nas wieloletnia przyjaźń, a nie kiepsko skrywana niechęć.

Po nim w równie wylewny sposób przywitali się ze mną Abbas i Zijad.

– Bawimy się dziś razem, młody! Wreszcie do nas dołączyłeś. Do elity! – schlebiał sobie Zijad.

– Pokażemy ci, co to Wasim Style! – wtórował mu Karim.

Cała trójka przygłupów wisiała na sobie, jakby byli zrośnięci tułowiami, i tylko kwestią czasu było, aż któryś z nich przypomni sobie o alkoholu.

– Chłopaki, trzeba strzelić korkiem! – zakrzyknął Abbas.

Wszyscy jak na komendę ruszyli do barku ustawionego w głębi salonu. Wasim pobiegł za nimi. Miałem wrażenie, że trochę się wstydził przede mną, jakby czuł, że moje zdanie o nich nie jest najlepsze. Lawirował pomiędzy opinią króla imprez a moim zdaniem – wtedy chyba po raz pierwszy poczułem, że bardzo mu na nim zależy. Poczułem też, że szampan, który wypiłem wcześniej, pomału przestaje działać. Jeśli miałem przetrwać ten wieczór, musiałem to naprawić. Poszedłem do barku i chwyciłem od razu za dwie lampki. Jedną opróżniłem duszkiem, a drugą zachowałem na dłużej. Wciąż nie byłem wystarczająco pijany, by dołączyć do przygłupów, dlatego postanowiłem rozejrzeć się po salonie.

Było co oglądać. Nie mam pojęcia, jak to się stało, ale Wasim zaprosił na przyjęcie nieprawdopodobną liczbę zniewalających kobiet. Wszystkie wyglądały jak supermodelki. Stały w grupkach, rozmawiając, śmiejąc się, żartując. Niektóre w dłoniach trzymały szampana, inne tylko wodę. Były zajęte sobą lub nielicznymi mężczyznami wyglądającymi na Arabów.

Wasim prawdopodobnie zaprosił znajomych z naszych stron. Podczas sezonu aukcyjnego w Polsce przebywało ich sporo. Jak się później okazało, było wśród nich kilku saudyjskich arystokratów, między innymi książę Imad, którego Wasim poznał przez Cheryl, ich wspólną londyńską łączniczkę. Cheryl zajmowała się załatwianiem dziewczyn na imprezy organizowane przez arabskich szejków na Wyspach, choć często na życzenie Wasima i wielu innych wysyłała je też w bardziej odległe zakątki świata. Imad, podobnie jak Wasim, sponsorował wystawne imprezy, a jego obecność ewidentnie uaktywniła w moim bracie żyłkę współzawodnictwa. Imad i Wasim zapraszali się nawzajem na niektóre z przyjęć, ale zawsze dbali o to, by każde kolejne było lepsze od tego, które wydał poprzednik. I tym razem nie mogło być inaczej.

Książę Imad jest właścicielem kompleksu rozrywkowego, o którego istnieniu wiedzą nieliczni, a większość i tak w nie nie wierzy. Znajduje się gdzieś na pustyni, na zachód od Rijadu*, ale jego dokładna lokalizacja jest ściśle skrywaną tajemnicą.

* Stolica Arabii Saudyjskiej.

Otoczony dwunastometrowym murem, skrywa grzechy, których nie wybacza ani Bóg, ani surowe saudyjskie prawo. Imad stworzył swoje prywatne centrum rozpusty, nie zważając na to, co jest w jego kraju prawnie dozwolone. Wasim opowiadał mi kiedyś o tym miejscu. Podobno to, co się tam znajduje, przechodzi wszelkie wyobrażenie, oczywiście jak na saudyjskie warunki. Są tam kasyno, dyskoteka, hotel, kilka basenów, sauny, restauracje, kino, a nawet pas startowy dla prywatnych samolotów. Ten ostatni jest kluczowy, bo odrzutowce i helikoptery są w zasadzie jedynym sposobem, by dostać się do tego zakątka pobożnej, oddanej Allahowi Arabii.

Tak wielki kompleks z pozoru trudno zaludnić, ale Imad stworzył działający jak szwajcarski zegarek system, który gwarantował, że miejsce to tętni życiem. Część przebywających tam osób stanowi oczywiście miernie opłacana służba z biednych krajów Azji Południowo-Wschodniej, ale oni nie są tu gośćmi; robią wszystko, by ich obecność była jak najmniej zauważalna. Prawdziwi goście to zaufani przyjaciele gospodarza – w znacznej mierze bliskowschodni arystokraci – oraz dziesiątki, a czasami nawet setki dziewczyn, ściąganych tam przez armię pracujących dla księcia skautów*. Skaut to bardzo popularna funkcja na dworach szejków. Mimo niewinnej nazwy nie mają oni wiele wspólnego z harcerzami. Ich zadaniem jest wyszukiwanie osób, które odpowiadają upodobaniom szefa, i proponowanie im udziału w kameralnych randkach lub wieloosobowych orgiach. Ci zatrudniani przez Imada „polują" wyłącznie na zachwycające blondynki, gotowe spędzić kilka dni na saudyjskiej pustyni, spełniając wyuzdane zachcianki zboczonych szejków. Szukają ich głównie w bardziej liberalnych krajach Zatoki Perskiej, które przyciągają tysiące Europejek, Amerykanek

* Osoba zajmująca się łowieniem talentów, często pracująca dla agencji modelek lub drużyn sportowych.

i Australijek. Najczęściej obstawiają popularne wśród nich kluby w Dubaju i Bahrajnie. Ich bywalcy doskonale wiedzą, że jeśli faceci w kandurach pojawiają się w takim miejscu, są to albo policjanci, albo skauci. Gdy na ich głowach znajdują się saudyjskie ghutry, opcja jest w zasadzie tylko jedna. Skauci łowią pasujące do gustu szejka dziewczyny i proponują im wyjazd. Pięć tysięcy dolarów za dwie noce, transport w tę i z powrotem – dla wielu kobiet to brzmi jak życiowa szansa. Zwłaszcza gdy decyzję podejmują po kilku drinkach. Skauci nie dają jednak zbyt dużo czasu na zastanowienie, nie ma też mowy o pakowaniu. Dziewczyna, która się godzi na ten układ, dwie godziny później jest już na pokładzie samolotu. Do wielu wraz z trzeźwością wraca rozsądek, a ten przynosi strach. Na odwrót jest już oczywiście za późno, więc większość młodych kobiet po prostu idzie za ciosem i próbuje na tym zarobić. Zdarzają się próby zgłaszania na policję porwań przez saudyjskich skautów, ale dziewczyny w tej sprawie są na straconej pozycji. W większości przypadków takie donosy kończą się dla nich aresztowaniem lub deportacją za prostytucję. Podejście do prawa w wielu krajach Bliskiego Wschodu może być dla Europejczyków dość szokujące, ale tu wciąż panuje myślenie, zgodnie z którym jedyną stroną winną gwałtu jest zgwałcona. A gdy dodatkowo w grę wchodzi donos na osoby związane z dworem, o sprawiedliwym potraktowaniu raczej nie ma mowy.

Na tym procederze zarabiają też często pośrednicy. By uniknąć ryzyka, że ich misja zakończy się niepowodzeniem, skauci korzystają z usług swego rodzaju agentów, którzy dysponują listą dziewczyn chętnych do łatwego zarobku na prostytucji. Dzięki nim samoloty lecące na pustynię rzadko mają puste miejsca. Dziewczyny same wchodzą do jaskini lwa. Jedne odnajdują się w tej sytuacji doskonale, a drugie wracają z traumą. Zdarza się, że niektóre nie wracają wcale.

O tym, co się dzieje w pustynnym raju Imada, krążą legendy. Oczywiście nie są one szeroko znane, a wielu istnienie tego miejsca nadal podaje w wątpliwość. Sam pewnie należałbym do wątpiących, gdyby nie fakt, że Wasim gościł w nim kilkukrotnie – i nawet jeśli trochę koloryzował, wiem, że nie kłamał. Nie miałby interesu w tym, by przyznawać ewidentną palmę pierwszeństwa swojemu największemu konkurentowi w plebiscycie o miano najbardziej wyuzdanego gospodarza orgii.

Niejeden działający legalnie holenderski burdel mógłby się wstydzić, widząc, do czego są zdolni uczestnicy imprez Imada. Nad tym, że w kinie wyświetlano wyłącznie filmy pornograficzne, nie ma sensu się rozwodzić, bo to oczywiste. Ci, którzy decydują się na spędzenie imprezy właśnie w kinie, wtórują aktorom, starając się odgrywać sceny z ekranu. W dark roomie – czarnym pokoju, który wygląda, jakby ktoś oblał go smołą i pozwolił jej zastygnąć na ścianach, suficie i podłodze – swoje wyuzdane fantazje realizują szejkowie, którzy lubią oddawać mocz na wynajęte kobiety. Niektóre zmuszane są do jego picia. Dookoła basenu zabawiają się miłośnicy klasyki, którzy do uprawiania seksu nie potrzebują nic poza dostępem do baru z alkoholem i kokainą. Rozmaite trunki serwuje tam kilku sprawnych barmanów. W kwestii narkotyków obowiązuje samoobsługa. Na blacie baru stoi złota puszka z kokainą, w którą wetknięte są metalowe karty. Obok leżą czarne, krótkie rurki i granitowa tacka. Co jakiś czas do tej części baru podchodzą goście i za pomocą metalowych kart (szczerozłotych, jak nietrudno się domyślić) usypują na tacce kreski z kokainy, po czym wciągają je do nosa za pomocą rurek. Na barze stoją też zwykle dziesiątki malutkich buteleczek, które niektórzy goście zabierają ze sobą. To poppers – toksyczna substancja, która, jak udają jej producenci, służy do... czyszczenia skóry.

Tak naprawdę wdychana podczas seksu potęguje doznania orgazmu.

Prawo Arabii Saudyjskiej w kwestii rozrywki jest jednym z najbardziej restrykcyjnych na świecie. Społeczeństwo jest posegregowane płciowo, by zapobiec niemoralnym występkom, za które uważa się tu nawet zwykłą rozmowę pomiędzy parą niespokrewnioną lub niezwiązaną małżeństwem. Niezamężne kobiety po prostu nie spotykają mężczyzn. Przed ich wzrokiem chroni je nie tylko strój, ale i system zasad, które skutecznie utrudniają przypadkowe spotkania. W centrach handlowych często wyznaczane są piętra tylko dla kobiet. Są też takie, do których wstęp mają wyłącznie rodziny. W restauracjach w osobnych salach siedzą zamężne kobiety (oczywiście ze swoimi mężami), a w osobnych nieżonaci mężczyźni. Sal dla niezamężnych kobiet nie ma, bo te i tak nie mogą wychodzić bez asysty spokrewnionego z nimi mężczyzny. Seks pozamałżeński jest surowo karany i równorzędny z prostytucją. Za tę z kolei prawo szariatu kobietę karze śmiercią, mężczyznę zaś co najwyżej więzieniem. Zakazane są sprzedaż i spożywanie alkoholu. Za samo posiadanie narkotyków można stracić życie, za handel nimi kara śmierci jest absolutnie nieunikniona. Nielegalny jest również hazard. Na pójście do kina też nie ma szans, chyba że żyje się w przeznaczonym dla obcokrajowców kampusie, takim jak Aramco, gdzie większość surowego prawa saudyjskiego nie obowiązuje. Poza wysokim murem Aramco rozrywka jest widziana bardzo niechętnie. To dotyczy także muzyki, i choć paradoksalnie w Arabii Saudyjskiej istnieją sklepy z płytami CD, to ich publiczne odtwarzanie jest bardzo ryzykowne i może się skończyć interwencją policji. Przy tak restrykcyjnym podejściu do zabawy w Arabii Saudyjskiej funkcjonuje niezwykle bogate rozrywkowe podziemie, i to nie tylko to, które organizują sobie dysponujący miliardami dolarów saudyjscy arystokraci.

Opowieści Wasima szokowały. Zwłaszcza mnie, nieopierzonego prawiczka. Na zorganizowanie imprezy z taką ilością atrakcji, jaką gwarantował kompleks księcia Imada, w warunkach hotelowych oczywiście nie było szans, ale Wasim zadbał o to, by choć niektóre elementy nie ustępowały standardom, do jakich przywykli jego koledzy. Bar wydawał mi się żywcem przeniesiony z opisów, jakie roztaczał przede mną kuzyn, nie wyłączając całkowicie w Polsce zakazanej kokainy i poppersa. Zastanawiało mnie, jak to w ogóle możliwe. Przecież gdyby tamtej nocy wparowała do hotelu policja, nie mielibyśmy szans się wybronić. Towarzystwo nie zdawało się jednak zestresowane tym faktem. Przeciwnie – atmosfera coraz bardziej się rozluźniała. Pozostawałem niezauważony, co pozwalało mi na bardziej wnikliwe obserwacje. Czasami mój wzrok spotykał wzrok którejś z modelek. Zawstydzało mnie to bardzo, za to one w ogóle się nie peszyły, tylko uśmiechały się albo puszczały do mnie oko. Sam próbowałem się uśmiechać, ale miałem wrażenie, że wyglądam, jakbym cierpiał na skrajną odmianę autyzmu. By nie narażać się na śmieszność, chwyciłem jeszcze jedną lampkę szampana i usiadłem na sofie pod oknem.

Z tej perspektywy mogłem obserwować wszystko, co się działo w salonie. Impreza najwyraźniej wkraczała w fazę szaleństwa. Połowa zebranych podrygiwała w rytmie głośnej, klubowej muzyki, część okupowała bufet i bar. Byli też tacy, którzy eksplorowali nowo zawarte znajomości i ewidentnie mieli ochotę przenieść imprezę do sypialni. Wasim i przygłupy oczywiście weszli w fazę popisów. Gdy ich znalazłem, oblewali szampanem trzy nagie, ewidentnie rozanielone dziewczyny. Zebrani dookoła mężczyźni rzucali w nie studolarowymi banknotami, których całe stosy leżały na stolikach dookoła. Za każdym razem, gdy banknot przykleił się do ciała którejś z dziewczyn, kibice nagradzali to gromkimi brawami. Zabawę przerwał sam szejk Imad, który podszedł do dziewczyny oklejonej największą liczbą lepkich od szampana banknotów, ściskając w dłoni gruby plik jeszcze zupełnie suchych. Dziewczyna uwodziła go wzrokiem, a on kusił ją pieniędzmi. W pewnej chwili zwinął banknoty w gruby rulon i zwinnym ruchem wsunął go pomiędzy jej nogi. Pchnął, tak że plik zupełnie zniknął. Dziewczyna zagryzła wargi. Może z bólu, może z erotycznej rozkoszy, a może po prostu na myśl o wydawaniu tych kilku tysięcy dolarów. Wiedziała, że teraz już nikt jej ich nie odbierze. Imad złapał ją za rękę i pociągnął za sobą. Zniknęli w korytarzu. Fani zabawy w dolarowe rzutki powoli rozchodzili się do innych zajęć, polegających głównie na rozmaitych formach seksu. Ja, nieuprawiający go do tej pory ani razu, nie potrafiłem bez skrępowania patrzeć, jak para obok mnie bez najmniejszych skrupułów uprawia dziki seks oralny. Postanowiłem znaleźć sobie nieco spokojniejsze miejsce w dalszej części salonu.

***

Moja ekscytacja rosła z każdym słowem szejka Abeda, choć to, o czym opowiadał, zdarzyło się dwie dekady temu, długo przed erą Facebooka i wszechobecnych komórek, w czasach, gdy lotnisko Okęcie przypominało kurnik, a lądowanie samolotu linii Emirates mogło się tu wydarzyć jedynie awaryjnie, choć nawet do takiego w tamtych czasach nie doszło. Jedno, co się nie zmieniło, to zainteresowanie, jakim arabscy arystokraci obdarzają Polki. Na swoistej giełdzie najbardziej pożądanych dziewczyn do towarzystwa – tak przed laty, jak i dziś – zajmują one czołową pozycję. Na pewno zmieniło się natomiast to, że więcej dziewczyn zdaje sobie z tego sprawę i chętnie to wykorzystuje.

Od czasu, gdy uruchomiono bezpośrednie połączenie lotnicze z Dubajem i zniesiono wizy dla Polaków, zarabianie na seksie z szejkami stało się zajęciem zdecydowanie mniej ekskluzywnym niż przed laty. Wiele polskich dziewczyn wyjeżdża na kilkutygodniowe sponsorowane wakacje do Emiratów na zaproszenie skautów i agentów. Niektóre jadą po prostu w ciemno. Wiedząc, w których hotelach usiąść przy barze, są w stanie poderwać bogatego klienta każdej nocy. W dawnych czasach w tej kwestii przodowały hotele w Bur Dubai, starej dzielnicy Dubaju, która wciąż wieczorami okryta jest złą sławą. Dzisiaj to już niemal każdy drogi hotel. Wprawdzie oficjalnie przestępczość w emiracie jest bardzo niska, a problem prostytucji nie istnieje, ale statystyki są ewidentnie naciągane. Kiedy policyjny samochód bez żadnej reakcji przejeżdża obok grupy prostytutek w kraju, w którym nierząd jest surowo zakazany, trudno wierzyć statystykom.

Skąd ta pobłażliwość? Cóż, Dubaj zbudował swoją potęgę na ropie, ale teraz, gdy ropy już nie ma, jedyną drogą jest inwestycja w turystykę, a turystyka to nie tylko wspaniałe hotele, olbrzymie linie lotnicze, nowoczesne lotnisko, plaże i sklepy – to także ciemna strona tego biznesu, używki i prostytucja. To właśnie dzięki temu, że w Dubaju można się upić do nieprzytomności i bez problemu znaleźć dziewczynę chętną do uprawiania seksu w niemal każdym przedziale cenowym, ściągają tu setki tysięcy turystów z całego świata. Dubaj różni się pod tym względem od Bangkoku jedynie tym, że jego władzom jakimś cudem udało się utrzymać tę stronę przemysłu turystycznego w tajemnicy, a przynajmniej tak im się wydaje.

Emiraty są specyficznym miejscem, w którym ograniczenia w wolności prasy i blokadach internetu uzupełniane są przez ludzi przekazujących szokujące historie, jak za dawnych czasów, z ust do ust. Co jakiś czas społecznością międzynarodową żyjącą we wszystkich emiratach wstrząsają historie, jakich doświadczają ekspaci* lub turyści, o których prasa w kraju pisze niechętnie, zdawkowo lub nie pisze wcale. Jedną z głośniejszych była historia pary Brytyjczyków, których przyłapano w nocy na plaży na całowaniu. Oboje zostali wtrąceni do więzienia. On szybko z niego wyszedł, wkrótce nawet zyskał w Dubaju status swego rodzaju celebryty, bo wszyscy chcieli usłyszeć jego historię z pierwszej ręki. Ona za kratkami przesiedziała pół roku, a po interwencji brytyjskich prawników została deportowana do kraju z zakazem powrotu do ZEA. Prawo w tej części świata dość osobliwie podchodzi do równości płci, choć czasami kobiety, wiedząc o tym, same się proszą o kłopoty.

Polki też często stają się bohaterkami historii, jakimi ekscytują się mieszkańcy Dubaju i innych emiratów, choć media starają się je ignorować. Jedna z nich popełniła całkowicie amatorski błąd. Wdała się w namiętny romans z bogatym dyrektorem firm deweloperskich związanych z dworem Abu Zabi. Po jakimś czasie romans się skończył, ale dziewczyna nie bardzo chciała dać za wygraną. Szantażowała byłego kochanka, że o wszystkim powie jego żonie, ale on kompletnie te groźby ignorował. Któregoś dnia w Mall of the Emirates** rozegrała się dantejska scena. Kobieta zobaczyła swojego byłego kochanka z żoną na zakupach. Podeszła do pary i wykrzyczała mężczyźnie w twarz, co o nim myśli. Była

* Z ang. *expat* – ekspatriant, imigrant, przesiedleniec.

** Otwarte w Dubaju w 2005 r. wielopiętrowe centrum handlowe z ponad 630 sklepami, kilkunastoma restauracjami i hotelem Kempinski, znane również ze Ski Dubai, pierwszego w tej części świata sztucznego stoku narciarskiego.

przekonana, że żona, poinformowana o zdradzie, da mu popalić. Tu jednak wypłynęła na powierzchnię kompletna naiwność i nieznajomości arabskiej kultury. Żona natychmiast rzuciła się na kochankę z pięściami, wykrzykując, że oczernia jej męża. Cała sytuacja skończyła się interwencją policji. Polka wylądowała w areszcie. Została oskarżona o prostytucję, próbę uwiedzenia prawego obywatela, składanie fałszywych zeznań i pobicie. Na jej szczęście wkrótce potem została deportowana. Historia ta ku przestrodze opowiadana była w opanowanych przez ekspatów klubach i pubach przez wiele miesięcy, ale kobiet żądnych łatwego zarobku na własnych wdziękach nic nie zdoła powstrzymać.

Przez jakiś czas polskie media donosiły o do dziś niewyjaśnionej, tajemniczej śmierci dwudziestosiedmioletniej Magdaleny Żuk, która wyskoczyła przez okno egipskiego szpitala. Podobna historia spotkała dwudziestodwuletnią Rosjankę Katię. Do Dubaju zawiodły ją marzenia o karierze w zawodzie modelki, które prysnęły w pokoju hotelowym pewnego bogatego Araba. Oczywiście tylko naiwni są w stanie uwierzyć, że wizyta w pokoju mężczyzny była jednym z kroków na drodze do wymarzonej kariery. W każdym razie coś ewidentnie poszło nie tak, bo dziewczyna również opuściła budynek przez okno. Wypadła z szóstego piętra. Przeżyła, ale ma złamany kręgosłup. Podobno uciekała przed próbą gwałtu i podobno jej niedoszłego gwałciciela zatrzymano na lotnisku. Z pewnością można powiedzieć jedno: jeśli nawet dwa powyższe domysły są prawdą, a on jest bogatym Arabem, w areszcie nie spędził ani chwili.

Zamiatanie spraw pod dywan jest nagminnie praktykowane w tej części świata. Dywany są tu oczywiście perskie, kaszmirowe i bardzo drogie, a co najważniejsze – doskonale chronią przed opinią publiczną wstydliwe, często kryminalne historie z udziałem arabskiej arystokracji.

Do dziś zadziwia mnie na przykład to, jakim cudem historia Polki, która zniknęła w niewyjaśnionych okolicznościach po tym, jak dzień wcześniej została zgwałcona, jest praktycznie nie do odnalezienia w internecie, choć jeszcze kilka lat temu żyły nią całe Emiraty. Dziewczyna została wywieziona na pustynię przez swojego chłopaka, podobno syna jednego z szejków. Tam narzeczony podzielił się nią z kumplami. Po trwającym kilka godzin zbiorowym gwałcie Polka została odwieziona do domu, gdzie opowiedziała wszystko swoim australijskim współlokatorkom. Zdobyła się też na odwagę, by zerwać ze swoim chłopakiem i zagrozić mu, że pójdzie z tym, co zrobił, do mediów i na policję. Następnego dnia zniknęła bez śladu. Oczywiście nawet gdyby poszła zgłosić przestępstwo, narzeczony nie poniósłby konsekwencji. Najwyraźniej jednak uznał, że pozbycie się dziewczyny będzie bardziej efektywne. W porównaniu z tą historią szesnaście miesięcy więzienia dla Norweżki Marte Dalelv, która została zgwałcona i oskarżona o nielegalne picie alkoholu, wydaje się łagodną karą.

Przykłady można mnożyć, jest ich mnóstwo, a wszystkie mają dość trudne do określenia podłoże. Z jednej strony często winne są same kobiety, które muszą się liczyć z konsekwencjami relacji z pozbawionymi wszelkich hamulców i chronionymi przez prawo bogaczami znad Zatoki Perskiej. Z drugiej strony oczywiście jedynym winnym gwałtu zawsze jest gwałciciel i nic, nawet najbardziej niedorzeczne prawo tego nie zmieni.

Słuchając historii o kłopotach dziewczyn, które ryzykują wolność, zdrowie, a często życie, by zarobić nawet zawrotne sumy, czytając – nieliczne w porównaniu do liczby przypadków – doniesienia medialne o gwałtach i niesprawiedliwych wyrokach, zastanawiam się, dlaczego tak wiele z nich wciąż decyduje się na podobne wyjazdy. Łatwa kasa jest tu na pewno głównym powodem, ale dlaczego nie boją się ryzyka? Czy pójście na skróty uzależnia? Powoduje, że łatwa kasa już zawsze będzie kusić? Że zawsze chce się to zrobić jeszcze raz? Ostatni! Czasami ostateczny.

Wkrótce przekonałem się, że historie dziewczyn, które uganiają się za szejkami, są naprawdę bardzo różne. Książę Abed właśnie rozpoczął opowiadanie jednej z nich...

***

Moja lampka pustoszała, a wraz z nią wzmagał się szum w mojej głowie. Przyjemne uczucie, którego do tej pory nie znałem.

– Mogę poprzeszkadzać? – usłyszałem nagle.

Przede mną stała kobieta. Wiedziałem to raczej na pewno, choć patrzyłem na nią z perspektywy sofy, bez zadzierania głowy. Podniesienie głowy po wypiciu tylu lampek szampana sprawiało mi pewną trudność, więc jeszcze przez moment lustrowałem stojącą przede mną postać tylko od pasa w dół. Idealnie zgrabne nogi, perfekcyjnie wyeksponowane przez krótką spódniczkę, aksamitna skóra, wysokie czarne szpilki. Pachniała zniewalająco. Zaryzykowałem i spojrzałem w górę. Uśmiechając się, podała mi kolejną lampkę.

– Zauważyłam, że pijesz szampana, a alkoholi lepiej nie mieszać – powiedziała pięknym głosem.

Byłem oczarowany, choć dopiero gdy usiadła obok mnie, przyjrzałem się jej z bliska. Lśniące blond włosy, nieskazitelna cera i szlachetne rysy. Urodzona na Bliskim Wschodzie mogłaby być księżniczką, tu na pewno była wziętą modelką. Nie bardzo wiedziałem, co ze sobą zrobić, choć alkohol ewidentnie pomógł mi w zawarciu tej znajomości. Znowu wlałem w siebie zawartość kieliszka, jakbym cierpiał z powodu pustynnego pragnienia.

– To ty jesteś książę Abed, prawda? – zapytała ona.

– Tak... Skąd wiesz? – spytałem naiwnie.

Zaśmiała się.

– Znają cię tu chyba wszyscy, to żadna tajemnica. – Puściła do mnie oko.

– A ty... Jak ci na imię?

– Zgadnij – powiedziała zalotnie.

Nie miałem pojęcia, ale musiało być piękne. Piękne kobiety nie noszą brzydkich imion. Zacząłem zgadywać, ale dziewczyna na każdą z moich propozycji odpowiadała przecząco, kręcąc przy tym głową, tak że odsłaniała swoją alabastrową szyję, jakby wystawiała ją do pocałunku. Bardzo chciałem ją pocałować. Po kilku minutach złapała moją dłoń i delikatnie ją gładząc, powiedziała:

– Chciałabym nosić imię, jakie mi wymyślisz.

Zamurowało mnie nieco, bo znaliśmy się dopiero chwilę, a ona gotowa była do zmiany imienia. W tym tempie za kilka godzin będziemy po ślubie. Nie przeszkadzałoby mi to zbytnio. Piękna żona zdobyta w rekordowym tempie. To się nazywa urok. Byłem z siebie nieprawdopodobnie zadowolony, jak idiota, ale cóż, szampan robi z ludzi idiotów. Dziewczyna czekała na moją propozycję, a ja rzuciłem pierwsze imię, które przyszło mi wtedy do głowy: Silvia.

Dopiero po kilku minutach zdałem sobie sprawę, że nazwałem ją jak klacz. Klacz, która stała się kością niezgody pomiędzy mną a moim ojcem. Ale na szczęście ona nie mogła o tym wiedzieć, a imię majestatycznego, wartego fortunę konia było moim zdaniem odpowiednie dla niej. Na szczęście nie miałem czasu tego roztrząsać, bo Silvia podała mi dłoń.

– Witaj, książę. Mam na imię Silvia i jest mi niezwykle miło, że wreszcie mogę cię poznać.

Byłem absolutnie oczarowany jej urodą, ale też ujęła mnie niezwykle romantyczna gra z wyborem imienia. Miałem wrażenie, że w ten sposób Silvia dała mi zielone światło, abym przejął kontrolę. Jakby chciała powiedzieć: jestem twoja, zrób ze mną, co chcesz, zrezygnuję dla ciebie ze wszystkiego, nawet z prawdziwego imienia. Historia z Czardaszem, którego przez własną głupotę i lenistwo przemianowałem na Alaskę, nauczyła mnie, że imię to coś więcej niż słowo, dlatego tym bardziej byłem zdziwiony tak wielkim oddaniem mojej nowej znajomej. A może to miało znaczenie tylko dla mnie, a ona po prostu była wprawną kusicielką? Niezależnie od tego, jak było naprawdę, zadziałało.

Silvia była kobietą, która sprawiła, że świat dookoła przestał dla mnie istnieć. Kolejne godziny pamiętam jak przez mgłę. To dla mnie wspomnienie okraszone nutką zażenowania, niemniej jednak absolutnie wspaniałe. Silvia wyraźnie była kobietą doświadczoną w kontaktach z facetami, bo gdybym to ja miał przewodzić dalszej części wieczoru, wiele byśmy nie zdziałali. Zaciągnęła mnie do mojej sypialni, jakby już kiedyś w niej była. Nie musiałem wskazywać drogi. Kobieca intuicja, wcześniejszy rekonesans albo ślepy traf – dość, że znaleźliśmy się w moim łóżku, a ja w mgnieniu oka leżałem w nim nagi. Ta kobieta ewidentnie używała magii. Nie pamiętam, bym zdejmował z siebie ubranie, ale nie miałem nic przeciwko temu, zwłaszcza że Silvia wkrótce zaczęła się pozbywać swojego. Nie miała na sobie zbyt wiele, dlatego chwilę potem została w skąpych, koronkowych majteczkach i butach na obcasie. Wskoczyła tak do łóżka. Widok aksamitnych szpilek wieńczących jej zgrabne nogi w pościeli nieprawdopodobnie mnie podniecił – absolutny cud w sensie estetycznym. Ale to nie był moment, żeby rozwodzić się nad jego pięknem. Gotowy do natarcia, rzuciłem dziewczynę na plecy i przycisnąłem własnym ciałem. Było dokładnie tak, jak mówił Wasim. W takich chwilach po prostu wiesz, co masz robić. Allah włożył tę wiedzę do mojej męskiej głowy i przyszedł czas, by z niej skorzystać. Instynkt mnie nie zawodził. Naprężonym członkiem wszedłem w boską Silvię. Nadziwić się nie mogłem, że tak odważna i wyzwolona kobieta wciąż jest dziewicą. Wbijałem się w nią, coraz bardziej podniecony, ale napotykałem na opór. Przebicie błony dziewiczej nie jest taką prostą sprawą. Kompletnie nie rozumiałem, dlaczego faceci tak bardzo cenią seks z dziewicami, przecież to zupełnie niepotrzebna komplikacja. Seks i tak wydaje się dość trudnym zadaniem. Nie dawałem za wygraną, moje ruchy były coraz bardziej energiczne. Silvia wyglądała na lekko rozbawioną, ale w końcu świetnie się bawiliśmy. Uśmiechała się, przygryzając wargi. Skoro się uśmiecha, nie mogło być najgorzej. Byłem z siebie bardzo zadowolony. Dobrze ci idzie, Abed! Dajesz! Nagle poczułem, jak fala gorąca w spazmie przeszywa moje ciało. Doszedłem. To było wspaniałe. Krótkie, ale wspaniałe. Rozpierała mnie duma. Mój pierwszy raz! Przeżyłem go z jedną z najpiękniejszych kobiet, jakie do tej pory widziałem. Zaległem na plecach obok Silvii, oddychając głęboko. Moje ciało drżało jeszcze przez chwilę.

– To było wspaniałe... Jesteś niesamowitą kobietą – wydusiłem z siebie, próbując złapać oddech.

Silvia położyła się na boku, oparła głowę o dłoń i pochylając twarz nade mną, pocałowała mnie w usta.

– Ty też jesteś wspaniałym mężczyzną, mój książę – szepnęła. – Tylko następnym razem zdejmij mi majtki.

Taki wstyd! Słowa Silvii dudniły mi w uszach. Przykryłem twarz poduszką, by ukryć zażenowanie. Mój pierwszy seks w życiu odbył się z kobietą w majtkach, a ja nie dość, że się nie zorientowałem, to byłem przekonany, że posuwam dziewicę. Silvia śmiała się, zapewniając, że nic się nie stało, że każdemu może się zdarzyć, ale ja płonąłem ze wstydu. Jedyne, co mnie pocieszało, to jej słowa „następnym razem". Będzie następny raz! Będę miał szansę pokazać, że jestem prawdziwym facetem, a wpadka z majtkami była tylko i wyłącznie winą wypitego wcześniej szampana.

Następny raz nastąpił jeszcze tej samej nocy. Tym razem to Silvia przejęła inicjatywę i poprowadziła nas do uniesień jak kobieta świadoma swojego ciała i ewidentnie znająca się na sztuce kochania. To były doznania tak nieprawdopodobne, że trudno je opisać słowami. Silvia ujeżdżała mnie jak rasowego ogiera, a ja dobrze się czułem, oddając stery w kwestii, o której wtedy nie miałem zielonego pojęcia. Miałem wrażenie, że od kiedy wylądowałem w Polsce, wiruję na emocjonalnej karuzeli. Jeszcze kilka godzin temu nienawidziłem swojego życia i byłem wściekły na ojca, Wasima i Namiba. Chciałem uciec od wszystkich i wszystkiego, schować się w jakiejś pustynnej norze. A teraz czułem wszechogarniające szczęście! Zachwyt nad wspaniałym koniem o imieniu Silvia zmienił się w fascynację zniewalającą kobietą, która dla mnie przyjęła to samo imię. Allah stworzył wiele pięknych rzeczy, ale najbardziej udały mu się konie i kobiety, tamten dzień utwierdził mnie w tym przekonaniu. Ale wkrótce zrozumiałem też, że konie i kobiety łączy jeszcze jedna wspólna cecha – jedne i drugie są trudne do zdobycia i nie zawsze można je mieć.

ROZDZIAŁ 4

Prawda

Zmęczony emocjami, alkoholem i seksem zasnąłem twardym snem. Gdy się obudziłem, Silvii już nie było. Ból głowy rozsadzał mi czaszkę, ale poza tym czułem się wspaniale. Namib, który wcale mnie nie zaskoczył, wchodząc do sypialni dosłownie dwie minuty po moim przebudzeniu, przyniósł mi szklankę wody, w której musowała rozpuszczona tabletka. Wiedział, że po wczorajszej nocy będę potrzebował pomocy w zwalczeniu bólu głowy, i nawet nie czekał na moją prośbę. Lek zaczął działać bardzo szybko, a ja poczułem przypływ nieprawdopodobnej energii. Wyskoczyłem z łóżka i pobiegłem pod prysznic. Czułem się wspaniale, jakbym odwalił kawał dobrej roboty. Nigdy nie pracowałem, więc brzmi to dość abstrakcyjnie, ale i to wytłumaczyłem sobie ludzką naturą. Seks jest genialnym wynalazkiem. Pomału docierało do mnie, dlaczego ludzie tak za nim przepadają. Nie dość, że w trakcie jest tak przyjemnie, to jeszcze później człowiek jest gotowy przenosić góry. No, może nie przesadzajmy z tymi górami, ale na śniadanie byłem gotowy na pewno. Namib chyba też to wiedział, bo do mojej sypialni właśnie wjechał wózek z jedzeniem. Poczułem zapach świeżo zaparzonej kawy. Tej pragnąłem absolutnie natychmiast! Głęboko czarna, bogato słodzona, zaostrzyła mój apetyt. Na talerzu leżały ozdobione małymi fioletowymi kwiatkami i owocami, wypiekane z lekkiej jak puch mąki naleśniczki o perfekcyjnie okrągłym kształcie. Okrąg to w naszej kulturze kształt zarezerwowany dla Allaha, ale tutejszy kucharz nie mógł o tym wiedzieć. Poza tym smakowały bosko, więc oddawały sprawiedliwość Najwyższemu. W okamgnieniu pochłonąłem wszystko, co znajdowało się na stoliku i nadawało się do jedzenia, opróżniłem również karafkę z pachnącym słońcem sokiem z sycylijskich pomarańczy i kolejną filiżankę kawy. Przez chwilę zastanawiałem się, czy nie zamówić dokładki. Z jednej strony moje ciało po długich miesiącach udręki i głodówki domagało się uwagi, z drugiej zaś coś pchało mnie, by nie tracić więcej czasu i wyjść na świat. Pomału docierało do mnie, że tęsknię za Silvią. Nasza noc nie mogła być jednorazową przygodą.

Nie spodziewałem się, że Wasim i przygłupy będą już na nogach. I słusznie. Nie wiedziałem, jak się potoczył ich wieczór, ale byłem pewny, że nie miarkowali sobie przyjemności. Wiedziałem, że Wasim przy najbliższej okazji zda mi dokładną relację z ich wybryków. Apartament, choć w dużej mierze sprzątnięty, wciąż jeszcze nosił ślady wczorajszej imprezy. Na stolikach nadal leżały stosy studolarówek. Obsługa hotelowa, by uniknąć posądzenia o kradzież, prawdopodobnie postanowiła ominąć te części salonu, które mogłyby zostać uznane za kłopotliwe. Całkowicie zniknął natomiast bar wraz z towarem – zarówno tym płynnym, jak i sproszkowanym. Nie sądzę, by Wasim zadbał o jego usunięcie, ale Namib na pewno tego dopilnował. Narkotyki stanowiły olbrzymie ryzyko dla nas wszystkich i do dziś nie mogę sobie wyobrazić, jak to w ogóle możliwe, że się tam znalazły.

Było krótko po południu. Piękny, słoneczny dzień. Urocza uliczka z urzekającą architekturą, jakże różną od tej, którą znałem z naszych terenów. Usiadłem w ogródku kawiarnianym z widokiem na majestatyczny, zdobiony płaskorzeźbami budynek. Analizowałem go okno po oknie, co jakiś czas spoglądając na przechodniów. Jedni przemykali szybko, niemal biegli, inni sunęli powoli, rozkoszując się dniem. To był pierwszy raz w życiu, kiedy sam siedziałem w kawiarni. Nawet nie bardzo wiedziałem, jak się w niej zachować. Moje nieprzystosowanie do życia poza złotą klatką dało o sobie znać. Nie miałem pojęcia, jak się zachować w kawiarni i jak to się dzieje, że wszyscy ludzie przy stolikach piją kawę, a mój nadal jest pusty. Wtedy do ogródka wszedł Namib, niosąc w dłoniach dwa papierowe kubki w bordowym kolorze z charakterystycznymi białymi pokrywkami. Podszedł do mojego stolika i podał mi jeden z nich, a sam, by oszczędzić mi kolejnego wstydu, podniósł swój kubek do ust i delikatnie przechylił. To była bardzo subtelna instrukcja obsługi kubka, którą normalni ludzie opanowywali bezwiednie. Dla mnie była konkretną lekcją do zapamiętania. Zaczynałem zdawać sobie sprawę, że moje życie jest kolorowe, ale te barwy nie mają odcieni. Są zwykłe, nudne, przewidywalne. W głowie rodziła mi się myśl o wyrwaniu się z mojego świata do tego prawdziwego, ale na ten krok wtedy jeszcze nie byłem gotowy. Wiedziałem jednak, że kiedyś to nastąpi.

– Jak się udała noc, książę? – zapytał Namib, siadając przy moim stoliku. Doskonale znał odpowiedź, ale nie mogłem nie odpowiedzieć na jego pytanie, zwłaszcza że o wczorajszej nocy chciałem opowiedzieć całemu światu. No, może z pominięciem drobnego szczegółu.

– Było niesamowicie! To trudne do opisania, Namib, ale to była najlepsza noc w moim życiu – relacjonowałem w emocjach, które na samą myśl o Silvii wróciły z tą samą, niesłabnącą siłą.

– Bardzo mnie to cieszy, książę. – Namib spokojnie wziął kolejny łyk kawy.

– Namib, ty na pewno będziesz wiedział, jak się skontaktować z Silvią! Pomożesz mi?

Namib spoważniał. Odstawił kubek i powiedział, że na liście wczorajszych gości nie było żadnej Silvii.

– Mogę to jeszcze sprawdzić, ale jestem tego niemal pewny.

I wtedy dotarło do mnie, że nikt poza mną i dziewczyną, z którą spędziłem noc, nie wiedział o tym, że Silvia to imię nadane dla zabawy. Czyżby niewinna gra z jej strony była sposobem na uniknięcie ujawnienia prawdziwej tożsamości? Czy chciała ukryć coś, co byłoby trudne do ukrycia, gdybym wiedział, jak naprawdę się nazywa? Namib musiał jednak znać wszystkie osoby, które pojawiły się wczoraj w naszym apartamencie. Ze względów bezpieczeństwa nie dopuściłby do tego, by w otoczeniu moim czy Wasima pojawił się ktoś przypadkowy.

– Namib, pomożesz mi ją odnaleźć? – spytałem tonem chłopca, który prosi o lizaka.

Oczywiście mogłem wydać mu polecenie, ale z Namibem łączyła mnie prawdziwa przyjaźń. Opiekował się mną, a mój ojciec mu za to płacił, ale nasza relacja nie miała nic wspólnego z typowym podejściem do służby. Nie miałem kumpli, dlatego moim przyjacielem był Namib. Wiedziałem, że zrobi wszystko, by mi pomóc, ale nie sądziłem, że będzie to takie trudne. Namib zachowywał się bardzo tajemniczo. Znałem go doskonale, na pewno wystarczająco, by się zorientować, gdy coś było nie tak.

– Książę Wasim będzie zapewne w stanie pomóc ci w tej sprawie znacznie lepiej niż ja – powiedział w końcu.

Nie byłem pewien, co to ma oznaczać, ale domyśliłem się, że chodzi o tajemnicę, której Namib nie chce wyjawić bez zgody Wasima.

– Dobrze, porozmawiam zatem z moim bratem. Jak tylko dojdzie do siebie i pozbędzie się tych trzech przygłupów.

– Obawiam się, że to nie nastąpi prędko – wyznał Namib. – Panowie planują tu zostać co najmniej przez kolejny tydzień.

– Tydzień? A co ze mną? Myślałem, że mamy zamiar wrócić do domu...

Oczywiście teraz, gdy już znałem Silvię, szybki powrót do Emiratów nie był moim priorytetem. Wiedziałem, że muszę ją odnaleźć, może nawet przekonać do wyjazdu ze mną, względnie porwać lub przekupić. Mimo wszystko nie byłem zadowolony z faktu, że tak kluczowe decyzje są podejmowane beze mnie.

– Tak będzie lepiej – dodał Namib.

– Lepiej? Namib, o co w tym wszystkim chodzi? Dlaczego utknęliśmy tutaj i nie wracamy do domu? Co właściwie stało się z ojcem? Dlaczego wyjechał tak nagle? Czy ktoś wreszcie może mi to wyjaśnić? – Zaczynałem się irytować, a mój dobry humor wyparował jak kamfora.

– Książę, cierpliwość to cnota, którą warto pielęgnować – odparł Namib.

Nie mógł wybrać gorszego wytłumaczenia.

– Mam dosyć pielęgnowania cnót! W zasadzie jestem teraz na etapie pozbywania się wszystkich, które mi zostały, i cierpliwość też już mi się kończy. Dlatego daję ci czas do wieczora na wyjaśnienie mi, co się stało w dniu aukcji – wycedziłem przez zęby. – A w poszukiwaniach Silvii na moją cierpliwość też nie licz. Porozmawiam z Wasimem, ale to ty masz ją znaleźć. A co z moim telefonem? Wczoraj miałeś go poszukać. I co? Nie znalazłeś!

Wzburzony wstałem i wyszedłem z kawiarni, zostawiając Namiba. Czułem się nieswojo, krzycząc na niego, ale miałem dość tego, że wszyscy traktują mnie jak dziecko. Nie byłem nim od dawna, a zeszłej nocy po raz pierwszy poczułem, że jestem facetem. Czas, by również inni to dostrzegli. Wiedziałem jednak, że pozycja najmłodszego dziecka w rodzinie nie ułatwi mi walki o niezależność i szacunek.

Wróciłem do hotelu pospiesznym krokiem. W salonie natknąłem się na Zijada. Snuł się, nie do końca łapiąc kontakt z rzeczywistością. Na mój widok uśmiechnął się głupkowato i krzyknął:

– *Habibi!*

Zignorowałem go. Nie jestem żadnym *habibi*. Na pewno nie dla przygłupów.

Chwilę później wśród żywych pojawił się Wasim. Był w zaskakująco dobrej formie. Ewidentnie zdążył już wziąć prysznic, ubrać się i skleić swoje kruczoczarne włosy toną żelu. Uśmiechnął się na mój widok najszerzej, jak potrafił.

– Witaj, braciszku! Jak się miewamy? Ptaszki ćwierkały, że działo się w twojej sypialni zeszłej nocy, oj, działo! Chętnie posłuchamy opowieści z pierwszej ręki – powiedział, jak zwykle pewny siebie.

– Nie będzie żadnych opowieści – warknąłem zirytowany, po czym ruszyłem do swojej sypialni i trzasnąłem drzwiami.

W pokoju było nieprawdopodobnie cicho. Jakby był odizolowany od świata. Zdążyłem już się do tego przyzwyczaić. Stał się swoistym azylem. Tutaj odpoczywałem, przesypiałem złe emocje... tu spędziłem upojną noc z Silvią. Nagle ciszę przerwało gwałtowne szarpnięcie za klamkę. Do sypialni energicznym krokiem wszedł Wasim.

– Czy możesz mi wytłumaczyć, o co ci znowu chodzi? – zapytał. – Jesteś wiecznie niezadowolony, ten ciągły foch, czegokolwiek by dla ciebie nie robić... Ściągnąłem ci wczoraj tonę panienek, najlepszy towar w mieście. Miałeś się odstresować i rozerwać. Miałeś zapomnieć o wszystkich rozczarowaniach. Ale na ciebie nie ma sposobu.

– Nie musiałeś – odparłem. – Nie jestem taki jak ty. Mnie nie interesuje posuwanie dziwek. Na szczęście nie wszystkie laski są takie puszczalskie. Silvia na pewno dziwką nie była.

Wasim uśmiechnął się szeroko, a potem wybuchnął rechotem. Miałem wrażenie, że stara się śmiać jak najgłośniej. Wykonywał przy tym takie gesty, jakby kolejne fale śmiechu odbierały mu powietrze. To przedstawienie miało mnie upokorzyć, bo nie powiedziałem nic śmiesznego. Przynajmniej tak mi się wydawało. Wasim jednak był innego zdania.

– O naiwności! Ty naprawdę w to wierzysz? – mówił pomiędzy kolejnymi salwami wesołości. – Chłopaku, ta twoja Silvia nazywa się Anna i jest jedną z najbardziej wziętych kurew w tym mieście. Obsługuje tylko wymagających klientów. Fakt, jest rewelacyjna. Ruchałem ją przez całą noc, gdy razem z kilkoma innymi przyleciała na nasz coroczny wypad do Omanu dwa lata temu. Zna takie sztuczki, że można zwariować. To dlatego ją do ciebie wysłałem. Wiedziałem, że będzie w stanie cię ogarnąć, nawet jak będziesz próbował się wycofać. I z tego, co słyszałem, udało się!

Czułem, jak podłoga usuwa mi się spod stóp. Moje ręce i nogi osłabły. Serce zaczęło bić w zatrważającym tempie. Brakowało mi tchu, a pokój zaczął wirować. Tymczasem Wasim kontynuował swój sarkastyczny wywód:

– Mogłem przewidzieć, że z tobą tak się to skończy. Chłopaczyna umoczył pierwszy raz w życiu i od razu zakochany po uszy.

Silvia była dziwką wynajętą przez Wasima, by nauczyć mnie, jak być mężczyzną, i wyrwać z marazmu, w jakim pogrążyły mnie wydarzenia ostatnich miesięcy. Nie mieściło mi się to w głowie. Wezbrała we mnie nieznana mi do tej pory agresja. Ruszyłem w kierunku stojącego w świetle drzwi Wasima i pchnąłem go z całej siły. Nie obchodziły mnie konsekwencje. Nie interesowało mnie, czy go zabiję, uszkodzę, czy może mi odda. Chciałem się go pozbyć – z pokoju i ze swojego życia. Po raz kolejny wielkie szczęście zmieniło się dla mnie w koszmar. Czułem się jak dzieciak kuszony pyszną baklawą, tyle że za każdym razem, gdy po nią sięgałem, okazywało się, że nie jest dla mnie i muszę obejść się smakiem. Tyle że nie chodziło o baklawę, ale o pięknego konia i równie piękną kobietę. W mojej głowie nosiły to samo imię. Synonim niedoścignionego szczęścia. Silvia.

Skutki mojego ciosu mogły być dla Wasima dość bolesne, gdyby nie Namib, który właśnie wtedy wszedł do mojej sypialni. Ewidentnie przysłuchiwał się temu, co się w niej działo, i jak zwykle zainterweniował w odpowiednim momencie. Podtrzymał Wasima, a gdy upewnił się, że nic mu się nie stało, pomógł mu wstać. Wasim już się nie uśmiechał. Jego oczy stały się groźne, twarz napięta. Walczył ze sobą. Wiedziałem, że ma ochotę zrewanżować się za atak, ale Namib stał już pomiędzy nami, próbując przywrócić obu zdrowy rozsądek.

– Musicie się uspokoić, emocje nie są dobrym doradcą – powiedział tonem mądrego, troskliwego ojca, po czym zwrócił się do Wasima: – Myślę, że dobrze będzie, jak sobie pójdziesz, książę.

Wasim nie oponował. Potulnie odwrócił się w kierunku drzwi, rzucając w moją stronę jeszcze jedno spojrzenie. Było inne. Zniknęła z niego agresja. Miałem wrażenie, że są w nim smutek i żal. Zrobiło mi się nieswojo. Gdy Wasim wyszedł z pokoju, ja i Namib przez dłuższą chwilę milczeliśmy. Słowa nie były nam potrzebne. Już wcześniej doskonale wiedziałem, że nie mogę być dumny ze swojego ataku na Wasima, a jego mina tylko spotęgowała to uczucie. Gonitwa myśli w mojej głowie stawała się coraz bardziej nieznośna. Miałem ochotę zniknąć, zapaść się pod ziemię, wypisać ze świata. Wszystko, co mamiło mnie pozornym szczęściem, niemal natychmiast zmieniało się w koszmar.

– Chciałem ci powiedzieć, książę, że umówiłem spotkanie z damą, którą książę nazywa Silvią – oznajmił Namib, jakby kompletnie ignorując to, co się stało kilka minut wcześniej.

Totalnie mnie zaskoczył. Owszem, wydałem mu takie polecenie, ale przyzwyczaiłem się już do pewnej niemocy, do tego, że większość wydarzeń w moim życiu dzieje się bez mojego udziału, a często zdecydowanie wbrew mojej woli.

– Takie było twoje życzenie, książę. – Namib najwyraźniej zauważył moje zaskoczenie. Problem w tym, że od czasu, kiedy je wyraziłem, status Silvii znacznie zmalał. Z kobiety mojego życia spadła do pozycji panienki do wynajęcia, którą może mieć każdy, kto sypnie kasą wystarczająco obficie. Ale i tak chciałem ją spotkać.

– To prawda. Jakie są ustalenia? – spytałem oficjalnie.

– To pytanie do ciebie, książę. W jakich warunkach chciałbyś ją spotkać?

Po apartamencie hotelowym nadal włóczyła się drużyna przygłupów. Na bank wycięliby mi jakiś numer, a w najlepszym wypadku podsłuchiwali. Nie miałem ochoty słuchać ich kretyńskich komentarzy. Moja sypialnia też nie była odpowiednim miejscem. Nie chciałem znów wylądować z nią w łóżku. To znaczy bardzo chciałem, ale nie tak... nie po tym, co opowiedział mi Wasim. Liczyłem na to, że Silvia wszystkiemu zaprzeczy i wrócimy do momentu, kiedy objawiła mi się jako nieziemska istota, z którą chciałem spędzić resztę życia. Wiedziałem, że to się raczej nie wydarzy, ale paradoksalnie w sytuacjach beznadziejnych nadzieja jest jedynym motorem do działania.

– Wynajmijmy prywatną salę w hotelowej restauracji. Najlepszą, jaką mają. Chcę ją spotkać jeszcze dziś wieczorem – powiedziałem tonem nieznoszącym sprzeciwu.

– Będzie, jak sobie życzysz, książę. Wkrótce poinformuję cię o szczegółach. – Namib skinął głową i odwrócił się do wyjścia.

– Do kwestii wyjazdu i mojego ojca wrócimy jutro – rzuciłem za nim, wykorzystując fakt, że przez chwilę poczułem się tak, jakbym odzyskał kontrolę nad swoim życiem.

Byłem księciem z nazwy. Od dzieciństwa każdy tytułował mnie w ten sposób, ale nigdy nie czułem, by miało to jakiekolwiek znaczenie, bo gdy wszyscy wszystko robią za ciebie, wcale nie czujesz się władcą. Zwłaszcza że za mnie również podejmowano niemal każdą decyzję. Wtedy nie miałem jeszcze świadomości, jak bardzo w tym właśnie czasie dojrzałem. Wchodziłem w dorosłość w przyspieszonym tempie. Potrzeba niezależności – do tej pory uśpiona gdzieś głęboko, zupełnie nieznacząca – dochodziła do głosu ze zdwojoną siłą. Pierwszy seks z kobietą w symboliczny sposób zrobił ze mnie prawdziwego mężczyznę. Do tej pory byłem zakochanym w koniach dzieciakiem, który dopóki znajdował się w pobliżu jeździeckiego siodła, nie dostrzegał tego, jak sztuczny świat wykreowano w jego otoczeniu. Teraz zaczynałem przeglądać na oczy. Mój okres buntu nastąpił późno, bo moi rodzice bardzo skutecznie pielęgnowali we mnie dziecko. Jako najmłodszy i wyczekany, jedyny syn, byłem pod szczególną ochroną, ale tylko kwestią czasu było to, co właśnie następowało. Pragnąłem emancypacji. Nie chciałem już być tylko synem ojca i matki, księciem emiratu, dziedzicem fortuny. Chciałem być Abedem. Sobą. Decydować o tym, co, z kim i kiedy robię. Powoli odnajdywałem w sobie siłę na to wszystko i było to nieprawdopodobne uczucie. Ubezwłasnowolniająca niemoc, która towarzyszyła mi przez większość mojego życia, przeradzała się w poczucie, że mogę wszystko.

Wszystkiego nie mogłem. Nie mogłem na przykład nagiąć rzeczywistości. Zmienić tego, że Silvia nie jest kobietą, z którą mógłbym spędzić życie, bo jej stosunek do mnie był zdecydowanie inny niż moje wcześniejsze wyobrażenia.

Znowu wyglądała zniewalająco. Czekała na mnie, siedząc na sofie wyłożonej aksamitem w kolorze głębokiej zieleni. Jednym uśmiechem spowodowała, że wszystko, co powiedział mi o niej Wasim, przestało mieć znaczenie. Ta kobieta to anioł. Jak ktoś o takiej urodzie i wdzięku może być zwykłą dziwką? Hmm... no właśnie – ona nie była zwykłą dziwką.

– Cudownie cię widzieć, książę – powiedziała, wstając na mój widok.

Podszedłem do sofy i podałem jej dłoń. Położyła na niej swoją uwodzicielskim gestem.

– Cała przyjemność po mojej stronie, Silvio – odparłem.

– Nadal się w to bawimy?

– Nie znam twojego prawdziwego imienia – skłamałem.

– A chciałbyś je poznać?

– Myślę, że przyszedł czas na prawdę nie tylko w kwestii imienia – powiedziałem najłagodniej, jak potrafiłem, ale i tak miałem wrażenie, że zabrzmiało to nieco złowieszczo.

Ruszyliśmy w kierunku zastawionego stołu.

– Prawda – westchnęła Silvia, siadając z gracją na krześle, które dla niej odsunąłem. – Wszyscy twierdzą, że jej pragną, ale w rzeczywistości nikt jej nie lubi.

– Nawet najgorsza prawda jest lepsza od kłamstwa – zauważyłem.

– Ludzie tak mówią, dopóki nie poznają prawdy. Ja wcale nie jestem przekonana, że to taka niezwykła sprawa. Nieraz się przekonałam, że kłamstwo potrafi dać ludziom szczęście, a prawda kompletnie je zniweczyć. – Tymi słowami Silvia dokładnie podsumowała wszystko, co wydarzyło się w ciągu ostatnich godzin. Żyjąc w nieświadomości, czułem się niezwykle szczęśliwy. Prawda wcale mnie nie wyzwoliła. Przygniotła mnie, a jednak chciałem ją poznać.

– Kim tak naprawdę jesteś? – spytałem wprost.

– Mam na imię Anna.

– Masz na imię Anna. Anna… piękne imię, ale nie o nie pytałem. Kim naprawdę jesteś?

– Wiem, książę, że nie pytałeś o moje imię. Ale… jesteś pewien?

– Czy jestem pewien czego? Czy chcę usłyszeć, że jesteś dziwką? Tak! Jeśli jesteś dziwką, właśnie to chcę usłyszeć – powiedziałem ostro.

Anna spuściła głowę.

– Jestem kobietą, którą widzą mnie mężczyźni… Wczoraj dla ciebie byłam Silvią. Dzisiaj jestem dziwką – powiedziała cicho.

Zrobiło mi się smutno. Jeszcze chwilę temu sytuacja wyglądała na niezwykle prostą. Anna miała się przyznać do uprawianej prostytucji, a ja miałem się na niej odegrać za uknute przez nią i Wasima oszustwo. Plan jednak wziął w łeb. Zrozumiałem, że to nie jej wina. Co więcej, nie jest to też wina Wasima. Jedynym winnym jestem ja. Wasim, mój kochany brat, chciał się mną zaopiekować. W porządku, metody pozostawiały wiele do życzenia, ale wynajęcie najlepszej dziwki w mieście, żeby mnie rozdziewiczyła, trudno uznać za złośliwość. W głowie Wasima na pewno nią nie było. Anna też zrobiła wszystko, co do niej należało. Była wspaniała, sprawiła, że czułem się tak, jakbym skakał po chmurach. To ja wszystko zepsułem. To ja zakochałem się z prędkością światła, wyimaginowałem sobie coś, co w ogóle nie miało miejsca. Byłem jak ślepiec, który właśnie odzyskał wzrok i tak bardzo chciał zobaczyć wszystko, że wydrapał sobie oczy.

– Przepraszam. – Mogłem powiedzieć tylko to. – Nie chciałem cię urazić. To wszystko moja wina. – Uśmiechnąłem się do Anny.

– Nie ma w tym twojej winy. Nikt tu nie jest winny. Wasim bardzo cię kocha, wczoraj kilka razy upewniał się, że zadbam o ciebie, że cię nie skrzywdzę. Jesteś wspaniałym, młodym mężczyzną, ale ja nie jestem kobietą, która dałaby ci szczęście. Wierz mi, książę, na swojej drodze spotkasz wiele niezwykłych kobiet, ale uważaj na ich intencje. Ja kiedyś marzyłam o tym, że poznam księcia z bajki i spędzę z nim resztę życia, szybko jednak się przekonałam, że tam, gdzie dochodzi do transakcji, nie ma mowy o miłości. Zawieram więc transakcje i pomagam młodym dziewczynom w zarabianiu pieniędzy.

– Jak to pomagasz?

– Tego książę Wasim ci nie powiedział? – Anna uśmiechnęła się tajemniczo. – Powiedzmy, że łączą nas interesy. Książę dzwoni do mnie, gdy organizuje imprezy i potrzebuje dziewczyn. To świetny facet, laski bardzo go lubią. Naprawdę kontaktowy. I dzwoni sam. Szejkowie zwykle mają od tego ludzi...

A więc to tym Wasim był zajęty w dniu aukcji. Sam to wszystko zorganizował, chociaż wiedziałem, że częściowo skorzystał z pomocy Namiba.

– Wasim jest bardzo niezależny. Zwłaszcza swoje interesy załatwia sam – powiedziałem, puszczając oko do Anny.

– Gdyby nie był księciem, na pewno zbiłby fortunę na organizacji imprez – odparła. – Ma do tego talent.

– Tak, imprezy Wasima są legendarne, choć sam byłem tylko na jednej. Na tej wczoraj.

– Książę wspominał o tym. Powiedział, że to ma być twoja koronacja.

– Koronacja?

– No... miałam ci zdjąć wianek i założyć koronę. U nas, w Polsce, mówi się, że jak ktoś jeszcze nie uprawiał seksu, nosi wianek. Wczoraj ci go zdjęłam, książę, i koronowałam cię na prawdziwego faceta.

– Zważywszy na wpadkę z majtkami...

– Książę, nie było żadnej wpadki, byłeś wspaniały! Wierz mi, gorsze rzeczy się zdarzają nie takim jak ty. Nawet książę Wasim nie jest od nich wolny. – Anna potrafiła podbudować męskie ego nawet poza łóżkiem.

– Wasim? – zdziwiłem się.

– Wiem, że nie powinnam tego mówić, ale książę też zaliczył spektakularną wpadkę na jednym z naszych spotkań.

– Opowiedz.

– Nie mogę!

– Opowiedz!

– Czy to książęcy rozkaz? – spytała Anna uwodzicielsko.

– Tak! To rozkaz! – zaśmiałem się.

– W takim razie nie mam wyjścia – odrzekła, mrugając do mnie. – To było nasze drugie lub trzecie spotkanie. Przyleciałam z kilkoma dziewczynami do Omanu. Chłopaki wyprawiają tam doroczną imprezę. Istne szaleństwo, nawet jak na nich. Szampan lał się strumieniami. W pewnym momencie książę Wasim dał mi znak, że chciałby przenieść imprezę do sypialni. Nie bardzo był w stanie to wyartykułować, ale doskonale wiedziałam, o co chodzi. Poszliśmy zatem do jego apartamentu. Dookoła panowała ciemność, jedynie światła z zewnątrz, wpadające przez ogromne, odsłonięte okna, oświetlały nieco przestrzeń. Powiedziałam, że muszę skoczyć do łazienki. Książę nie oponował, sam ruszył w kierunku łóżka. Gdy parę minut później weszłam ponownie do sypialni i zapaliłam lampkę, moim oczom ukazał się rozkoszny widok. Wasim spał głęboko z iście anielskim uśmiechem na twarzy, wtulony czule w kompletnie nieprzytomnego Zijada, który prawdopodobnie w alkoholowym upojeniu znalazł schronienie w pierwszej dostępnej sypialni. Chłopcy, choć zupełnie nieświadomi, wyglądali na bardzo zadowolonych ze swego towarzystwa, więc postanowiłam im nie przeszkadzać.

Ta historia rozbawiła mnie do łez. Mój kuzyn, ten macho, wymienił w pijackim zwidzie piękną kobietę na przygłupa! Wiele bym oddał, by to zobaczyć.

– Tylko, książę, proszę... To musi pozostać między nami – nalegała Anna. – Książę Wasim o tym nie wie.

– Nie powiedziałaś mu?

– Nie miałam jak. Następnego dnia był absolutnie przekonany, że noc spędziliśmy razem. Film urwał mu się zapewne zaraz po tym, jak weszliśmy do sypialni.

– Ale któryś z chłopaków musiał się obudzić pierwszy w objęciach drugiego! – zaśmiałem się.

– Na pewno, ale żaden się do tego nie przyznał. Najzabawniejsze jest to, że przy śniadaniu, jak każdego dnia, odbywała się licytacja i chłopcy ścigali się w opowiadaniu o swoich spektakularnych łóżkowych dokonaniach. Nie przeszkadzało im, że my, dziewczyny sprowadzone tam w zasadzie tylko w jednym celu, wszystko słyszałyśmy. I że doskonale wiedziałyśmy, jak bardzo mijają się z prawdą. Zarówno książę Wasim, jak i Zijad opowiedzieli kumplom ze szczegółami, jakich podbojów dokonali. – W głosie Anny wyraźnie brzmiała ironia. Z jej punktu widzenia to faktycznie musiało wyglądać niezwykle zabawnie. Jednak gdyby Wasim poznał prawdę, chyba nie zniósłby takiego upokorzenia.

Anna poprawiła mi humor. Nie widziałem już w niej kobiety, która chciała mnie skrzywdzić. Przeciwnie – spojrzałem na to wszystko zupełnie innymi oczami. Świat wcale nie był przeciwko mnie, to ja nie byłem gotowy na świat. Ale i to zmieniało się w błyskawicznym tempie.

Gdy Anna opowiadała o Wasimie, miałem wrażenie, że nie traktuje go tylko jako obrzydliwie bogatego młodego szejka. Mówiła o nim bardzo ciepło, z uczuciem, nawet wtedy, gdy opowiadała o niezbyt chlubnych momentach. Jakby czuła do niego coś więcej niż tylko szacunek do dobrego klienta. Stwierdziłem, że to wspaniała kobieta. Owszem, parała się dość specyficzną profesją, ale przecież nie robiłaby tego, gdyby nie było popytu na jej usługi. Lekceważący stosunek mężczyzn do prostytutek wydał mi się nie fair, bo przecież oni sami je wynajmują. Najpierw sprawiasz, że ktoś staje się dziwką, a potem wyzywasz go od dziwek? Okropnie niesprawiedliwe!

Naprawdę bardzo polubiłem Annę. Spotkamy się znów po latach, w zupełnie innych okolicznościach. Ale to bardzo bolesna historia. Nie na dziś.

ROZDZIAŁ 5
Powrót

Następnego dnia obudził mnie Namib. Od razu spytał, czy zgodzę się pojechać z nim do stadniny, przy której odbywała się aukcja koni.

Pytanie zbiło mnie z tropu. Z jednej strony odmowa wizyty w stadninie była dla mnie tak samo nienaturalna jak myślenie dla przygłupów. Z drugiej – nie bardzo chciałem jechać w miejsce, w którym spotkało mnie tyle przykrości. Ciekawość i miłość do koni wygrały.

Przygotowania zajęły mi chwilę. Na śniadanie nie miałem ochoty, byłem za bardzo podekscytowany, choć równie mocno bałem się tego, co mnie czeka. Ekscytacja często w moim życiu kończyła się rozczarowaniem, ale trudno mi było z nią walczyć.

Tym razem stadnina wydawała mi się dużo mniejsza i zdecydowanie spokojniejsza. Cała otoczka aukcji powodowała, że to miejsce było jak nadmuchany balonik. Na szczęście powietrze już z niego uszło. Teraz była cicha i przyjazna. Samochód zatrzymał się przed niepozornym wejściem. Namib wysiadł pierwszy i przywitał się z zabawnym mężczyzną z wąsem, ubranym w szary garnitur i niemal o głowę ode mnie niższym. Miałem wrażenie, że dobrze się znają. Ja tymczasem wygramoliłem się z auta i stanąłem obok Namiba.

– To dla nas niezwykły zaszczyt gościć jego książęcą mość – powiedział mężczyzna po angielsku, choć z twardym akcentem.

Ponieważ nie miałem pojęcia, co jest powodem naszej wizyty, poprzestałem na zwykłym przywitaniu. Mężczyzna, niezrażony moją oszczędnością w słowach, kontynuował swoją dość intrygującą z mojego punktu widzenia tyradę:

– Muszę przyznać, że byłem bardzo zaskoczony tym telefonem. Taka sytuacja ma u nas miejsce po raz pierwszy. Wszystkie formalności są już załatwione. Dzisiaj dzwonili dziennikarze, ale proszę się nie obawiać, milczałem jak grób. – Wykonał gest, jakby zamykał sobie usta kluczem. – Powiedziałem, że szczegóły transakcji to tajemnica. Nie wiem, jak się dowiedzieli, ale oni zawsze coś wywęszą. Nasz skarb jest już gotowy.

Telefon? Formalności? Dziennikarze? Skarb? Co tu się właściwie dzieje?

Spojrzałem na Namiba. Był uśmiechnięty, wyglądał na bardzo zadowolonego. Czułem, że chciał mi powiedzieć, o co chodzi, i z trudem się przed tym powstrzymywał, ale postanowiłem nie pytać.

Ruszyliśmy wąskim korytarzem. Sprawiał wrażenie biurowego, ale ewidentnie zbliżaliśmy się do stajni. Ten zapach – dla jednych okropny, dla mnie najwspanialszy na świecie – bez wątpienia zwiastował obecność koni. Ale ja nie chciałem żadnego konia. Nadal je kochałem, lecz pogodziłem się już z odejściem Czardasza, a Silvia, która skradła moje serce, była już pewnie w drodze do Arabii.

Gospodarz zaprowadził nas na widownię. W miejscu, gdzie w czasie aukcji stały stoły dla licytujących, teraz znajdowały się tylko trzy samotne krzesła, tandetnie przystrojone białymi pokrowcami i czymś na kształt minibukietów z czerwonych goździków. Mężczyzna poprosił, żebyśmy usiedli. Sytuacja była bardzo dziwna, ale na swój sposób zabawna. Miałem wrażenie, że biorę udział w jakimś bardzo kameralnym przedstawieniu. Widownia nie dopisała, a na scenie nie było aktorów. Postanowiłem więc usiąść i sprawdzić, jak się potoczą wydarzenia.

Nie musiałem długo czekać. Już po chwili na arenę wybiegł koń. Piękny, dostojny i... dziwnie znajomy. Zrobił rundkę przy wybiegu i przygalopował w naszym kierunku. To była majestatyczna kasztanka...

– Silvia?! – krzyknąłem. Byłem pewny, że wtedy, na aukcji, widziałem ją po raz ostatni, ale ona nadal tu była. – To ona! Silvia!

Czyżby Namib załatwił mi przejażdżkę na jej grzbiecie, zanim klacz wyruszy w podróż do nowego właściciela? Kochany Namib! Wychodził z siebie, by poprawić mi humor. Nie jeździłem konno od dłuższego czasu, więc wizja przejażdżki bardzo mnie ucieszyła.

– Jest twoja – powiedział spokojnie Namib.

Wydawało mi się, że się przesłyszałem.

– Namib, nie żartuj ze mnie. Przecież została sprzedana. Licytowali ją tak zaciekle, że wątpię, by zwycięzca łatwo z niej zrezygnował.

– Nie zrezygnował z niej łatwo. Ale twój ojciec też łatwo nie rezygnuje. Wiedział, że przegrana licytacja złamie ci serce, a on złamie dane ci słowo, dlatego cena nie grała roli. Zaangażował w sprawę sztab dyplomatów i agentów. Finalnie zapłacił za klacz dwa razy więcej, niż wyniosła cena z licytacji, ale udało się. Silvia jest twoja.

Nie mogłem w to uwierzyć. To było spełnienie moich marzeń! Znowu miałem ukochanego konia, a w dodatku okazało się, że mój ojciec wcale mnie nie zlekceważył. On naprawdę mnie kochał. Musiał faktycznie mieć ważny powód, by odejść wtedy od stołu.

– Namib, co się stało w dniu aukcji? Dlaczego tata od niej odstąpił?

Namib spojrzał na mnie wyraźnie spłoszony. Nie spodziewał się tych pytań w takim momencie. Ale ja musiałem wiedzieć.

– Książę, czas dosiąść Silvii – odparł, jakby mnie nie usłyszał.

– Tak, masz rację, czas dosiąść Silvii – powtórzyłem, akcentując każde słowo.

Namib wiedział, że moment, gdy będzie musiał odpowiedzieć na moje pytania, zbliża się nieuchronnie, ale nie będę kłamał – nie mogłem się doczekać, aż wskoczę na grzbiet Silvii.

Zanim znalazłem się przy niej, była już osiodłana. Sprawni opiekunowie zadbali o każdy szczegół. Cóż to był za fascynujący koń! Choć nie miałem na sobie jeździeckiego stroju, w jednej chwili znalazłem się w siodle i ruszyłem galopem przez piaszczystą arenę. Konie są niezwykle mądre, potrafią wyczuć intencje człowieka. Silvia wiedziała, że jest dla mnie bardzo ważna, i czułem, że chce mi powiedzieć to samo. Komuś, kto nie zna natury koni, może się to wydać czystym szaleństwem, ale to metafizyka. Niezrozumiałe, choć bardzo prawdziwe.

Spędziłem na grzbiecie Silvii dobrą godzinę. Przerwał nam Namib, który doskonale wiedział, że jeśli tego nie zrobi, zastanie nas tam noc. Gdy podprowadziłem klacz w jego kierunku, powiedział:

– Książę, musimy jechać. Silvia zostanie teraz poddana kwarantannie i zabiegom przygotowującym ją do transportu. Za dwa tygodnie będzie w Emiratach.

– A my? – Zeskoczyłem na ziemię. – Kiedy my tam będziemy?

– Wkrótce, książę... wkrótce.

Nie wiedziałem, kiedy nastąpi owo „wkrótce", ale słowa Namiba w dziwny sposób mnie uspokoiły. Pustka, jaka towarzyszyła mi po serii rozczarowań w Polsce, powoli zaczynała się wypełniać. Bardzo tęskniłem za rodzicami, siostrami, za moim dawnym życiem, ale w tamtym momencie ta tęsknota była nieco bardziej znośna. Wtedy wciąż jeszcze nie byłem świadomy, że w pewnym sensie zostanie ona we mnie już zawsze.

Po powrocie do hotelu czekała mnie rozmowa z Wasimem. Na szczęście przygłupy zdążyły już wyjechać. Kumple jednak nie czekali na Wasima, który wciąż jeszcze nie był pewien daty powrotu, poza tym chcieli lecieć samolotem rejsowym ze względu na stewardesy, które bardzo często udawało im się poderwać w czasie lotu. Pozowali na szejków w podróży i choć nimi nie byli, fakt, że podróżowali pierwszą klasą i byli obrzydliwie bogaci, dodawał ich historiom wiarygodności. Największym amatorem wdzięków kobiet pracujących dla linii lotniczych był Zijad. Opowiadał o nich, jakby były absolutnie niespotykanym zjawiskiem. Nie umniejszając ich urodzie, spotkanie stewardesy w Emiratach – zwłaszcza w Abu Zabi, które jest domem narodowych linii lotniczych Etihad, oraz Dubaju, i stacjonują tam załogi latające Emirates, największej linii lotniczej na świecie – nie jest wyczynem. Spotkanie stewardesy na pokładzie samolotu jest oczywiście jeszcze łatwiejsze. Zijad unikał latania prywatnym samolotem z Wasimem, a ten, doskonale rozumiejąc jego fetysz, chętnie mu na to pozwalał i nie traktował tego jako afrontu.

Zijad sypał historiami podrywu stewardes jak z rękawa. Wystarczyło zacząć temat, a zapalał się do niego jak szalony. Nie mogę powiedzieć, żebym nie rozumiał tej fascynacji, bo stewardesy mają w sobie coś nieprawdopodobnie seksownego. Zapewne jest to całkowicie zamierzone przez właścicieli linii, którzy traktują ich urodę jako ważny element promocji, ale nie da się ukryć, że dzięki kobietom na pokładzie podróżowanie jest zdecydowanie przyjemniejsze. Dla Zijada przyjemna była często nie tylko podróż. Był na tyle opętany, że zdarzało mu się wpraszać na imprezy do budynków zamieszkanych przez załogi latające Etihad lub

Emirates w jednym tylko, wiadomym celu. Nie było to proste, bo budynki te są pilnie strzeżone i osoby postronne, niezatrudnione w liniach, mają spory problem, by się do nich dostać. Pomysłowość Zijada nie znała jednak granic. Miał nawet oryginalne mundury obu linii i przez długi czas udawał, że sam pracuje jako steward. W zatrudniających kilkanaście tysięcy osób liniach jest to praktycznie nie do sprawdzenia. Stewardzi i stewardesy, mimo że jest ich w Emiratach bardzo wielu, często nie znają się dobrze, bo za każdym razem latają w zupełnie innym składzie, a spotkanie znajomego podczas tego samego lotu jest bardzo mało prawdopodobne. Ustalaniem grafików zajmuje się system komputerowy, który nie dba o aspekt towarzyski lotów. Zijad, mając tę świadomość, bez większego trudu wcielał się w kolegę z pracy i wpraszał na huczne imprezy, z których bardzo często wychodził z jedną lub dwiema stewardesami. Innym sposobem na wyrwanie latającej dziewczyny było wyjście do klubu w hotelu Crowne Plaza w Dubaju, w którym w poniedziałki odbywały się imprezy dla załóg latających Emirates. Tutaj z pomocą przychodził oczywiście alkohol, który zdecydowanie ułatwiał podryw, ale i tak żaden z tych podbojów nie umywał się do tego, czego można było dokonać podczas samego lotu. Zijad traktował to jak grę, która polegała na kilkugodzinnym flircie z podtekstami, insynuacjami i niedwuznacznymi żartami, zakończonym z reguły propozycją seksu. Na pokładzie wielu linii lotniczych takie zachowanie uznano by za molestowanie seksualne, ale w Etihad i Emirates uchodziło bez echa. Wszystko jednak ma swoje granice. Podczas jednej z podróży totalnie podkręcony i dość mocno wstawiony Zijad zdjął majtki i przycisnął swoją prężącą się męskość pasem w nadziei, że zostanie zauważona i doceniona przez piękną stewardesę, która robiła obchód tuż przed lądowaniem. Stewardesa zauważyła, ale niestety nie doceniła.

Co gorsza, poinformowała o sprawie kapitana, który również nie wykazał się zrozumieniem. Zijad został aresztowany tuż po lądowaniu, ale Wasim szybko wyciągnął go z opresji. Ta przygoda w żaden sposób nie umniejszyła jego miłości do stewardes, ale postanowił nie okazywać jej aż tak dosłownie.

Nie miałem pojęcia, jak Wasim zareaguje na mój widok, ale musiałem go przeprosić. Po rozmowie z Anną patrzyłem na niego zupełnie inaczej. Ten skończony idiota kochał mnie prawdziwą braterską miłością. Okazywał ją na swój własny sposób, ale to wcale nie zmieniało faktu, że bardzo mu na mnie zależało.

Zastałem go w jego sypialni; leżał rozwalony na sofie.

– Mogę? – spytałem cicho, wychylając się zza drzwi.

– Tylko nie bij – rzucił z uśmiechem, po czym wykonał fikołka i w jednej chwili stanął na podłodze. Miał na sobie bokserki i nonszalancko zarzucony szlafrok, który zsunął się z niego podczas akrobacji.

– Ubierz się – powiedziałem.

– A co? Boisz się, że mi się nie oprzesz? – zażartował Wasim, co było ewidentnym dowodem, że przeszła mu złość na mnie.

– Tak, właśnie tego się boję – odparłem z ironią. – Przecież tobie nikt nie jest się w stanie oprzeć.

– Cieszę się, że to ustaliliśmy. Co cię do mnie sprowadza? Poza tym, że pewnie chcesz przeprosić za swoją niewdzięczność.

– Tak, chcę przeprosić... To nie była niewdzięczność... Wiem, że starałeś się o mnie zadbać, zawsze o mnie dbasz.

– *Bro*, nie musisz mówić nic więcej, nie ma tematu. Ale o twoim podejściu do lasek musimy poważnie pogadać. Nie możesz się zakochiwać w każdej, w którą włożysz. Stary, wykończysz się psychicznie.

– Wiem. To było dziecinne. Wydawało mi się, że to miłość, a to była tylko krótka fascynacja. Sam wiesz, że Anna to niezwykła kobieta.

– To fakt... Niezwykła – powiedział Wasim lekko rozmarzonym głosem. – Sztuczki, które zna...

– Faktycznie, jest artystką w swoim fachu. Opowiadała mi trochę o waszych przygodach.

Wasim spłoszył się nieco.

– Co ci mówiła?

Teraz już wiedziałem, kto obudził się pierwszy po upojnej nocy w Omanie.

– Spokojnie. Same dobre rzeczy. Mówiła, że jesteś zajebistym kochankiem. – Dostrzegłem ulgę na twarzy kuzyna. – Wspominała tylko, że czasami zbyt mocno się kleisz do Zijada. – Nie mogłem się powstrzymać.

– Co za dziwka! – krzyknął Wasim. Ewidentnie próbował ukryć śmiech, jednak próba z miejsca spaliła na panewce. – No cóż, masz mnie, bracie... Nawet najlepszym zdarzają się wpadki.

– Spokojnie, to przecież wina alkoholu. No, chyba że planujecie wspólną przyszłość z Zijadem. Nie martw się, macie moje błogosławieństwo, choć szczerze mówiąc, myślałem, że znajdziesz sobie mądrzejszego chłopaka.

Wasim podszedł do mnie, wciąż walcząc o powagę, choć jego twarz zdradzała, że ta sytuacja bardzo go rozbawiła. Byłem zadowolony, widząc go w dobrym nastroju. To był świetny facet, nie potrafił chować urazy. Prawdziwy król życia, który humor i dobrą zabawę cenił ponad wszystko.

– Masz mnie, braciszku... Odkryłeś moją prawdziwą miłość.

– Spokojnie, nawet gdybyś się bardzo starał, i tak nikt w to nie uwierzy. Książę Wasim Wielki Ruchacz to już legenda.

Wasim się zaśmiał. Wiedziałem, że od tego momentu w naszych relacjach zmieniło się jedno: nie byłem już jego niedoświadczonym, małym braciszkiem, z którego można bezkarnie drzeć łacha. Nie chodziło o szantaż, nie miałem zamiaru nikomu mówić o historii z Anną i Zijadem, ale Wasim zdawał sobie sprawę, że w moich oczach spadł z piedestału chłopaka, który w kontaktach damsko-męskich nie ma sobie równych. Był jak każdy inny facet, jak każdy zaliczał wpadki.

Mijały kolejne dni. Pobyt w Polsce powoli zaczynał mnie nużyć, zwłaszcza że od dawna nie miałem wieści z kraju. Mój telefon się nie odnalazł. Wprawdzie w tamtych czasach nie było jeszcze smartfonów, ale zdążyłem się przyzwyczaić do stałego kontaktu ze światem. A teraz nagle go straciłem. Nie rozumiałem sensu tych przymusowych wakacji. Przecież przyjechaliśmy tu tylko na aukcję, tymczasem minęły już dwa tygodnie. Po burzliwych początkach nastał czas stagnacji. Całymi dniami czytałem książki, paliłem sziszę i piłem słodką kawę. Wasim znikał wieczorami. Wiedziałem, że imprezuje, bo wśród żywych pojawiał się dopiero późnym popołudniem. Nie pytałem. Nie chciałem, by czuł się w obowiązku ciągnąć mnie ze sobą, zresztą sam nie bardzo miałem na to ochotę.

Któregoś dnia musiałem jednak poruszyć temat powrotu do Emiratów. Nie mogliśmy tu przecież siedzieć do końca życia. Od dwóch tygodni nie miałem kontaktu z rodzicami ani z siostrami. Pierwszy raz w życiu przeżywałem tak długą rozłąkę z rodziną.

– Kiedy wracamy? – spytałem Wasima, który akurat jadł późne śniadanie.

Spojrzał najpierw na siedzącego na sofie Namiba, a później na mnie.

– Jeszcze w tym tygodniu.

– Naprawdę? – Ucieszyłem się. – Dlaczego nic nie mówicie? To wspaniale!

Wasim nie podzielał mojego entuzjazmu. Odwrócił wzrok. Jadł z zapałem, jakby na siłę chciał zapełnić czymś usta, żeby tylko nie mówić.

Namib milczał.

– Kiedy lecimy? – dopytywałem.

– Czekamy... mają przysłać samolot... za kilka dni, ale jeszcze w tym tygodniu – wydusił Wasim, po czym zmienił temat: – Chcesz dzisiaj wyjść? Rozerwać się?

– Dzięki za zaproszenie, ale zostanę w hotelu – powiedziałem. – Nie mogę się doczekać powrotu do domu.

Następnego dnia Namib obudził mnie wcześniej niż zwykle. Wyglądał na podenerwowanego.

– Książę, wracamy do domu – powiedział łagodnie, ale jakby nieswoim głosem.

– Dzisiaj? – zdziwiłem się. – Przecież wczoraj mówiliście, że to dopiero za kilka dni...

– Wszystko się zmieniło. Samolot czeka na nas na lotnisku. Mamy przydzielony slot startowy za trzy godziny. Twoje walizki są już spakowane. Czy potrzebujesz pomocy w czymś jeszcze? – spytał, jednak nie zaczekał na moją odpowiedź, tylko wyszedł z pokoju.

Czekałem na powrót do domu, ale ten nagły zwrot sytuacji kompletnie mnie zaskoczył. Byłem zaspany i nie mogłem się pozbierać. Marzyłem o kawie. Okazało się, że Namib właśnie w tym celu wyszedł z mojej sypialni. Zawsze wiedział, czego potrzebuję. Wrócił z filiżanką pachnącej, już posłodzonej kawy, która dość szybko postawiła mnie na nogi. Prysznic dokończył dzieła.

Niecałe dwie godziny później siedziałem w prywatnym samolocie mojego ojca, oczekując na odlot do domu. Wasim odsypiał trudy pożegnalnej nocy w Warszawie, a ja wgapiałem się w czerń pasa startowego. Dokładnie pamiętam ten moment, bo były to ostatnie chwile mojej beztroski. Wszystko, co się wydarzyło do tej pory, wszystkie przykrości i smutki już niedługo miały stracić znaczenie. Były niczym w porównaniu do tego, co czekało mnie w kraju. Od tamtego czasu minęło prawie dwadzieścia lat, a ja wciąż to pamiętam. Pamiętam lądowanie i chwilę, gdy po dwutygodniowej rozłące zobaczyłem ojca. Przyjechał po mnie na lotnisko wraz z Anwar, moją najmłodszą siostrą. Jego limuzyna podjechała na płytę lotniska. Wybiegłem z samolotu radosny, ale na ich widok poczułem olbrzymi niepokój. Ojciec wyglądał na przygarbionego, jego kandura zdawała się za duża, jakby przez ostatnie tygodnie nie jadł i nie pił. Moja siostra, ubrana w zwiewną czarną abaję, była blada i choć zwykle piękna, tego dnia wyglądała, jakby odebrano jej cały blask. Opuchnięte oczy zdradzały, że płakała. Ogarnął mnie strach. Zwolniłem kroku. Bałem się tego, co chcą mi powiedzieć, a przerażenie rosło z każdą sekundą.

***

Książę Abed zamilkł i spuścił głowę. Przez ostatnie godziny przestrzeń jego gabinetu wypełniały fascynujące historie, ale przyszedł czas, by przerwać opowieść. Byłem niezwykle ciekawy dalszego ciągu, jednak widząc reakcję księcia, nie miałem odwagi prosić o kontynuację. Siedzieliśmy w ciszy.

Po kilku minutach podszedł do nas Namib, który przez cały ten czas siedział na krześle przy drzwiach. Szepnął coś do ucha księcia, a ten kiwnął wciąż spuszczoną głową. Namib mówił po arabsku, tyle udało mi się usłyszeć, ale o zrozumieniu nie mogło być mowy. Książę siedział jeszcze chwilę nieruchomo, jakby zbierał siły, po czym podniósł głowę, wstał i uśmiechnął się do mnie szeroko.

– Mam nadzieję, że cię nie zanudziłem – powiedział. – Mam tendencję do rozgadywania się...

– Skądże! – odparłem. – To było fascynujące, książę. Bardzo dziękuję za twoją szczerość. Przyznam, że aż takiej się nie spodziewałem.

Książę zaśmiał się serdecznie.

– Fakt, niektóre z historii mogłem przemilczeć, miałbym lepszy PR. Ale ja chyba nie do końca potrafię o niego dbać.

– Spokojnie, nie napiszę niczego, czego nie zechcesz wyjawić, książę – zapewniłem.

– W to ufam. Namib odwiezie cię do Dubaju, a potem pozostaniemy w kontakcie.

– Oczywiście. Liczę, że spotkamy się ponownie. Bardzo chciałbym się dowiedzieć, co się wydarzyło po twoim powrocie do kraju.

– Tego, mój drogi, nie musisz się dowiadywać ode mnie. Ale tak... spotkamy się jeszcze – powiedział książę.

Uścisnął mi dłoń, ujmując ją oburącz, po czym ukłonił się i odwrócił w kierunku ukrytych w ścianie drzwi. Gdy do nich podszedł, rozchyliły się. Chwilę później zniknął.

Gdy zostaliśmy sami, Namib uśmiechnął się do mnie i rzekł:

– Zapraszam zatem do wyjścia. Samochód już na nas czeka.

Podążyłem za nim. Wyszliśmy przed pałac, który teraz – pięknie podświetlony – wyglądał jeszcze bardziej bajkowo. Przed wejściem stał znany mi już aston martin. Namib otworzył przede mną drzwiczki. Rozejrzałem się jeszcze, próbując dokładnie zapamiętać ten niezwykły widok, i wsiadłem.

Tym razem nasza podróż wyglądała zupełnie inaczej. Wiedziałem dokładnie, kim jest Namib, i miałem do niego zaufanie. On również zdawał się wyzbyć wszelkich uprzedzeń. Przez ogród jechaliśmy w milczeniu, dopiero gdy przejechaliśmy przez bramę prowadzącą na pustynię, postanowiłem przerwać ciszę:

– Książę jest niezwykłym człowiekiem.

– Temu nie da się zaprzeczyć. To fascynujący chłopak – zgodził się Namib.

– Jesteś zadowolony z pracy dla niego? – zapytałem, choć spodziewałem się, jak będzie brzmiała odpowiedź.

– To dla mnie wielki zaszczyt. Książę bardzo się różni od innych przedstawicieli jego pokolenia mieszkających w arabskich pałacach. I to bardzo pozytywna różnica.

– Ale mówią o nim, że jest łamaczem kobiecych serc...

– Czy takie odniosłeś dziś wrażenie?

– Nie. Kompletnie nie. Jego historia nie miała nic wspólnego z wizerunkiem arabskiego macho. Z drugiej strony dotyczyła okresu, gdy miał siedemnaście lat. Od tamtego czasu minęły dwie dekady, zapewne wiele się zmieniło...

– To fakt, wiele się zmieniło... Książę się zmienił – odparł Namib tajemniczo. – Okres, o którym ci dziś opowiedział, odcisnął na nim wielkie piętno, ale to był dopiero początek. Jestem przekonany, że jeszcze niejedną historią cię zaskoczy.

– Ty wiesz, co wydarzyło się dalej.

– Oczywiście. Ale chyba rozumiesz, że nie możesz tego usłyszeć ode mnie, choć zapewniam cię, że jeszcze tej nocy poznasz całą prawdę na temat jego powrotu do kraju. I nie potrzebujesz do tego ani mnie, ani księcia.

Słowa Namiba zabrzmiały niezwykle intrygująco, jakby zapowiadał udział w grze w podchody, w której poszczególne tropy miały mnie doprowadzić do odkrycia fascynującej tajemnicy.

Po tym dniu niczego już nie mogłem być pewny i wcale nie zdziwiłbym się, gdyby w moim hotelu czekała na mnie pierwsza ze wskazówek.

Wszedłem do swojego pokoju i rzuciłem się na wielkie łóżko. Wnętrze, mimo pięciu gwiazdek, którymi szczycił się hotel, wydawało mi się, delikatnie mówiąc, ascetyczne w porównaniu do tego, czym przez niemal cały dzień karmiono moje oczy. Zdałem sobie sprawę, że istnieją ludzie, którzy to, co mnie wydaje się luksusowe, uznaliby za uwłaczający ich godności slums. To nieprawdopodobne, jak pieniądze zmieniają perspektywę.

Mimo zmęczenia nie byłem w stanie leżeć bezczynnie. Poza tym miałem do rozwiązania zagadkę. Włączyłem komputer i zacząłem szukać faktów z życia księcia sprzed dwudziestu lat. Oczywiście! To właśnie miał na myśli Namib. Doskonale wiedział, że jestem w stanie sam sprawdzić, co się wtedy wydarzyło. Wyjaśnienia księcia ani opowieści Namiba nie były tu potrzebne. Ten moment wpisany został w historię kraju, wystarczyło tylko po nią sięgnąć. Zacząłem czytać archiwalne artykuły z tamtego okresu. I nagle wszystko stało się jasne.

ROZDZIAŁ 6

Zafira

Był upalny lipcowy poranek. Księżna Zafira brała właśnie poranną kąpiel z marokańskim olejem arganowym. Zanurzona w gęstej pianie, rozmyślała o rodzinie i planach na najbliższe godziny. Jej mąż, szejk Sajid, wyleciał dzień wcześniej wraz z synem i bratankiem do Polski na słynną aukcję koni. Mężczyźni nigdy nie dorastają, pomyślała. Z wiekiem potrzebują tylko droższych zabawek.

W książęcej stadninie stało już kilkadziesiąt koni czystej krwi arabskiej. Ich wartość znacznie przekraczała kwoty, jakie przeciętny ludzki umysł jest w stanie sobie wyobrazić, a mimo to aukcje koni wciąż rozpalały ich emocje. No cóż, każdy ma swoją Pradę... Zafira uśmiechnęła się, dopisując do listy zajęć, którą tworzyła w głowie, wizytę w centrum handlowym Burjuman*. Dziś to miejsce nie przypomina zapierających dech w piersiach świątyń zakupowej rozpusty, takich jak Mall of The Emirates czy największa na świecie galeria handlowa Dubai Mall** z grubo

* Najstarsze po mało prestiżowym Al Ghurair i pierwsze luksusowe centrum handlowe w Dubaju znajdujące się w starej dzielnicy miasta Bur Dubai. Dziś mieści ponad 300 sklepów.

** Od 2008 r. największe centrum handlowe na świecie pod względem powierzchni, mieści ponad 1200 sklepów oraz 120 kawiarni i restauracji. W budynku znajduje się akwarium o pojemności 10 000 000 litrów wody, w którym pływa ponad 33 000 okazów zwierząt morskich, w tym 400 rekinów.

ponad tysiącem sklepów, ale dwie dekady temu to w Burjuman każda szanująca się żona bogatego męża zostawiała setki tysięcy dirhamów.

Zapach piżma i orientalnych kwiatów unoszący się w wyłożonej białym włoskim marmurem łazience koił zmysły księżnej i wprawił ją w dobry nastrój. Wypiła kilka łyków gazowanej wody mineralnej stojącej na złotej, bogato zdobionej tacy. Na soczyste owoce, misternie ułożone tuż obok, nie miała ochoty. Trąciła palcem dzwonek zainstalowany tuż przy wannie, dając służbie sygnał, że kąpiel dobiegła końca. Na jego dźwięk do łazienki wbiegły dwie służące. Jedna stanęła przy wannie na wysokości księżnej, a druga chwyciła dwa grube, kremowe ręczniki zdobione złotą lamówką. Jeden z nich podała koleżance, sama zaś ustawiła się po przeciwnej stronie wanny. Księżna powoli wstała i wzięła ręcznik od służącej stojącej po prawej. Owinęła się nim zgrabnie, po czym sięgnęła po ten po lewej, by wytrzeć twarz, ręce i dłonie. Gdy wyszła z wanny, jedna służąca rzuciła się na kolana; zaczęła wycierać stopy i nogi księżnej w ręcznik ułożony przy wannie. Tymczasem druga stanęła obok, trzymając w dłoniach jedwabny szlafrok haftowany złotem. Księżna zrobiła trzy kroki, mijając służące, i stojąc tyłem do nich, zrzuciła z siebie ręcznik. Spuszczając ręce w dół i lekko wychylając je do tyłu, dała znak, że jest gotowa, by włożyć peniuar. Służąca podała miękkie okrycie, odwracając wzrok, a księżna wsunęła się w nie subtelnie i ruszyła w kierunku wyjścia. Służące podążyły tuż za nią.

Ten rytuał powtarzał się codziennie, był sekwencją dobrze przećwiczonych ruchów i zachowań, które miały na celu ulżyć księżnej w katordze, jaką przechodziła, zmagając się z arganową pianą, przy jednoczesnym zachowaniu intymności. Służące nigdy nie patrzyły na księżną bezpośrednio. Ich głowy zawsze były spuszczone, a wzrok skierowany na podłogę. Pomoc w kąpieli nie jest praktyką często stosowaną nawet w najbogatszych domach świata Zachodu, ale w pałacach szejków nie jest niczym nadzwyczajnym. I choć zdawać by się mogło, że tak intymna czynność powinna się odbywać bez udziału osób postronnych, tu jest to wprost nie do pomyślenia.

Po kąpieli księżna usiadła w tapicerowanym bordowym aksamitem fotelu przed lustrem. Podniesiona dłoń była znakiem dla makijażystki. Drobna Tunezyjka o pięknych rysach rozpoczęła codzienny rytuał. Wystudiowanymi ruchami naniosła na twarz księżnej kremowy podkład, a następnie skupiła się na makijażu oczu. Te były dla księżnej, podobnie jak dla większości Arabek, niezwykle ważne. Często były jedyną częścią ciała widoczną dla świata, więc musiały być idealnie podkreślone. Choć księżna Zafira nigdy nie zasłaniała twarzy całkowicie, nie była wyjątkiem w kwestii makijażu oczu. Ich naturalnie piękna oprawa nie wymagała od makijażystki wiele wysiłku, zwłaszcza że podobny makijaż robiła codziennie, a czasem nawet kilka razy na dzień. Szminkę księżna nakładała sama. Klasycznie piękny Sari Doré* – kolor, który nosiła jeszcze jej mama, był dla niej czymś więcej niż tylko luksusową szminką. Był symbolem tradycji, mądrości przekazywanej matczynymi ustami. Zafira była postępową kobietą, ale wiedziała, że postęp nie ma sensu bez szacunku dla tradycji. Ta pachnąca różami szminka Chanel przypominała jej o tym każdego dnia. Po odejściu mamy księżna właśnie w ten sposób oddawała jej hołd.

Po makijażu przychodził czas na zadbanie o włosy. Fryzjerka, niezwykle podobna do makijażystki, pochodziła z Libanu. Gdy tylko znalazła się przy księżnej, ta bez słowa odrzuciła dłoń na

* Klasyczny odcień szminki Chanel Rouge Coco, określany jako satynowa brzoskwinia, dostępny od lat 50.

wysokości głowy, jakby odrzucała włosy. To znak, że nie miała zamiaru się dziś zasłaniać i chciała, by włosy rozpuścić wolno. Gdyby księżna siedziała z dłońmi założonymi jedna na drugą, fryzjerka wiedziałaby, że włosy będą schowane pod abają* lub shaylą** i powinny być odpowiednio upięte. Piękne, ciemnokasztanowe włosy księżnej wkrótce lśniły od lakieru i były perfekcyjnie ułożone.

Pozostało ubranie. Tego dnia księżna włożyła kremowy kostium z najnowszej kolekcji Chanel, ale ukryła go pod wysadzaną kryształami Swarovskiego abają. Była gotowa, by rozpocząć dzień.

Wzorem paryżanek śniadań nie jadała. Choć jej figura, mimo że Zafira urodziła sześcioro dzieci, godna była podziwu, nie pozwalała sobie na żadne ustępstwa w kwestii diety. „Kobieta ma określone obowiązki. Jednym z nich jest utrzymanie nienagannej figury", mawiała i choć brzmi to jak kwintesencja próżności, o tę naprawdę trudno ją było posądzić. Księżna należała do najbardziej podziwianych kobiet świata arabskiego. Bardzo poważnie traktowała swoją rolę i uważała, że zainteresowanie, jakim się cieszy, jest misją, która przekłada się na rozwój kraju. Nie sposób było nie przyznać jej racji. W czasach, gdy islamscy rewolucjoniści zdążyli dokonać przewrotu w Afganistanie i Iranie, zasłaniając kobiety burkami, a w krajach Zatoki Perskiej wciąż trudno było dostrzec oznaki kulturowej odwilży, jej rola była szczególnie ważna. Stając się ikoną mody, dostrzeganą na Zachodzie, dawała sygnał, że jej kraj jest gotowy na nowe, a Zachód, wiedząc o bogactwie, jakim dysponują Emiraty, wcale się nie opierał. Wprowadzał się tu krok po kroku. Zafira przyjaźniła się z wielkimi projektantami, bywał u niej Fiorucci***, uwielbiał

* Długa szata noszona jako wierzchnie okrycie w krajach muzułmańskich, obecnie często bogato zdobiona, miewa kaptur skrywający włosy.

** Szal zasłaniający głowę.

*** Elio Fiorucci – włoski projektant mody, niezwykle popularny w latach 70. i 80.

ją Versace*, a de la Renta** nazywał arabską muzą od czasu, gdy w jego sukni poślubiła szejka Sajida.

Szejk bardzo kochał żonę. Uważał ją za swój skarb, a jego uczucia były tak silne, że nigdy nie zdecydował się na poślubienie innej kobiety. Zafira uznała to za dowód miłości tak niespotykany, że uważała się za najszczęśliwszą kobietę pod słońcem. Jako mała dziewczynka nigdy nawet nie marzyła o tym, że będzie jedyną żoną swojego przyszłego męża. Arabskie dziewczynki nie miewają takich marzeń. Sajid dbał o nią jak o skarb, ale też jak skarb chronił, dlatego bardzo nie lubił, gdy Zafira wpadała w emancypacyjny nastrój i wsiadała za kierownicę samochodu, by pojechać na zakupy bez obstawy. Denerwował się na nią, tłumacząc, że przecież w pałacu ma wszystko, czego zapragnie, a to, czego jeszcze w nim nie ma, można do niego sprowadzić na jedno skinienie jej dłoni.

– Po co się włóczysz po sklepach? Przecież to nie przystoi księżnej – irytował się.

– Nie przesadzaj, Sajid. Nie ma w tym nic uwłaczającego. Poza tym tam traktują mnie jak prawdziwą królową – próbowała tłumaczyć.

– Traktują tak każdego, kto ma wystarczająco dużo pieniędzy.

– A jaką radość daje posiadanie fortuny, gdy nie można pójść na zakupy? Kochanie, zrozum, kobiety uwielbiają chodzić po sklepach. I nie ma znaczenia, czy są biedne, czy bogate…

Zafira przytulała się do nastroszonego szejka, a on nie potrafił się na nią gniewać.

– Ech… wiem, że i tak cię nie przekonam. – W końcu na jego twarzy pojawiał się uśmiech. – Obiecaj mi tylko, że nie będziesz się wymykała służbie.

* Gianni Versace – uwielbiany przez gwiazdy i koronowane głowy włoski projektant, zastrzelony u szczytu sławy w 1997 r.

** Oscar de la Renta, pochodzący z Dominikany projektant, słynący z tworzenia olśniewających kreacji balowych dla najbardziej znanych osób.

Na taki kompromis Zafira gotowa była przystać. Sajid godził się na to, by jego żona jeździła sama na zakupy, ale tuż za nią zawsze jechało dwóch ochroniarzy. W Burjuman obserwowali ją z daleka, tak by nie czuła się skrępowana ich obecnością, a szejk był spokojny o bezpieczeństwo żony.

Wyjazd męża i syna był doskonałą okazją do bezstresowego oddania się zakupowemu szaleństwu. Zafira czuła się usprawiedliwiona, bo przecież Sajid z Abedem również udali się na zakupy, tyle że ich centrum handlowe było nieco mniej luksusowe i w jej ocenie zdecydowanie bardziej nudne. Rozumiała pasję męża i cieszyła się, że przejął ją od niego jej ukochany, jedyny syn, ale nie potrafiła jej z nim dzielić. Koń jak koń, myślała, gdy Abed z zapałem opowiadał jej o ogierach, które widział na wybiegach, czy o wyczynach Czardasza. Był tylko jeden koń, którego naprawdę lubiła. Czarny mustang ze znaczka na jej samochodzie. Dostała go w prezencie od męża kilka lat wcześniej i choć do dyspozycji miała wiele innych ekskluzywnych wozów, ten oznaczał dla niej coś więcej niż tylko środek transportu. Oznaczał wolność. Był jedynym samochodem, który prowadziła sama. Choć Zafira nie czuła się zniewolona, obowiązki dworu i pozycja męża w połączeniu z wieloma religijnymi i kulturowymi restrykcjami sprawiały, że czasami miała ochotę uciec i być po prostu sobą. W Emiratach nieczęsto miała na to szansę, dlatego lubiła wyjazdy do Londynu, Paryża czy Nowego Jorku. Ten dzień postanowiła jednak spędzić na miejscu i tak, jak lubi.

Wydała służbie instrukcje i zasiadła za kierownicą mustanga. Był czerwony, jak każdy prawdziwy mustang, ale jego wnętrze znacznie się różniło od większości tego typu aut produkowanych seryjnie. Panel sterowania wyłożony był wężową skórą, która wzmacniała wrażenie gustownego luksusu. Samochód idealnie pasował do Zafiry, kobiety żyjącej w świecie, w którym eksponowano bogactwo, a mimo to preferującej gustowne, stonowane wnętrza, stroje i skromniejszą, co wcale nie znaczy tańszą, biżuterię. „Gustu nie kupisz za żadne pieniądze", mawiała, komentując czasami wygląd niektórych koleżanek. Żony szejków, a znała je wszystkie, często aż ociekały złotem i brylantami, zwłaszcza krótko po ślubie. Księżna zawsze twierdziła, że ilość tandetnych ozdób maleje wraz z czasem spędzonym na wakacjach w Europie. Z przyjemnością obserwowała ewoluujący styl małżonek szejków, choć oczywiście zdarzały się wśród nich takie, które przywiązanie do tandetnego przepychu kultywowały przez lata.

Księżna dotarła do Dubaju i po kilkunastu minutach jazdy Sheikh Zayed Road, główną arterią miasta, zjechała w kierunku dzielnicy Bur Dubai. Przez cały ten czas jechało za nią czarne bmw z przyciemnianymi szybami. Doskonale o tym wiedziała, ale traktowała ochroniarzy jak innych kierowców na drodze. Zresztą zwykle nie ułatwiała im pracy.

Zafira postanowiła zrezygnować z obsługi parkingowej, podjeżdżając na publiczny parking od strony Khalid Bin Al Waleed Street. Ochroniarze pewnie dostali zawału, pomyślała, uśmiechając się do siebie z niekłamaną satysfakcją. Sprawnie zaparkowała, założyła duże okulary przeciwsłoneczne, które miały zapewnić jej anonimowość, i ruszyła na zakupy.

Wśród miejsc, które zamierzała odwiedzić, był jej ulubiony sklep z biżuterią Al Fuad. Prowadzony przez kolejne pokolenie pochodzących z Jordanii jubilerów, cieszył się sympatią księżnej nie tylko ze względu na sentyment do kraju, z którego sama pochodziła, ale przede wszystkim dzięki niezwykłemu talentowi i zaangażowaniu właścicieli. Wszystko, co oferowali w Al Faud, było ich dziełem. Osobiście uczestniczyli w tworzeniu zapierających dech w piersiach ozdób. „Fuad" w języku arabskim znaczy serce. Idealna nazwa dla tak serdecznego miejsca. Pewnym krokiem Zafira weszła do salonu i rozejrzała się w poszukiwaniu znajomych twarzy. Jest Majid! Był jej ulubieńcem. Młody, około dwudziestopięcioletni chłopak o ciemnej karnacji, perkatym nosie i szerokim uśmiechu. Syn aktualnego właściciela i prawdziwy artysta w swoim fachu. Od razu ją rozpoznał. Ukłonił się, wybiegł zza lady i podbiegł do Zafiry.

– Cóż za wizyta! Nie mieliśmy pojęcia, że księżna ma zamiar nas odwiedzić! – zawołał z ekscytacją.

– Czyżby? – odrzekła, udając zdziwienie. – Muszę zatem wychłostać moją służbę. Znowu nawalili.

– Ależ nie, to pewnie nasza wina... – zaczął Majid, ale Zafira nie miała sumienia się nad nim znęcać.

– Spokojnie. – Uśmiechnęła się i puściła oko do chłopaka, po czym dodała konspiracyjnie: – Wymknęłam się. Nikomu nie powiedziałam, dokąd jadę. Oczywiście oni doskonale wiedzą, gdzie jestem, ale ja udaję, że nie wiem, że wiedzą, a oni nikogo nie informują, żebym nadal myślała, że nie wiedzą.

Majid zaśmiał się, słysząc ten skomplikowany wywód.

– Czyli mam nikomu nie mówić. Nie ma sprawy. Książęce sekrety nie opuszczą tego salonu – obiecał, kładąc dłoń na sercu. – Czemu zawdzięczamy wizytę księżnej?

– Chciałam przede wszystkim odebrać zamówioną bransoletę dla syna. Zleciłam jej wygrawerowanie. A przy okazji chętnie obejrzę wasze nowości. Sam wiesz, że nie potrafię się oprzeć tym waszym dziełom sztuki.

– Oczywiście. – Majid zasalutował, wskazując dłonią drogę do małego, eleganckiego pomieszczenia na zapleczu.

W centralnym miejscu pokoju stał niewielki, ale masywny hebanowy stół, a przy nim dwa ustawione naprzeciwko siebie krzesła, tapicerowane zielonym muślinem. Ściany tapetowane tłoczonym jedwabiem w podobnym kolorze tonęły w półmroku, a jedynym źródłem światła był zawieszony nad stołem piękny żyrandol ze złotymi ornamentami.

Majid zgrabnie wyminął Zafirę, odsunął jedno z krzeseł, zapraszając, by usiadła, po czym zniknął na chwilę. W tym czasie do pokoju wjechał mały, złoty wózeczek prowadzony przez niewiele większą Filipinkę w czarnym stroju. Stały na nich rozmaite napoje, od rozmaitych wód mineralnych po soki. Był też porcelanowy imbryk z herbatą. Filipinka postawiła na stole filiżankę i podnosząc imbryk, zapytała księżną, czy życzy sobie herbaty. Zarekomendowała ulubiony napar Zafiry – sprowadzaną z Japonii herbatę różano-jaśminową. Księżna nie mogła odmówić. Fakt, że Majid pamiętał o takich szczegółach, szczerze ją ujmował. Dla każdego jubilera przywiązywanie uwagi do detali było kluczowe, ale tu doprowadzono je do perfekcji.

Po chwili wrócił Majid z hebanową tacą wyłożoną poduszką z zielonego aksamitu. Leżała na niej wykonana z białego złota wąska bransoleta z grawerowanym w języku arabskim napisem: „Kocham Cię. Zawsze. Mama". Księżna Zafira zamówiła ją dla Abeda, by zawsze o niej pamiętał.

– To piękna inskrypcja – pochwalił Majid. – Proste słowa mają wielką moc.

– Muszę zadbać o to, by pamiętał, kto najbardziej go kocha. Jest w takim wieku, że wkrótce rzucą się na niego kobiety. Niech wiedzą, kto jest dla Abeda najważniejszy – zaśmiała się Zafira.

– Niezły plan!

– Tak naprawdę coraz wyraźniej dociera do mnie, że Abed nie jest już dzieckiem. Wkrótce go stracę. To trudne...

– Matki nigdy nie tracą synów. Żadna kobieta nie jest w stanie kochać tak jak matka.

– Ach, Majid, lejesz miód na moje serce...

– Myślę, że ta bransoleta spełni swoją rolę.

– Jest piękna. Na pewno mu się spodoba.

Z Al Fuad księżna wyszła w bardzo dobrym humorze, z bransoletą dla Abeda i zniewalającymi kolczykami z czerwonymi rubinami, inspirowanymi klejnotami królowej Mumtaz Mahal, której sława przetrwała wieki za sprawą znanego na całym świecie mauzoleum Tadż Mahal w Agrze, wybudowanego przez jej zbolałego z rozpaczy po jej śmierci męża. W kolejnych sklepach księżna zabawiła nieco krócej, ale i tak zakupy zajęły jej ponad trzy godziny. Jej ochroniarze dwoili się i troili, by pozostać niezauważonymi, ale ona doskonale wiedziała, że jest obserwowana. Ich nieudolność serdecznie ją bawiła. Gdy skończyła zakupy, postanowiła wykorzystać ich obecność. Nagle zatrzymała się i zawróciła tak gwałtownie, że nie mieli szansy się schować.

– Panowie, czas, żebyście wreszcie do czegoś się przydali – powiedziała, z uśmiechem podnosząc wiązankę eleganckich toreb zakupowych. – Snujecie się tak po galerii od kilku godzin. Nie wypada, żebyście wrócili bez zakupów. Zabierzcie to ze sobą.

Zaskoczeni ochroniarze ukłonili się i odebrali od księżnej zakupy, a ta z uśmiechem ruszyła w kierunku parkingu, niosąc w dłoni tylko małą bordową torebkę z Al Fuad. Wsiadła do swojego mustanga i odjechała.

W pałacu zapanowało nerwowe poruszenie. Telefon do Mahira, sekretarza szejka Sajida, wykonał Mahmud Makin, sprawujący posadę majordomusa. Rozmawiali krótko. Mahir natychmiast przekazał wiadomość szejkowi i obaj pospiesznie odeszli od stołu, nie zwracając uwagi na dalszy przebieg aukcji, w której szejk licytował wybraną przez syna klacz. Szybkim krokiem dotarli do samochodu i pognali w kierunku hotelu. Szejk wyglądał na spokojnego, ale wewnątrz przeżywał koszmar. Działał mechanicznie, jakby był w szoku. Milczał, wpatrując się w jeden punkt.

Zbierał myśli. Po dłuższej chwili odezwał się do Mahira, podając instrukcje:

– Abed z Wasimem muszą tu zostać. Do Wasima zadzwonię sam. Ty poinformuj o wszystkim Namiba. Każ mu zarekwirować telefon księcia, ale tak, żeby niczego się nie domyślił. Z pokojów hotelowych muszą zniknąć telewizory i prasa... Książę ma o niczym nie wiedzieć. Nie teraz. – Sajid nie patrzył na sekretarza. Wzrok miał wciąż utkwiony w jakimś punkcie przed sobą. – Wylatujemy natychmiast.

– Samolot będzie gotowy do startu za dwie godziny.

– Powinno wystarczyć. Poinformuj wszystkich, by działali bez zwłoki.

– Tak jest – zasalutował Mahir.

Przez całą drogę do hotelu nie zamienili już ani jednego słowa. Zresztą rozmowa była zbędna. Mahir doskonale wiedział, co ma robić, a szejk Sajid nie potrafił znaleźć słów, by opisać emocje, jakie mu towarzyszyły. W hotelu usiadł na chwilę do biurka i napisał krótki list:

„Synu,

wiem, że teraz tego nie rozumiesz, ale wszystko Ci wyjaśnię. Wylatuję natychmiast. Namib i Wasim zaopiekują się Tobą. Zostańcie tu jeszcze, tak będzie lepiej.

Kocham Cię,

Tata".

Następnie przebrał się i zszedł do czekającego już na dole samochodu. Mahir potrzebował jeszcze chwili na organizację formalności. Szejk wykorzystał ją, by wykonać ważny telefon.

– Wasim, synu... – powiedział łamiącym się głosem.

– Wuju! – Chłopak był wyraźnie zaskoczony, bo nie wiedział jeszcze, co się wydarzyło w Emiratach.

Sajid w skąpych słowach opowiedział mu historię, w którą sam wciąż jeszcze nie wierzył, po czym poinstruował bratanka:

– Musisz się zająć Abedem. Nie może się o niczym dowiedzieć. Załamałby się. Jest bardzo wrażliwy. Za bardzo. Wiem, że wszystko dobrze się ułoży, *Insh Allah**. Wtedy mu powiemy. Na razie zostańcie w Polsce. Namib ci pomoże.

– Będzie, jak sobie życzysz, wuju – odparł Wasim.

– Dziękuję, chłopcze. Niech Allah cię prowadzi.

– Bądź zdrów, wuju.

Szejk Sajid odłożył telefon. W uszach wciąż dźwięczały mu jego własne słowa. Czasem dopiero gdy powiemy na głos coś, co już dawno wiemy, dociera do nas prawda. Do niego dotarła. Musiał jak najszybciej znaleźć się w domu.

Wciąż do końca nie wiadomo, dlaczego rozpędzony mustang księżnej Zafiry zjechał nagle z drogi i w pobliżu granicy między Dubajem a Sharjah uderzył w ustawiony na poboczu potężny element zbrojonego betonu, przygotowany do trwającej w Emiratach rozbudowy dróg. Bardzo prawdopodobne, że księżna najechała na łachę piasku nawianego z pustyni i straciła panowanie nad kierownicą. Możliwe też, że zasłabła. Śniadań nie jadała, ale też poza świętym miesiącem ramadan nigdy nie pościła tak długo, a zakupy zajęły ją bez reszty. Przyczyn nie poznamy. Mustang rozsypał się jak zabawka, ale księżna trzymała się życia resztką sił. Gdy po trzech minutach na miejscu wypadku pojawili się ochroniarze, natychmiast wezwali pomoc. W ciągu kolejnego kwadransa umierająca księżna Zafira znalazła się na pokładzie

* Z arab. – Jeśli Bóg pozwoli.

śmigłowca, który zabrał ją do szpitala. Tuż po lądowaniu nastąpiło zatrzymanie akcji serca. Lekarze robili, co w ich mocy, by przywrócić ją do życia. Po kilku godzinach walki jej stan ustabilizował się na tyle, by pogrążona w śpiączce i podłączona do aparatury mogła dalej walczyć sama. Obrażenia wewnętrzne były poważne i lekarze nie byli w stanie złożyć żadnej obietnicy.

– Najbliższe dwie doby będą decydujące – powiedział ordynator oddziału, gdy na miejsce dotarł szejk.

Sajid nie wyglądał na dostojnego emira. Teraz był to przerażony człowiek, sparaliżowany strachem, że może stracić miłość swojego życia. Byłby gotów oddać całe swoje bogactwo, zrzec się tytułów, ale wiedział, że w walce o ducha świat materialny nie ma żadnej wartości. Lekarz odradził mu czuwanie przy żonie.

– To na pewno nie pomoże, a może jedynie zaszkodzić – powiedział.

Szejk się nie upierał. Posłuchał. Ze szpitala ruszył wprost do meczetu błagać Najwyższego o litość. Przez kolejne dni odwiedzał żonę codziennie, a w tym czasie w pałacu na jego rozkaz jedno z pomieszczeń adaptowano na salę szpitalną. Lekarze zgodzili się na transport. Zafira w końcu wróciła do domu. Sajid miał wrażenie, że czuje się tu lepiej. Była blisko. Śpiączka w domu była po prostu głębokim snem.

Niestety nie dane jej było się z niego obudzić. Po dwóch tygodniach księżna Zafira odeszła na zawsze, a szejk Sajid, do tej pory pełen nadziei, pogrążył się w absolutnej rozpaczy. Polecił natychmiast posłać po syna. Zgodnie z muzułmańskim obyczajem pogrzeb zmarłej osoby powinien się odbyć bez zbędnej zwłoki. W kraju ogłoszono żałobę. Flagi opuszczone do połowy masztu powiewały w żalu nad zmarłą księżną.

Abed doleciał do Emiratów w dniu pogrzebu. W jednej chwili zrozumiał, dlaczego ojciec wyjechał w pośpiechu, dlaczego nie pozwolił mu wrócić wcześniej i dlaczego powrót był tak nagły. Szejk chciał chronić uczucia syna, ale pozbawił go możliwości pożegnania się z ukochaną matką. Miał nadzieję, że księżna wyzdrowieje, i wtedy Abed będzie mógł się z nią zobaczyć. Chciał mu oszczędzić trosk. Tyle że nawet wielmożny szejk nie ma wpływu na bieg życia i śmierci. Allah zdecydował inaczej i Abed już nigdy nie zobaczył swojej matki. Ona jednak zdążyła się z nim pożegnać. Prezent, który, jak żartowała, miał oświadczać przyszłym wybrankom syna, że matka jest dla niego najważniejsza, niósł jej pożegnalne przesłanie. Drobną, męską bransoletkę z białego złota znaleziono w rozbitym samochodzie. Nie było wątpliwości, kto był adresatem słów: „Kocham Cię. Zawsze. Mama". Od tego czasu Abed nigdy się z nią nie rozstał.

Od kiedy poznałem tę historię, byłem pod jeszcze większym wrażeniem księcia Abeda. Stracił matkę w bardzo młodym wieku, co niewątpliwie miało wpływ na jego życie, na to, kim jest teraz. A jest jednym z najbardziej pożądanych mężczyzn świata. Mimo skończonych trzydziestu siedmiu lat pozostaje kawalerem. Oddany pasjom, rodzinie i działalności charytatywnej, ma jednak reputację kobieciarza. Wiedziałem już o nim wiele, ale wszystko to nie pasowało do tej opinii. Nieśmiały, wrażliwy nastolatek o sercu gotowym na miłość do tego stopnia, że zakochał się w pierwszej kobiecie, z którą spędził noc – zawodowej prostytutce. Niedbający o wizerunek macho, przyznający się do porażek. Osierocony w młodym wieku. Pochodzący z domu pełnego miłości. Chłopak, którego znałem z opowieści, po prostu nie nadawał się na podrywacza.

Ale wszystko, czego doświadczamy w życiu, ma na nas wpływ, zmienia nas. Abed nie był w tej kwestii wyjątkiem. Jego życiowe traumy pchały go w mroczne zakamarki. Po śmierci matki poczuł, że świat, jaki znał, odszedł bezpowrotnie. Warszawskie przygody oraz katastrofa, która spotkała go po powrocie do domu, zmieniły go z chłopca w mężczyznę. Nie był już naiwnym dzieciakiem. Był wściekły. Miał żal do swojego Boga, że zabrał mu matkę. Miał żal do matki, że go opuściła. Nie mógł wybaczyć ojcu, że tak uparcie chronił go przed światem, bo gdy w końcu poznał jego prawdziwe barwy, nie był w stanie ich znieść.

W mojej głowie roiło się od pytań. Nie mogłem się doczekać kolejnego spotkania z księciem.

ROZDZIAŁ 7
Mahiki

Spotkaliśmy się kilka miesięcy później w Londynie. Zgodnie z kontraktem, który bez negocjacji musiałem podpisać przed naszym pierwszym spotkaniem, to Abed wyznaczał miejsca i daty spotkań. Od kiedy widzieliśmy się po raz pierwszy, każdy dzień zaczynałem od sprawdzenia skrzynki, mając nadzieję, że znajdę w niej wiadomość od Namiba. Teraz oczekiwanie miało zupełnie inny charakter. Przypominało wyglądanie wiadomości od dobrego przyjaciela. Zupełnie inaczej niż na początku, gdy nasze kontakty były chłodne i oficjalne. Namib zapewne skwitowałby je jednym słowem: „protokół". Cieszyłem się, że mam to już za sobą, choć do dziś nie do końca mogę uwierzyć w zaszczyt, jaki mnie spotkał.

Pierwsza rozmowa z księciem wiele zmieniła. Mimo podpisanego kontraktu, który oczywiście nadal mnie obowiązywał, miałem wrażenie, że oficjalną inicjację mamy już za sobą. Wrażenie okazało się słuszne, choć na wiadomość dotyczącą kolejnego spotkania przyszło mi czekać około dwóch miesięcy. Tak jak poprzednio w mailu dostałem instrukcje, gdzie i kiedy mam się pojawić. Bez pytania, czy mogę, bez oczekiwania na potwierdzenie, bez pola na negocjacje. Odpisałem grzecznościowo i zacząłem planować wyjazd do Londynu.

Londyńska dzielnica Knightsbridge w środku lata gości wielu bogatych mieszkańców Bliskiego Wschodu. Wybierają to miejsce głównie ze względu na Harrodsa, znajdującego się przy luksusowej Brompton Road. Jeden z najbardziej znanych na świecie symboli zakupowej rozpusty to ich europejska mekka. Dom handlowy od dawna jest zarządzany przez arabskie rodziny. W połowie lat osiemdziesiątych kupili go bracia Al-Fayed*, by w dwa tysiące dziesiątym roku odprzedać spółce powiązanej z katarską rodziną królewską. Dzięki Harrodsowi arabscy goście czują się w tej części Londynu jak ryby w wodzie. Ale to, co w Knightsbridge najbardziej kręci Arabów, to fakt, że jest tam po prostu kosmicznie drogo. Przeciętny apartament w tych okolicach kosztuje dwadzieścia milionów funtów. To dolna granica, bo ceny potrafią być nawet siedmiokrotnie wyższe. Średnio zarabiający Polak na takie mieszkanko musiałby pracować grubo ponad dwa tysiące lat. To wystarczająca bariera, by bogaci Arabowie uznawali Knightsbridge i okolice za miejsce godne ich względów. Przyjeżdżają tu całymi rodzinami z kontenerami bagaży, w których oprócz obowiązkowych walizek i toreb marki Louis Vuitton znajdują się ich ulubione samochody. Gdy zbliża się lipiec, na ulicach Knightsbridge i Mayfair pojawiają się najbardziej niespotykane wersje najdroższych samochodów świata, które u jednych budzą zachwyt, u innych irytację. Prowadzący je chłopcy uwielbiają parkować tam, gdzie im się podoba, najczęściej nielegalnie, a policjantów wypisujących im mandaty traktują jak kabareciarzy, którzy robią to, co robią, tylko po to, by ich rozśmieszyć. Transport ulubionego samochodu na narodowych blachach znad Zatoki Perskiej kosztuje – bagatela – około dwudziestu tysięcy funtów,

* Egipska rodzina multimiliarderów. Jej najbardziej znanym członkiem był producent filmowy Dodi Al-Fayed, kochanek księżnej Diany, który zginął wraz z nią w wypadku samochodowym w Paryżu w sierpniu 1997 r.

co przy jego wartości nie stanowi sumy zawrotnej, choć można by za nią kupić nowy, wcale niekiepski samochód. Jednak szpan, jaki gwarantuje taki transfer, dla żądnych podziwu bogatych Kuwejtczyków, Saudyjczyków, Katarczyków i Emiratczyków wart jest każdej ceny.

Dlaczego robią to właśnie tutaj? Dlaczego wybierają jedno z najbogatszych miast na świecie i dzielnicę, w której bogactwo na nikim nie robi większego wrażenia, bo jest stałym elementem krajobrazu? To z pewnością kwestia wyzwań, jakimi w większości znudzone swoim beztroskim życiem arabskie pacholęta starają się uatrakcyjnić sobie czas. Nie jest sztuką być podziwianym za bogactwo wśród biednych, ale w okolicach Knightsbridge to wyzwanie, swoista gra. Coś jak aukcja koni. Przy czym sam licytowany ogier schodzi na dalszy plan; najważniejsze jest to, ile zapłaci za niego nowy właściciel. Wiadomo, im więcej, tym lepiej. I żadnych rabatów. Rabaty są dla biednych.

Luksusowi turyści z Zatoki Perskiej nie zawsze zatrzymują się we własnych apartamentach. Są tacy, którzy w okresie letnim rezerwują hotele. Tutaj też nie ma mowy o oszczędnościach, to po prostu inna odmiana luksusu. Najczęściej wybierają uwielbiany przez hollywoodzkie gwiazdy Dorchester Hotel w pobliżu Hyde Parku. Hotel należy do sułtana Brunei. Czyżby znów bliskowschodnia solidarność? Ale arabskich miliarderów można też spotkać w zdecydowanie niearabskim hotelu Bulgari, który swoimi cenami – sięgającymi powyżej tysiąca funtów za jedną noc – przebija najdroższe hotele Londynu, czyli Savoy i słynnego Ritza. Choć tymi dwoma ostatnimi od biedy Arabowie też nie gardzą.

Niedaleko Ritza właśnie, w dzielnicy Mayfair, graniczącej z Knightsbridge i nieustępującej jej cenami, znajduje się obowiązkowy punkt na mapie arabskich podrywaczy – klub Mahiki. Jeśli konieczne byłoby opisanie zachowania i stylu życia najmłodszego pokolenia petrobogaczy w Londynie jednym słowem, „Mahiki" sprawdziłoby się w tej roli idealnie. To klub utrzymany w hawajskich klimatach i chętnie odwiedzany przez celebrytów. W czasach kawalerskich wpadali tu książęta William i Harry, czyli brytyjski następca tronu i jego skory do zabawy brat. Mahiki ma tylko jedną filię – w Jumeirah Beach Hotel w Dubaju, co zapewne dodatkowo wpływa na jego popularność wśród młodzieży znad Zatoki Perskiej. Na wejście do klubu może sobie pozwolić niemal każdy, bo opłata wynosi co najwyżej piętnaście funtów (często jest ono po prostu darmowe), jednak spędzenie tu nocy może się wiązać z naprawdę dużym wydatkiem. Rezerwacja stolika kosztuje tysiąc funtów, a to jeszcze zanim doszło do jakiegokolwiek zamówienia. Miejsce słynie z hawajskiego rumu. Jego ceny zaczynają się od trzydziestu funtów za sto mililitrów. Drinki potrafią kosztować nawet sto pięćdziesiąt funtów. Jeśli zatem ktoś ma mocną głowę, może mocno popłynąć. Są jednak stali bywalcy Mahiki, którzy, nie wydając tu ani grosza, doskonale się bawią i korzystają z wszelkich dobrodziejstw baru. Lato to dla wielu pięknych mieszkanek Londynu czas łowów. Wiedząc, że właśnie wtedy do miasta przyjeżdża wielu bogatych mieszkańców Bliskiego Wschodu, którzy szukają w Europie ucieczki przed upalnym latem, kobiety starają się uatrakcyjnić im pobyt i przy okazji dobrze na tym zarobić. Niektóre działają w zorganizowanych grupach, inne polują w pojedynkę. Są takie, które z bogatymi Arabami spotykają się cały rok, jesień i zimę spędzając w Dubaju, i takie, które reperują swoje budżety wyłącznie latem, nie wyjeżdżając poza Londyn. Nie są prostytutkami. Oczywiście we własnym mniemaniu, bo ich zajęcie jest podręcznikowym przykładem prostytucji – z wszystkimi wymaganymi elementami i wieloma dodatkowymi, spełnianymi na życzenie klientów. A bywają one, delikatnie rzecz ujmując, dość wyszukane. Mahiki to idealne miejsce, by spotkać gotowego do drogiej sponsorowanej zabawy Araba i go uwieść. Nie jest to jednak absolutnie oczywiste. Arabscy playboye są zepsuci przez kobiety do tego stopnia, że często trudno im się zdecydować, z którą spędzą noc. Przypomina to nieco wybieranie filmów na Netflixie. Jest ich tak dużo i wszystkie jakby wybrane specjalnie dla nas, że ostatecznie nie jesteśmy w stanie zdecydować się na jakikolwiek, ba, mamy nawet wrażenie, że na Netflixie niczego nie ma. Wybór oczywiście staje się łatwiejszy wraz z podnoszącym się we krwi stężeniem alkoholu, który ewidentnie obniża wymagania. Do transakcji w Mahiki dochodzi często. Oczywiście są one bardzo subtelne i nikt tu głośno nie mówi o opłacaniu jakichkolwiek usług. Wszyscy po prostu świetnie się bawią. Chłopcy zamawiają rumowe hawajskie drinki dla swoich wybranek i zabawa trwa w najlepsze, dopóki nie przeniesie się w zacisze apartamentów i hoteli. I dla tych, którzy w ten właśnie sposób kontynuują noc, nazwa Mahiki nabiera swego prawdziwego znaczenia. W języku polinezyjskim *mahiki* znaczy tyle, co „droga do raju".

Brytyjska prasa co jakiś czas ujawnia skrywane za grubymi kotarami sekrety Bliskiego Wschodu. Pisze o powszechnej w Dubaju prostytucji, gdzie za odpowiednią cenę można spełnić każdą seksualną zachciankę, o wyrastających na środku saudyjskich pustyń świątyniach rozpusty z kasynami, dyskotekami i burdelami, w których wtajemniczeni oddają się uciechom zakazanym przez surowe prawo szariatu*, o kuwejckim upodobaniu do ladyboyów** – jednak większość z tych historii brzmi mocno nieprawdopodobnie. Arabowie dbają o wizerunek mężów i synów,

* Prawo normujące życie wyznawców islamu.

** Popularna nazwa osób transseksualnych, które po zmianie płci z męskiej na żeńską zatrzymują męskie narządy płciowe. Często osoby te trudnią się prostytucją lub pracują w salonach masażu, nierzadko też łączą obie profesje. Zjawisko bardzo popularne zwłaszcza w Tajlandii, gdzie określane jest słowem „kathoey".

oddanych Allahowi i wiernych tradycji. Kobiety poddają się surowemu dla nich prawu, broniąc systemu jako opiekuńczego i pełnego szacunku, czego niewierni ludzie Zachodu po prostu nie są w stanie w nim dostrzec. W Londynie jednak system pęka, jakby puszczały hamulce. To, co idealnie udaje się ukryć w kraju, na Wyspach jest transparentne.

Mężczyźni nadają nowe znaczenie słowu „rozpusta" i korzystają z życia bez konieczności budowania fasady bogobojnego wyznawcy islamu. Kobiety z kolei, robiąc zakupy w Harrodsie, Harvey Nichols, Selfridges czy na słynnej Bond Street, często wybierają najbardziej wyuzdane i skąpe kreacje, których nie powstydziłaby się zawodowa prostytutka.

Gdy byłem świeżym rezydentem Dubaju, nieznającym jeszcze zwyczajów panujących na Bliskim Wschodzie, wybrałem się z Waelem, moim nieocenionym przewodnikiem po arabskim świecie, do klubu Submarine, który znajdował się wtedy przy niesławnej Kuwait Street. O tym, że to jedna z ulic, przy której każdej nocy spaceruje sporo skąpo ubranych kobiet niemal każdej narodowości, dowiedziałem się dużo później. Wtedy jednak to miejsce niczym nie zdradzało swojej prawdziwej natury. W kolejce do Submarine staliśmy za czterema rozgadanymi Dubajkami, ubranymi od stóp do głów w czarne abaje. Mało tego, ich twarze również były zasłonięte, a na dłoniach miały rękawiczki. Wyobraziłem sobie tę gromadkę na parkiecie – cztery czarne worki na śmieci poruszające się rytmicznie na wietrze. Ale moje wyobrażenia nie mogły być dalsze od prawdy. Zastanawiało mnie nie tylko to, że dziewczyny są ubrane tak, by nie kusić, ale też to, że w ogóle wybrały się do klubu same. Przecież kobietom tego nie wolno.

– Wolno – uświadomił mnie Wael, gdy podzieliłem się z nim swoimi wątpliwościami. – To tobie nie wolno!

– Jak to? O czym ty mówisz? Jestem facetem!

– No tak, facetom nie wolno wchodzić samotnie do klubu. Kobietom tak!

Nie bardzo mogłem w to uwierzyć. Jak to? Dlaczego? Wael wyjaśnił mi, że najbardziej pożądane w klubach są pary, za nieszkodliwe dla moralności uważane są też samotne kobiety, natomiast singlom zakazuje się wstępu jako tym, którzy niosą największe ryzyko niemoralnego zachowania. Nie mieściło mi się to w głowie.

– Chcesz mi powiedzieć, że ja stanowię zagrożenie dla moralności bogobojnych par, które w zgodzie z prawem szariatu bawią się w tym klubie, a filipińska kurwa, która właśnie tam wchodzi, jest w porządku? – ironizowałem.

– Dokładnie tak.

– Ale to nie ma sensu! Przecież jak koleś, który przyjdzie tu z panną, sobie popije, to najpewniej zabierze się do tej Filipinki... I kto tu jest zagrożeniem dla związku?

– Ty naprawdę myślisz, że faceci przychodzą tu z laskami?

– No przecież niemal wszyscy są tu w parach. Rozejrzyj się. – Wskazałem na długą kolejkę.

– Ty też przyszedłeś tu z dziewczyną. – Wael skinął na dwie stojące obok nas Rosjanki. – Poznajcie się. To jest Julia, a to Nadia.

Podeszły do nas dwie blondynki i przywitały się ze mną. Obie były bardzo atrakcyjne, ale ja kompletnie nie byłem zainteresowany żadną z nich. Co ten Wael odwala?

– Zaufaj mi, *habibi* – uspokoił mnie.

Zbliżała się nasza kolej. Dziewczyny w abajach zniknęły za kotarą osłaniającą wejście do klubu, a tuż za nimi weszliśmy my. Rosjanki, przechodząc obok ochroniarzy, uśmiechnęły się, a ci mrugnęli do nich porozumiewawczo. Ewidentnie się znali. Pomyślałem, że pewnie przychodzą tu często. Wtedy jeszcze nie wiedziałem jak często. Zaraz po wejściu do Submarine Julia i Nadia pożegnały się z nami i wyszły.

– Co tu się dzieje? – zapytałem wyraźnie rozbawionego Waela.

– Właśnie weszliśmy do klubu. To kosztuje cztery stówy, ale ogarnąłem. Ty stawiasz pierwszego drinka – odparł.

Okazało się, że Julia i Nadia zarabiają, wprowadzając do Submarine chłopaków bez pary – proceder powszechny jak pustynny piasek. Ewidentnie robią to w zmowie z ochroną, ale ponieważ system spełnia dwie podstawowe zasady: przynosi pieniądze i utrzymuje pozory, jest respektowany.

Na tym jednak niespodzianki się nie skończyły. Zerknąłem w kąt przy lobby, akurat gdy czwarta z pokornych cór Dubaju, które stały przed nami w kolejce, zrzucała z siebie abaję. Nie mogłem w to uwierzyć. Dziewczyny miały na sobie kreacje tak skąpe, że ledwo zasłaniały ich biusty i pośladki. Na nogach dwunastocentymetrowe szpilki, na twarzach wyzywający makijaż.

– Co tak stoisz? – zadrwił Wael. – Zaskoczony? Jeszcze nie takie rzeczy tu zobaczysz!

– Ale przecież one jeszcze przed chwilą wyglądały, jakby szły do meczetu…

– Może szły, tylko zabłądziły – rechotał. – Laski pewnie pochodzą z tradycyjnych domów. Inaczej nie wypuściliby ich na ulicę. A to, że pod abają są prawie nagie, nie ma znaczenia. Pozory zachowane.

Nie mieściło mi się to w głowie, ale wtedy zrozumiałem, że Arabki bardzo lubią podkreślać swoją seksualność strojem i makijażem. Są jak drag queens, których przerysowany wygląd ma udowodnić, jak bardzo są kobiece. W Londynie arabskie kobiety nie muszą udawać. Oczywiście nadal często chodzą w abajach, a nawet zasłaniają twarze, ale są zdecydowanie mniej narażone na ostracyzm, a już na pewno nie na kłopoty z prawem, gdy tego nie robią. Niektóre porzucają tradycyjne stroje. Kompletnie wtapiając się w tłum, ubrane po europejsku, uwagę zwracają co najwyżej ekstrawagancją.

W ustalonym na spotkanie z księciem dniu czekałem przy Dover Street, zaledwie kilka kroków od Mahiki. Zastanawiałem się, czy miejsce spotkania miało cokolwiek wspólnego ze sławą klubu. Jego wnętrze nie sprzyjało rozmowom, nie mówiąc o tym, że było południe i klub był zamknięty. Zastanawiałem się, co mnie czeka tym razem. Jak będzie wyglądał „protokół"? Kto, jak i czym mnie stąd zabierze? Dokąd zawiezie? Towarzyszył mi już nie strach, ale olbrzymia ekscytacja i niekłamana ciekawość, jaką opowieść ma dla mnie książę Abed. Było lekko po czasie, gdy na mojej wysokości zatrzymał się czerwony mustang. Niemal od razu przypomniała mi się historia księżnej Zafiry. Ten samochód już zawsze będzie mi się kojarzył z nią. Auto miało kierownicę po lewej stronie, co jest dość nietypowe na brytyjskich ulicach.

– Zapraszam – usłyszałem, kiedy szyba zsunęła się w dół. Za kierownicą siedział sam Abed. Miał na nosie okulary przeciwsłoneczne, był ubrany w granatową koszulkę i jasne dżinsy, ale to był on.

Zaproszenie potraktowałem jak książęcy rozkaz i oniemiały wskoczyłem na siedzenie pasażera.

– Miło cię widzieć – dodał Abed.

– Cała przyjemność po mojej stronie – wydukałem. – I równie duże zaskoczenie. Nie sądziłem, że wcieli się książę w rolę szofera.

– To zdecydowanie nie jest mój pierwszy raz. – Książę spojrzał na mnie z uśmiechem.

– Chcesz mi powiedzieć, że dorabiasz jako kierowca w Uberze?

Wyraźnie go rozbawiłem.

– Powiedzmy, że lubię zaskakiwać. – Puścił do mnie oko.

– Udało się!

– Poprzednim razem nie wyglądałeś na zaskoczonego…

Milczałem, nie bardzo wiedząc, do czego zmierza.

– A jak myślisz – ciągnął – kto prowadził exelero, który dowiózł cię do pałacu?

Zdębiałem.

– No teraz… rozumiem, że ty… Wow! Ale… po co?

– Ze zwykłej ciekawości. Widzisz, dorastając, zauważyłem, że ludzie zachowują się zupełnie inaczej, gdy wiedzą, kim jestem. To niby zrozumiałe, ale nieprawdopodobnie frustrujące. Dlatego kiedy tylko mogę, staram się zmienić z księcia w Abeda. Dzięki temu wiem więcej i mogę żyć choć trochę prawdziwie. Życie w bańce mydlanej bywa bardzo niebezpieczne, gdy bańka pęka.

Doskonale rozumiałem, o co mu chodzi. Takie myśli towarzyszyły mi często, gdy zastanawiałem się nad jego życiem. Niby wspaniałe, wymarzone, ale czy aby na pewno szczęśliwe? W świecie księcia Abeda prawda była wymuszona respektem, uczucia opłacone gotówką i złotem. Nic zatem dziwnego, że robił wszystko, by weryfikować rzeczywistość, dotykać jej, przeżywać prawdziwie. Bez ulepszania, pudrowania, czerwonych dywanów. Bardzo go za to szanowałem, choć wiedziałem, że to po prostu obciążenie genetyczne. Był nieodrodnym synem swojej matki. Jej chęć życia poza utartymi, pałacowymi schematami skończyła się tragicznie, ale Abed nie wydawał się tym przerażony. Przeciwnie – sprawiał wrażenie, jakby właśnie taką drogą chciał kroczyć. Drogą pełną doświadczeń zwykłych ludzi, pełną błędów, których nie da się uniknąć. Historia, którą już za chwilę miał mi opowiedzieć, właśnie tego dowodziła. Abed wprawdzie urodził się i wychował w pałacu, ale za wszelką cenę starał się być normalnym chłopakiem i brał pełną odpowiedzialność za ryzyko z tym związane.

W jadącym przez Mayfair mustangu zapanowała cisza. Rozejrzałem się po jego wnętrzu. To była dokładna replika samochodu księżnej Zafiry. Pamiętałem opis z jednego z artykułów. Panel sterowania z wężowej skóry. Tu był identyczny. Przez chwilę chciałem spytać o to, dlaczego Abed jeździ kopią samochodu, w którym zginęła jego matka. Wydawało mi się to bardzo dziwne, na swój sposób wręcz straszne. Ale nie odważyłem się poruszyć tego tematu. To nie był dobry moment.

– Byłeś wtedy przerażony – Abed przerwał ciszę, wracając do momentu naszego pierwszego, anonimowego spotkania.

– To mało powiedziane – odparłem. – Chwilę wcześniej pożegnałem się z życiem, byłem przekonany, że to mój koniec.

Książę się zaśmiał.

– Przyjmij zatem moje szczere przeprosiny. Mam nadzieję, że nigdy więcej nie będziesz się czuł niekomfortowo z mojego powodu. Naprawdę bardzo przepraszam.

– Ależ nie ma za co. Po prostu mam zbyt bujną wyobraźnię.

– I wyobraziłeś sobie, że porwali cię islamscy terroryści? – spytał z uśmiechem.

– Tak, wiem… trudno o bardziej stereotypowe wyobrażenia.

– Stereotypy nie biorą się znikąd.

Tego się nie spodziewałem.

– Ale cierpią przez nie ludzie, którzy się w nie nie wpisują, a często są wręcz ich zaprzeczeniem.

– Owszem, ale tacy ludzie nie są w stanie niczego zmienić. Winni są też nie ci, którzy stereotypom wierzą, ale ci, którzy dają im początek. Ty na przykład piszesz książkę o stereotypach. O zepsutych, bogatych Arabach, którzy w niczym nie mają umiaru.

– A ty, książę, na razie wszystko psujesz, bo nie do końca potwierdzasz tę tezę – wypaliłem.

Znowu się zaśmiał.

– Dzisiaj pewnie to się zmieni.

– Będzie o zepsuciu księcia Abeda? – zainteresowałem się.

– Powiedzmy, że będzie o buncie, który o mały włos nie skończył się dla mnie dość kiepsko.

Abed wjechał na jakiś parking, wyskoczył z mustanga i opłacił bilet, zanim ja zdążyłem się wygramolić. Następnie wsunął na głowę czarną czapeczkę z daszkiem i dał znak, bym poszedł za nim.

Chwilę później staliśmy przed Starbucksem przy Grosvenor Street.

– Jesteśmy. – Książę złapał za klamkę i uprzejmym gestem zaprosił mnie do środka.

Jesteśmy? Tutaj? Książę będzie kontynuował swoją opowieść w zwykłej kawiarni? Tak po prostu? Jego zachowanie było dla mnie absolutnie szokujące. Nie było nic dziwnego w szejku, przed którym otwierają się drzwi, który nie nosi przy sobie gotówki i nie wie, jak się kupuje kawę w kawiarni. Jego nowe wcielenie jednak totalnie mnie zaskoczyło i jeszcze bardziej wzmogło moją ciekawość tego, co wydarzyło się od czasu, gdy jako siedemnastolatek poznał ciemniejszą stronę świata, kolorowanego do tej pory usilnie przez wszystkich dookoła.

CZĘŚĆ II

ROZDZIAŁ 8

Solo

Wiem, że interesuje cię to, jak się czułem po powrocie do Emiratów, ale do dziś nie potrafię tego w pełni opisać. Straciłem ukochaną mamę. Obwiniałem o to świat, ojca, Boga. Nie potrafiłem sobie z tym wszystkim poradzić. Byłem wściekły. Mój tata, próbując mnie chronić, odebrał mi możliwość pożegnania się z nią. Kompletnie tego wszystkiego nie rozumiałem. Zachowywałem się irracjonalnie. Pobyt w domu kojarzył mi się z nieustanną żałobą. Wyjechałem z niego po stracie ukochanego konia, a przyjechałem, by opłakiwać stratę mamy. Dlatego nie wzbraniałem się przed wyjazdem do Wielkiej Brytanii na studia. Wstąpiłem do Royal Military Academy w Sandhurst*. Media podniecają się tym do dziś, pisząc, że to ta sama szkoła, w której uczyli się książęta William i Harry. Tyle że jest to też ta sama szkoła, w której uczyły się tysiące młodych chłopaków przed i po nich. Wielu nosi arystokratyczne tytuły, a ja zdecydowanie nie byłem jedynym synem szejka, który wstąpił w szeregi tej placówki.

* Utworzona w 1947 r. akademia czerpiąca z tradycji Royal Military Academy w Woolwich, istniejącej od 1741 r., i z powstałej w 1800 r. Royal Military College z Sandhurst. Zajmuje się szkoleniem wojskowej kadry zawodowej.

Po roku nauki i nieprawdopodobnie nudnego życia, polegającego na powtarzających się czynnościach, otrzymałem tytuł podporucznika. Szczerze mówiąc, nie miał on, i do dziś nie ma, dla mnie większego znaczenia. Akademia dała mi jednak wiele w tym okresie. Trafiłem do niej jako załamany nastolatek, funkcjonujący niczym zombie. Życie zgodnie z rozkazami bardzo ułatwiało mi egzystencję. Robiłem to, co musiałem. Beznamiętnie. Mechanicznie. Kompletnie bez pasji. Po Sandhurst zamieszkałem w Londynie i rozpocząłem studia w London School of Economics and Political Science*. Pierwszy rok był prawdziwym wyzwaniem logistycznym. Mimo że był ze mną Namib, wiele rzeczy musiałem, a raczej chciałem robić sam. Dla większości ludzi zapewne to absolutna abstrakcja, ale ja naprawdę musiałem się nauczyć robić zakupy, jeździć metrem... Kupienie pierwszej kawy w kawiarni było okupione olbrzymim stresem. Długo się do tego zbierałem. Błaźniłem się na każdym kroku. Zadawałem niedorzeczne pytania. Zachowywałem się często jak niespełna rozumu, ale byłem zdeterminowany, by się usamodzielnić. W tamtych czasach miałem tylko jeden plan: wyrzec się dziedzictwa i zostać zupełnie zwykłym człowiekiem. Bycie księciem kojarzyło mi się wyłącznie z nieszczęściem i bólem. Wiedziałem, że mój ojciec nigdy tego nie zaakceptuje, ale byłem gotowy na jeszcze jedną żałobę. Poza tym wciąż byłem na niego zły. Wciąż nie mogłem mu wybaczyć.

Na drugim roku poznałem Alana i Roba, dwóch przyjaciół, którzy od lat przedszkolnych szli przez życie ramię w ramię. Dołączyłem do nich i przez jakiś czas szliśmy tak razem. W szkole nikt poza władzami i niektórymi nauczycielami nie wiedział, kim naprawdę jestem. Ta anonimowość była mi bardzo na rękę. Alan i Rob również nie byli świadomi mojego statusu. Sami pochodzili

* Prestiżowy oddział Uniwersytetu Londyńskiego, od 1900 r. jedna z najważniejszych szkół wyższych na świecie specjalizujących się w ekonomii i naukach społecznych.

z bogatych rodzin, ale bez arystokratycznych tytułów. Rodzice Roba zajmowali się pośrednictwem w sprzedaży nieruchomości i posiadali ich dość sporo w północnej Anglii. Alan pochodził z rodziny od pokoleń handlującej drogimi winami. Jego rodzice i siostra mieszkali w południowej Francji, gdzie Alan spędzał sporą część wakacji i wszystkie przerwy w nauce.

Nazywali mnie Solo. Jak się okazało, pod tym pseudonimem funkcjonowałem w ich rozmowach długo przed tym, jak któregoś dnia po zajęciach podeszli do mnie i zupełnie bez skrępowania rozpoczęli naszą znajomość. Ja o takim luzie mogłem jedynie pomarzyć.

– Hej, Solo, co tam? – rzucił wtedy Rob.

Patrzył na mnie, ale i tak rozejrzałem się dookoła, przekonany, że właściwy Solo siedzi gdzieś za mną. Rob zauważył moje zmieszanie.

– Do ciebie mówię – dodał z uśmiechem.

– Hej... Nie nazywam się Solo...

– Tak, wiemy. My cię tak nazywamy. Ja jestem Rob. – Chłopak wyciągnął do mnie rękę, a po nim zrobił to jego towarzysz. – A to Alan.

– Abed – powiedziałem, nieśmiało podając dłoń każdemu z nich.

– *Cool*, Solo – rzucił Alan, jakby nie słyszał mojego imienia.

– Solo? Jak Han Solo? – spytałem.

– Ho, ho, ho! Na Hana to trzeba sobie zasłużyć – zaśmiał się Alan. – Ciągle siedzisz sam, więc jesteś Solo. Ale jak chcesz, możemy się razem pobujać i zrobimy z ciebie Hana.

Toczyłem wewnętrzną walkę. Z jednej strony nie chciałem uchodzić za odludka, za którego ewidentnie wszyscy mnie mieli, a z drugiej nadmierne spoufalanie się nie leżało w mojej naturze. A może po prostu nie byłem do niego przyzwyczajony. Chroniono mnie przed nim przez lata. To mógł być kolejny krok w mojej emancypacji. Zrobiłem go.

– Pewnie, chętnie. – Próbowałem brzmieć na nieprzesadnie zainteresowanego.

– *Cool*. Więc robimy nalot na Towers. W piątki jest Popstarz, to najlepsza impreza w mieście. Potem wbijemy na Escape w The Cross, a potem się zobaczy. – Rob nakreślił plan z miną wprawnego stratega.

– Piątek jest dzisiaj – zauważyłem.

– Wow, Sherlocku! Jak na to wpadłeś? – ironizował Alan. – No pewnie, że dzisiaj.

– Ale ja nie wiem…

– Jak nie wiesz, to wszystkiego się dowiesz – przerwał mi Rob. – Widzimy się o jedenastej pod Towers przy Kings Cross.

– O jedenastej wieczorem! Tak dla pewności! – dodał Alan. – *See ya*, Solo! – rzucił jeszcze, a potem obaj odeszli.

Zupełnie zbity z tropu, podniosłem tylko dłoń na pożegnanie. Poczułem się, jakbym znowu był w Sandhurst albo w pałacu ojca. Zasypany rozkazami, bez prawa do negocjacji. A jednak tym razem było trochę inaczej. W gruncie rzeczy bardzo się ucieszyłem. Chociaż Alan i Rob ewidentnie byli dość intensywną kompilacją, miałem wrażenie, że właśnie tego mi potrzeba. Przecież gdyby nie oni, nigdy w życiu nie odważyłbym się na wyjście do londyńskiego klubu. A jeśli nawet, na pewno nieprędko. Ledwo opanowałem zamawianie kawy w Starbucksie, a teraz czekał mnie kompletnie nowy wymiar wtajemniczenia. Nie miałem pojęcia, o czym mówili, wymieniając nazwy klubów i imprez, ale nie miało to większego znaczenia. Już dawno zdecydowałem, że muszę się wyzwolić spod tej przesadnej opieki, i nie było już odwrotu. To znaczy był — mogłem wrócić pod skrzydła ojca i pozwolić, by nadal wszyscy wokół mnie decydowali o wszystkim, ale to byłby powrót do egzystencji, a ja chciałem naprawdę żyć. Tylko ja mogłem przełamać piętno najmłodszego dziecka, jedynego, wyczekanego syna, dziedzica tronu. Moi kuzyni nie musieli dźwigać takiego ciężaru. Zazdrościłem im wolności, pewności siebie. Zwłaszcza Wasimowi, z którym spędzałem w dzieciństwie i młodości najwięcej czasu. On nie miałby problemu z podjęciem decyzji, czy wyjść do klubu. Mało tego! Sam pewnie zorganizowałby takie wyjście. Właśnie! Wasim! Muszę do niego zadzwonić w tej sprawie. On będzie wiedział, jak się zachować, w co się ubrać i tak dalej. Ja byłem w tym temacie kompletnie zielony.

– Braciszku, *habibi*! – Wasim odebrał z niekłamaną radością. – Jak ci idzie podbój Londynu? Pewnie rozkochałeś już w sobie większość lasek. Czy któraś jeszcze ci się opiera?

– Jedna. – Postanowiłem grać w tę grę.

– Nie przejmuj się, pewnie ma fiuta. Albo kiłę! – On chyba naprawdę w to wierzył. – Co słychać w wielkim kurewstwie?

– Mam pewien problem i potrzebuję rady.

– Tylko mi nie mów, że znowu się zakochałeś w jakiejś dziwce.

– W nikim się nie zakochałem. Chodzi o to, że mam dziś wyjść do klubu z kumplami i nie bardzo wiem, jak się zachować.

– No tak, tylko ty możesz nazywać wyjście do klubu problemem. Dla reszty świata to po prostu piątek – zakpił Wasim. – Jak to nie wiesz, jak się zachować? Po prostu wyluzuj. Jak jest alkohol, pij, jak gra muzyka, tańcz, a jak spodoba ci się jakaś dupa, poderwij ją i zalicz – wyliczył, a ja zdałem sobie sprawę, że pytanie go o radę w moim przypadku nie miało sensu. Było jak rozpoczynanie nauki języka od poziomu dla zaawansowanych, bez opanowania podstaw. Udałem, że bardzo mi pomógł, i obiecałem, że zastosuję się do jego instrukcji.

– Tylko zostaw mi jakiś fajny towar, niedługo też tam wpadnę – zapowiedział, jakby istniało jakiekolwiek ryzyko, że zagrożę jego pozycji bawidamka.

– Nie ma sprawy – odparłem. – Kiedy przylatujesz?

– Nie wiem jeszcze dokładnie, ale wkrótce, braciszku. Mam nadzieję, że się zabawimy!

– No pewnie. Masz to jak w banku – zapewniłem dla świętego spokoju.

Choć rady Wasima nie były zbyt pomocne, z jednej postanowiłem skorzystać. Musiałem stoczyć walkę z moim wewnętrznym sztywniakiem i wyluzować. Przecież to tylko wyjście do klubu. Normalni ludzie po prostu do niego idą, a ja robiłem z tego jakiś pozbawiony sensu dramat. Włożyłem dżinsy, czarny T-shirt i czapeczkę z daszkiem, która w razie jakiejś żenującej wpadki miała mi pozwolić ukryć twarz, zanim spalę się ze wstydu. Musiałem zakładać taką ewentualność, zwłaszcza zważywszy na moje dotychczasowe sukcesy w zdobywaniu niezależności.

Do Towers przy Kings Cross dotarłem dwadzieścia minut przed czasem. Krążyłem w pobliżu wejścia, obserwując ludzi stojących w kolejce do klubu. Ich liczba świadczyła o tym, że faktycznie Popstarz było jedną z najpopularniejszych imprez w mieście. Roześmiany, żądny rozrywki i wyraźnie już wstawiony tłum paraliżował mnie, ale o kroku wstecz nie mogło być mowy, zwłaszcza że na horyzoncie pojawili się właśnie Rob i Alan.

– Solo! Dobrze cię widzieć, bracie! – Rob w serdecznym uścisku uderzył swoją klatą o moją.

Alan zrobił to samo, po czym zauważył:

– Wyglądasz na przestraszonego.

– Nic z tych rzeczy. – Oczywiście z miejsca zaprzeczyłem. – To dla mnie nie pierwszyzna, choć w Popstarz jeszcze nie byłem.

– Solo, tańczenie z puszką coli przed lustrem we własnej sypialni to nie jest prawdziwa impreza – nabijał się Rob, a ja nie próbowałem już zgrywać doświadczonego klubowicza, bo pierwsza próba zdemaskowała mnie całkowicie.

W klubie było ciemno. Pomyślałem, że właśnie o to chodzi w takich miejscach. Rob zniknął na chwilę, by po kwadransie wrócić z trzema szklankami.

– Pijcie, chłopaki. Za spotkanie.

– Za spotkanie!

– I za wszystkie piękne panie, które jeszcze nie wiedzą, że dziś będą nasze – zapowiedział Alan.

Nie wiem, co było w drinku, który przyniósł Rob, ale wystarczyło, bym porwany przez tłum znalazł się na parkiecie. Nie miałem pojęcia, czy umiem tańczyć, nigdy do tej pory tego nie robiłem, ale sądząc po tym, co się działo dookoła, umiejętności nie miały większego znaczenia. Dałem się porwać muzyce. Tańczące obok mnie dziewczyny co jakiś czas ocierały się o mnie niedwuznacznie. Uznałem to za przyjęty w tym klubie zwyczaj i dałem się wciągnąć w zabawę. Chwilę później tańczyłem ciało przy ciele z piękną blondynką. Miała włosy do ramion, fantastyczną figurę i zniewalający uśmiech. Od tej pory tańczyliśmy już tylko razem. Przy głośnej muzyce o rozmowie można było zapomnieć, zresztą chyba tylko ja miałem na nią ochotę, bo moja partnerka wolała robić z ustami coś zgoła innego. Pocałowała mnie znienacka, jakby na próbę, a potem włożyła język do moich ust i zaczęliśmy się namiętnie całować. To było genialne uczucie. Przyklejona do mnie ciasno, nie mogła nie zauważyć, że się podnieciłem. Gdy skończyła się kolejna piosenka, złapała mnie za rękę i poprowadziła ciemnymi schodami na górę. W końcu korytarza, we wnęce, było olbrzymie okno. Pchnęła mnie delikatnie na parapet i z uwodzicielską miną złapała za krocze. Szybkim ruchem uwolniła mojego penisa i zaczęła go obciągać. Była rewelacyjna! Wtedy poczułem nieodparty zew natury. Chwyciłem ją i obróciłem tak, że tym razem to ona znalazła się na parapecie. W jednej chwili pozbyłem się jej majtek (pewnych błędów nie popełnia się dwa razy) i wszedłem w nią. Poczułem się jak zdobywca. Nie miałem zbytnich skrupułów. Liczyło się dla mnie tylko zaspokojenie niepohamowanego popędu. Po raz pierwszy w życiu przyjemności nie towarzyszyły wyrzuty sumienia. Żadnych skrupułów. Dziewczyna wiła się z rozkoszy. Gdy czułem, że zbliżam się do końca, wyszedłem z niej, a ona złapała mnie u nasady i doprowadziła do orgazmu.

– Niezły jesteś – powiedziała, całując mnie w usta.

– Dzięki, ty też. To było zajebiste.

– Spoko, może kiedyś to powtórzymy – rzuciła gotowa do powrotu na parkiet.

– Może... – Byłem o krok od zapytania o jej imię i numer telefonu, ale tak naprawdę kompletnie mnie one nie interesowały. Wcale nie chciałem ciągu dalszego, kolejnego razu. Było tu i teraz, więcej nie będzie – i tak właśnie miało być. Pamiętam dokładnie ten moment, bo wtedy po raz pierwszy w życiu zrozumiałem, o co chodziło Wasimowi, gdy rozpływał się nad zaliczaniem lasek jedna po drugiej bez angażowania się w jakiekolwiek relacje. To było absolutnym zaprzeczeniem bogobojnego muzułmańskiego podejścia.

Islam zakazuje kontaktów pozamałżeńskich. W wielu krajach egzekwowane jest to tak ekstremalnie, że chłopcy i dziewczęta nie mają nawet szansy na to, by się spotkać. Posegregowane płciowo społeczeństwa stają się koszmarem dla dorastających młodych ludzi, którzy, odkrywając swoją seksualność, nie mają możliwości skonfrontować jej z płcią przeciwną. Ta naturalna ciekawość w islamie jest *haram*. Realizować się seksualnie można dopiero po ślubie, ale to też jest dokładnie uregulowane. Islamskie nauczanie mówi o tym, że mężczyzna, który nie przejmuje się rozkoszą kobiety i dba wyłącznie o swoją, jest słaby, a dla Araba słabość to najwyższa forma obelgi. Tyle teoria. W praktyce większość islamskich mężczyzn nawet nie wie, jak doprowadzić kobietę do orgazmu, bo skąd niby mieliby to wiedzieć, skoro ich otoczenie nie pozwala im na eksperymentowanie, a wszelka edukacja w tym zakresie jest uważana za grzeszną. Islam uznaje seksualność człowieka, ale reguły, jakie jednocześnie na nią nakłada, są utopijne. W efekcie większość młodych ludzi odpowiada na zew natury seksualnym rozpasaniem, które w zależności od ilości zer na koncie przybiera rozmaite formy – od potajemnych schadzek po wyuzdane orgie. By zachować pozory, muzułmanie uciekają się do rozmaitych wybiegów. Na potrzeby tłumaczenia się z grzesznych występków wymyślili, że Allah nie widzi tego, co robią pod dachem. Szczegół, że Allah jest wszechwiedzący. Ich zdaniem pod strzechy jego wszechwiedza nie sięga. I nie próbuj z tym dyskutować, bo to się nigdy dobrze nie kończy. Z całkowitym zakazem uprawiania seksu w świętym miesiącu ramadan radzą sobie, tłumacząc, że przecież skoro jeść po zachodzie słońca można, to i orgazm nie zaszkodzi. Szczytem hipokryzji w tej dziedzinie jest instytucja małżeństwa na godziny. W wielu krajach Zatoki Perskiej praktykuje się *mut'a* – małżeństwo zawierane wyłącznie w celach seksualnych. Można wpaść do burdelu, ożenić się, zrobić swoje i się rozwieść. Wszystko po bożemu i bez uszczerbku na świętości.

Z punktu widzenia chłopaka dorastającego na Bliskim Wschodzie nie widziałem w tym absolutnie nic zdrożnego. Dopiero lata spędzone w Europie przekonały mnie o dość komicznym formacie islamskiej moralności. Teraz rozumiałem to jeszcze lepiej. Nie chciałem nawet myśleć, ile grzechów popełniłem, uprawiając seks z nieznajomą, ale wiedziałem jedno: grzeszenie jest nieprawdopodobnie przyjemne, i nie miałem zamiaru przestać.

Wróciłem do głównej sali klubu i podszedłem do baru. Potrzebowałem płynu. Najlepiej alkoholu. Piłem go po raz drugi w życiu i drugi raz w życiu picie skończyło się seksem. Zauważam pewien schemat. Poproszę o więcej.

– Whisky z colą! – To w zasadzie jedyny alkohol, jaki znałem, no, może poza szampanem, ale to ewidentnie nie było miejsce, w którym pije się szampana. – Trzy razy!

Postanowiłem odnaleźć chłopaków. Krążyłem z trzema szklankami w dłoniach, aż wypatrzyłem Alana. Siedział pod ścianą, zdyszany, jakby właśnie skończył katorżniczy trening.

– Solo! – Wyraźnie ucieszył go mój widok – albo widok nieporadnie niesionych przeze mnie szklanek. – Jak... leci... brachu? Dobrze... się... bawisz?

– Mega! Zajebisty klub! A ty?

– Nieźle, nieźle... Zaliczyłem maraton... na parkiecie... Uwielbiam tutejszą muzę!

– A co z Robem?

– Ostatnio wdziałem go, jak wisiała na nim jakaś laska, więc jak go znam, rusza teraz bioderkami – powiedział, puszczając do mnie oko. Od razu zrozumiałem, o co chodzi. Tak, wiem, to żałosne, ale naprawdę byłem dumny z tego, że takie teksty nie są już dla mnie tajemnicą. Pomyśleć, że jeszcze jakiś czas temu byłbym przekonany, że Rob ćwiczy kroki rumby.

Kumpel dołączył do nas, zanim lód w jego drinku zupełnie stopniał. Wychylił szklankę jednym haustem. Wyglądał na wykończonego. Jego jeszcze niedawno nienagannie wyprasowana i perfekcyjnie zatknięta w spodnie koszula była wymięta i daleka od ideału. Rob najwyraźniej na lekcjach rumby dawał z siebie wszystko.

– Zaliczyłeś! – rzucił Alan. – Tę, która na tobie wisiała?

Rob skinął głową z lekko cwaniackim uśmiechem. Milczał, jakby odjęło mu mowę.

– No, opowiadaj! – domagał się Alan.

– Co tu opowiadać. Laska była napalona. Dostała, czego chciała. A ty, Solo, jak? Było coś? – zapytał Rob, jakby chciał się usunąć ze światła reflektorów i oddać mi główną rolę w tym dość osobliwym przedstawieniu.

– Było – powiedziałem tajemniczo.

– Która to?

– Taka jedna, nie widać jej teraz... Nawet nie wiem, jak ma na imię...

– Ty ogierze! – skomplementował mnie Alan, wyraźnie podekscytowany naszymi podbojami. – I co? Ty też nic nie powiesz?

– Stary, co tu opowiadać – powtórzył Rob. – Poza tym co się tak jarasz? Wyrwij laskę i przypomnij sobie, jak to jest. Tylko najpierw musisz wymieść pajęczyny z majtek.

To była dla mnie kolejna nowość. Po raz pierwszy w życiu przedmiotem żartów w towarzystwie nie była moja niemoc seksualna.

– Spokojnie. Pajęczyn tam nie ma – bronił się Alan.

– No, nie wiem. Kiedy ostatni raz umoczyłeś? Ze dwa miechy będzie...

– Nie twoja sprawa!

Później miałem się przekonać, że Rob i Alan często się kłócą w taki sposób. I bynajmniej nie miało to negatywnego wpływu na ich przyjaźń. Droczyli się, udowadniając sobie wzajemnie, który z nich jest bardziej męski, czyli który zaliczył więcej lasek. Zdałem sobie sprawę, że dołączając do ich klubu, będę musiał się przyłączyć do współzawodnictwa. I bardzo chętnie przystałem na ten wymóg.

Wyjścia z chłopakami zaczęły być weekendową normą, a z czasem zaliczanie lasek zupełnie przestało mnie krępować. Dotarło do mnie, że to rozrywka, która tak samo kręci dziewczyny, jak i chłopaków. Tradycyjny sposób myślenia, z którym przyjechałem do Anglii, na piedestale stawiał mężczyznę. Kobieta uzasadniała swoje istnienie na tej planecie wyłącznie umiejętnością spełniania jego życzeń. To był jej jedyny cel. Pamiętałem lekcje Wasima, który twierdził – i święcie w to wierzył – że kobiety są jak klacze; trzeba je ujeżdżać, bo do tego służą. Moi rodzice zdawali się być zaprzeczeniem tej tezy. Wprawdzie nigdy nie zaglądałem do ich sypialni, sama myśl o tym mnie odrzucała, ale nie wydaje mi się, żeby mój ojciec traktował mamę przedmiotowo. Była kobietą o silnym poczuciu własnej wartości. Dziewczyny, które spotykałem w Londynie, też nie zachowywały się jak misjonarki niosące pomoc niewyżytym facetom. Często same inicjowały naszą interakcję. Sięgały po to, co chciały, a ja nie oponowałem. Ta transakcja nie wymagała negocjacji. I przynosiła obopólną korzyść. One też mnie zaliczały. A ja chętnie zaliczałem się do grona zaliczonych. Ten proceder przybierał coraz większe rozmiary. Zdarzało się, że jednego wieczoru posuwałem nawet trzy panny. Kiedyś, zupełnie nieświadomie, przeleciałem tę samą dziewczynę drugi raz. Dopiero gdy było po wszystkim, zorientowaliśmy się, że robiliśmy to samo kilka tygodni wcześniej.

– Zacząłeś drugą rundkę. Gratulacje! – zażartował Rob, gdy o tym opowiedziałem.

– Jak prawdziwy Han Solo. Podróżujący przez galaktyki kobiet! Mistrz lądowania! Swoim statkiem wyląduje w najciaśniejszych, najbardziej niedostępnych szczelinach – reklamował mnie Alan, udając głos filmowego lektora.

Oficjalnie nie byłem już Solo. W praktyce zawsze nim pozostałem. Nawet przywiązałem się do tej ksywki. Faktycznie wiele o mnie mówiła. Z natury byłem Solo. Momentami stawałem się Hanem.

Na nasze weekendowe wypady wybieraliśmy różne kluby. Towers i The Cross często przewijały się na liście, ale zdarzały się nam wizyty w należącym do Richarda Bransona* Heaven, popularnym klubie gejowskim. Oczywiście nie chodziliśmy tam dla chłopaków. Choć wydaje się to nieprawdopodobne, kluby gejowskie są mekką dla heteroseksualnych podrywaczy. Wiele fajnych lasek włóczy się za gejami, bo są przystojni, zadbani i można z nimi pogadać o kosmetykach. Problem w tym, że te laski też mają swoje potrzeby. Gdy ich geje ruszają na parkiet w nadziei na zaspokojenie swoich fantazji, one zostają wystawione na pastwę lesbijek. Wtedy wchodzimy my. Rob, Alan i Solo! Trzej muszkieterowie, gotowi poświęcić się dla dobra sprawy. Na początku takie laski zawsze biorą cię za geja, ale to tylko pozwala się do nich zbliżyć. To niewielka ujma na honorze, zwłaszcza że już chwilę później jesteś w stanie udowodnić kobiecie, jak bardzo się myliła. Z czasem jednak i takie podrywy nam się przejadły; potrzebowaliśmy zmiany. Wtedy właśnie Rob wymyślił, że pójdziemy do niedawno otwartego Mahiki.

– Solo, przebierzemy cię za szejka – zapowiedział Alan.

Zrobiło mi się gorąco. Czyżby coś podejrzewali? Wkrótce jednak okazało się, że to tylko kolejny trick na wyrywanie dziewczyn.

– Laski lecą na szejków – wyjaśnił Rob.

– Ale przecież szejkowie ubierają się do klubów tak jak inni. Jak niby miałbym się przebrać? – spytałem.

– Fakt! Ale przecież ty jesteś z Arabii! Mógłbyś udawać szejka...

– Jestem z Emiratów Arabskich.

* Brytyjski przedsiębiorca, miliarder, właściciel obejmującej ponad 400 firm Virgin Group. Jego majątek ocenia się na blisko pięć miliardów dolarów.

– No przecież mówię.

Wiedziałem, że wykład na temat różnic pomiędzy Emiratami a Arabią Saudyjską nie ma w tym momencie sensu.

– Mogę poudawać, ale wiecie... laski lecą na szejków, nie na służbę. Was, blade twarze, za szejków raczej nie wezmą. A jak będziecie się wałęsać obok szejka, to wiadomo będzie, że jesteście służbą. W najlepszym razie ochroniarzami.

– Na ochroniarzy laski lecą – poważnie rozważał Rob.

– Ale raczej nie te z Mahiki – zauważyłem.

– Racja, *bro*. Pomysł z szejkiem nie wypali. Zresztą te panny są w stanie wywąchać petrodolary na kilometr, szybko wywęszyłyby podstęp.

Ta sytuacja bardzo mnie rozbawiła i tylko utwierdziła w przekonaniu, że zrobiłem kawał dobrej roboty, ukrywając swoją prawdziwą tożsamość. Ale to nie mogło trwać wiecznie. Wkrótce Rob i Alan dowiedzieli się całej prawdy. I to w okolicznościach, o których obaj mogli tylko pomarzyć.

Tymczasem nasza wizyta w Mahiki okazała się totalnym niewypałem i już po pierwszej wróciliśmy na stare śmieci. Przekonałem się, że laski z klubów dzielą się na dwie grupy: te, które dają, bo chcą, i te, które dają, jak coś dostają. Zdecydowanie wolałem te pierwsze. Wprawdzie były to znajomości bez przyszłości, ale przynajmniej bardzo szczere. W przeciwieństwie do tych z Mahiki. Tam każda dziewczyna gotowa była przyjąć na siebie ciężar wartego dwa miliony funtów pierścionka z brylantem i obiecać miłość po grób, a przynajmniej dopóki sąd nie zasądzi jej kilkudziesięciu milionów w ramach ugody rozwodowej. Teraz, kiedy żyłem jak w miarę normalny londyński student, nie byłem narażony na polowanie urządzane przez żądne fortuny i dostatniego życia hieny. Podświadomie zdawałem sobie sprawę, że występując jako

Abed, nie mam szans na związek, w którym będę całkowicie pewny uczuć partnerki.

Podobne wątpliwości towarzyszyły zapewne mojemu ojcu. Wprawdzie gdy w połowie lat sześćdziesiątych rozpoczął studia na Oksfordzie, fortuny szejków z Zatoki Perskiej dopiero zaczynały rosnąć, ale on też studiował tam zupełnie anonimowo. Mój dziadek uważał to za absolutną potwarz, odbierał to bardzo personalnie. Jego zdaniem ojciec wstydził się swojego pochodzenia. Dziadek wybaczył mu dopiero kilka lat po powrocie do kraju, a i tak nie obyło się bez kilku prób ogniowych, które miały udowodnić, gdzie tak naprawdę leży serce jego syna. Młody książę Sajid był pierwszym z rodu studentem brytyjskiej uczelni i już ten fakt był uważany na dworze za spory afront. Wprawdzie ówczesny Oman Traktatowy*, bo tak nazywały się wtedy Zjednoczone Emiraty Arabskie, miał z Koroną Brytyjską sporo powiązań, ale Brytyjczycy nie przez wszystkich uważani byli za przyjaciół. Dla wielu byli wręcz wrogami. Oman Traktatowy został stworzony pod koniec dziewiętnastego wieku w wyniku umów, jakie Brytyjczycy, sprawujący kontrolę w tej części świata, zawarli z każdym z siedmiu emiratów wchodzących dziś w skład ZEA. Emirowie uzyskali pewną autonomię i weszli w skład Rady Traktatowej, ale ich polityka zagraniczna zależna była w pełni od Korony Brytyjskiej. Lata sześćdziesiąte przyniosły odkrycie złoży ropy naftowej i otworzyły zupełnie nowy rozdział w historii tego regionu. Rozpoczęto rozmowy o utworzeniu niepodległego państwa

* Dawne państwo, które obejmowało siedem emiratów położonych w północno-wschodniej części Półwyspu Arabskiego. Od końca XIX w. były one związane traktatami z Wielką Brytanią, w praktyce stanowiąc brytyjską kolonię. W 1968 r. Oman Traktatowy wraz z Bahrajnem i Katarem utworzyły federację. Trzy lata później Wielka Brytania wycofała się z Bliskiego Wschodu. W 1971 r. Oman Traktatowy tworzyły Bahrajn, Katar i Ras Al Khaimah, a pozostałe szejkanaty utworzyły Zjednoczone Emiraty Arabskie. W 1972 r. dołączyła do nich ponownie Ras Al Khaimah.

zrzeszającego wszystkie siedem emiratów oraz Bahrajn i Katar. Te dwa ostatnie w tysiąc dziewięćset siedemdziesiątym pierwszym roku utworzyły własne państwa, a Zjednoczone Emiraty Arabskie w tym samym roku ogłosiły niepodległość i pożegnały wojska brytyjskie. Ich obecność wielu kojarzyła się w pewnym sensie z okupacją – w łagodnej formie, ale jednak. Nic więc dziwnego, że decyzja młodego księcia o podjęciu studiów w kraju wroga nie cieszyła się wielką popularnością.

Sajid był pilnym, skupionym na wynikach studentem, a jego osiągnięcia w nauce szły w parze z sukcesami w jeździectwie i strzelectwie. Był też mistrzem szermierki. Sukcesy zapewne wpływały na jego wysokie poczucie własnej wartości, a to z kolei imponowało wielu studentkom. Znając mojego ojca, jestem pewien, że wykorzystywał te atuty do następnych podbojów. Ale to bardzo ambitny człowiek. Zdobycze, które przychodzą mu łatwo, nieszczególnie go cieszą. Dlatego kompletnie stracił grunt pod nogami dopiero pod wpływem kompletnie niezainteresowanej nim studentki prawa, córki jordańskich arystokratów.

Rodzice Zafiry Al-Faytiri przeprowadzili się do Wielkiej Brytanii w tysiąc dziewięćset pięćdziesiątym ósmym roku. Jej ojciec chciał zapewnić swojej żonie i dwóm dorastającym córkom spokój, na który trudno było liczyć w Jordanii, zaangażowanej w konflikt z Egiptem, Syrią i Izraelem. Mimo ucieczki rodzinie Al-Faytiri udało się ocalić majątek, a przynajmniej taką jego część, która wystarczyła na dostatnie życie i rozkręcenie interesów w nowym kraju. Gdy Zafira dorosła, rodzice wysłali ją na Oksford. Miała się specjalizować w prawie biznesu, a po studiach dołączyć do rozwijającej się firmy swojego ojca.

Sajid, pewny swych wdzięków i umiejętności, nie spodziewał się, że jego zaloty zostaną odrzucone. Była to dla niego zupełna nowość. Zafira wspominała później, że podobał się jej fizycznie, ale nie chciała być dziewczyną z Bliskiego Wschodu, która spotyka się z chłopakiem z tej samej części świata. Odbierała to jako swego rodzaju segregację rasową. Widziała się u boku Europejczyka. Dorastała w konserwatywnej rodzinie. Jej ojciec nie był wprawdzie radykałem i nie widział nic złego w prowadzeniu interesów z białymi, jednak pieniądze to pieniądze, a krew to krew. Zafira wiedziała, że biały chłopak nie przypadnie rodzicom do gustu. I to było dla niej głównym argumentem, by właśnie takiego chłopaka znaleźć. Sajid nie miał szans.

ROZDZIAŁ 9
Kate

Wasim nie rzucał słów na wiatr. Zwłaszcza gdy słowa dotyczyły imprez. Jego przyjazd do Londynu był tylko kwestią czasu.

– Braciszku, *habibi*, huragan Wasim nadciąga…

– Ratuj się, kto może.

– Kto się nie schowa, temu włożę! – Talent do sprośnych dowcipów Wasim miał wrodzony.

– Kiedy lądujesz?

– Za dwa dni! Jutro przylatuje Gisele.

Nie chodziło bynajmniej o dziewczynę Wasima. Mój kuzyn nazywał każdy swój aktualnie ulubiony samochód imieniem najbardziej pożądanej przez siebie modelki. Ulubione modelki zmieniały się często tak jak samochody. Ta metoda pozwalała mu na całe spektrum wyrażanych w dwuznaczny sposób aluzji i prostackich dowcipów na jej temat. Niby były o samochodzie, ale on myślał o gorącej Gisele Bündchen*. Modelka była wtedy związana z Leonardo di Caprio, więc o „jeżdżeniu" na prawdziwej Gisele, „rozpalaniu jej silnika" czy „zaglądaniu pod maskę" Wasim mógł jedynie pomarzyć, ale dzięki nazwaniu jej imieniem

* Urodzona w 1980 r. brazylijska supermodelka niemieckiego pochodzenia. Do dziś jedno z najgorętszych nazwisk w świecie mody.

swojego wartego grubo ponad milion dolarów bugatti veyron mógł nie tylko efektownie szpanować, ale i fantazjować.

– Szykuj się na imprezę życia – zapowiedział.

– Każdą reklamujesz tak samo.

– Bo każda kolejna jest lepsza od poprzedniej. Wiesz, że tutaj nie zawodzę. Wynająłem pięćsetmetrowy apartament przy Hyde Parku. Będzie się działo! Zapraszaj, kogo chcesz.

W pierwszym odruchu pomyślałem o Robie i Alanie, ale przy Wasimie natychmiast odkryliby moją prawdziwą tożsamość, a ja nie chciałem niczego zmieniać w naszych relacjach.

– Będę sam. Ale wystarczy za pięciu – odparłem. – Poza tym na pewno przyciągniesz ze sobą przygłupów, więc gości nie zabraknie.

– Zijad przyleci ze mną. Abbas i Karim są już w Londynie. Ogarniają temat. Możecie się spotkać.

– O niczym bardziej nie marzę.

Niezależnie od tego, jak dosadnie wyrażałem swoją niechęć do przygłupów, Wasim wciąż próbował zbudować między nami przyjaźń na kształt tej, która łączyła ich czwórkę. Ale chociaż przez ostatnich kilka lat zmieniło się sporo i teraz łączyło nas dużo więcej wspólnych zainteresowań, ja wciąż nie czułem, że to mój klimat. Zijad, jako pierwszy z ich czwórki, ożenił się i pewnie dlatego miał przylecieć dopiero z Wasimem. O opuszczeniu imprezy, mimo obowiązków małżeńskich, nie mogło być jednak mowy. Reszta przygłupów, choć usilnie swatana przez swoje rodziny, nadal pozostawała kawalerami, z misją uszczęśliwiania możliwie jak największej liczby kobiet. Wasim też się nie spieszył do żeniaczki. Zważywszy na to, że nie był dziedzicem, a dwaj jego starsi bracia już założyli rodziny, presja rodziców nie była największa. Wprawdzie Wasim był trzecim synem, więc teraz przypadała jego kolej, ale nie myślał o znalezieniu żony i sprowadzaniu na ten świat potomstwa.

Przyleciał zgodnie z planem. Spotkaliśmy się w prywatnym pokoju Maroush – uwielbianej przez bogatych Arabów restauracji, znajdującej się w małej uliczce tuż przy Brompton Road. Serwowano tam arabskie specjały. Wydawać by się mogło, że po przyjeździe do Europy Wasim chętniej rzuci się na pizzę, ale ewidentnie zapragnął kebaba w wersji de luxe. Maroush to bardzo skromny lokal, ale mój kuzyn najwyraźniej miał do niego sentyment. Poza tym mam wrażenie, że z właścicielem łączyły go jakieś interesy.

– *Holy shit!* Jak ty wydoroślałeś! – Wasim powitał mnie serdecznym uściskiem. – Kopę lat, chłopaku! Opowiadaj, co u ciebie!

Nie wiedziałem, od czego zacząć, więc krótko streściłem nudną część mojego życia. Studia, dom, znajomi…

– I co? Tyle? Nie pochwalisz się żadnymi podbojami? – ciągnął mnie za język. – Przecież wiem, że laski ci z krocza nie schodzą.

– A ty niby skąd możesz to wiedzieć?

– Powiedzmy, że mam swoich ludzi. – Mrugnął do mnie. – Ale nie ma się czym krępować. Wiedziałem, że prędzej czy później się rozkręcisz.

Nie miałem pojęcia, skąd Wasim może wiedzieć o moich kontaktach z kobietami – chodziłem do klubów, obok których on co najwyżej przejechałby z pogardą – ale miałem wrażenie, że nie blefował. Jedyną osobą, która mogła wiedzieć cokolwiek na ten temat, i to też bez szczegółów, był Namib, ale on na pewno nie był informatorem Wasima. Nie miałem jednak zamiaru niczego przed nim ukrywać. Moja niewinność przez wiele lat była swego rodzaju kompleksem. Teraz, gdy nie tylko o mojej cnocie, ale i niewinności można było mówić wyłącznie w czasie przeszłym, nie miałem już czego się wstydzić. Opowiedziałem Wasimowi o moich wypadach w towarzystwie Roba i Alana, mało przezornie, jak się później okazało, używając ich prawdziwych imion. Opowiedziałem o metodach podrywu i laskach, które są tak napalone, że nie trzeba ich zbytnio przekonywać, by zdjęły majtki. Słuchał bez słowa, chyba nawet z podziwem.

– Uczeń przerósł mistrza! – zawołał, kiedy skończyłem. – Chcesz mi powiedzieć, że książę zmienił się w żebraka i bez wydawania grosza rucha po królewsku? Imponujące!

Dla Wasima było to nie do pomyślenia. On seks traktował jak towar. Towar się kupuje. Uważał, że aby dziewczyna znalazła się w jego łóżku, musi jej zapłacić. Tego był nauczony. Tak funkcjonował przez lata. Od czasu, gdy po raz pierwszy wybrał się na sowicie opłacaną perfumowanymi ropą dolarami orgię na południu Francji, pieczołowicie budował sieć kontaktów, która pomagała mu na ściąganie pięknych, gotowych na wszystko modelek w każdy niemal zakątek świata. Co do dziewczyn miał dwa główne wymagania: musiały być ładne i łatwe. Niektóre obrotne dziwki dzięki niemu rozwinęły swój biznes i zbijały fortuny na dostarczaniu kandydatek do książęcego łoża. W Polsce jego kontaktem była Anna. Na południu Francji starsza, ale doświadczona w temacie madame Cleo. W Los Angeles korzystał z usług prowadzącego agencję modelek rodzeństwa Jenny i Iana. W Londynie kwestię ogarniała Cheryl. To właśnie do niej Wasim wysłał dwóch przygłupów w związku z planowaną imprezą. Zlecił im kilka innych drobnych spraw i tę kluczową. Laski na imprezach Wasima zawsze były pierwszego sortu.

– A skoro jesteśmy w temacie dup, Abbas i Karim zaraz tu będą – ostrzegł.

– To raczej w temacie dupków, nie dup.

Wasim się zaśmiał.

– Okej, więc Abbas i Karim zaraz tu będą w temacie dup – sprostował. – Widzieli się z Cheryl, laską, która załatwia obsadę naszego spektaklu nagich ciał.

Rzeczywiście, po chwili do lokalu wpadły przygłupy. Jak zwykle podekscytowani, przywitali mnie serdecznymi uściskami, szerokimi uśmiechami i słowami pełnymi braterskiej miłości. Nie byłem w stanie odwzajemnić się równie wylewnie ani powstrzymać od pełnych ironii komentarzy. Na szczęście, żeby zrozumieć ironię, potrzebna jest inteligencja choć minimalnie wyższa od przeciętnej. Byłem więc bezpieczny, mogłem ironizować do woli.

Karim i Abbas z zapałem przystąpili do zdawania relacji z załatwionych spraw. Wyliczali kolejne kwestie, które udało się im ogarnąć, a mój kuzyn z uznaniem kiwał głową. Wprawdzie nie spodobało mu się, że Cheryl chce z góry otrzymać zapłatę za swoje pośrednictwo i usługi dziewczyn, ale szybko odpuścił. Dopiero kolejna wiadomość wyprowadziła go z równowagi.

– Jakie, kurwa, maski?! – wrzasnął nagle.

– No... takie na twarz... – powiedział Abbas, wyraźnie spłoszony. – Z piórami mogą być... albo ze złotem, jak ktoś chce, to nawet z brylantami.

– Cheryl mówi, że to świetny pomysł, bo będzie tajemniczo – dodał Karim.

– Mam w dupie, co mówi Cheryl! Nie po to płacę najlepszym dziwkom w mieście, żeby miały zasłonięte twarze! Chcę wiedzieć, co kupuję! – darł się Wasim. Pomysł z organizacją imprezy na kształt balu maskowego zdecydowanie nie przypadł mu do gustu.

– Co o tym myślisz, bracie? – zwrócił się do mnie już spokojniejszym tonem.

Wyrwany do odpowiedzi, potrzebowałem chwili, by zebrać myśli.

– Szczerze mówiąc, to chyba nie najgorszy pomysł – odparłem w końcu. – Wiesz przecież, że Cheryl raczej nie ściągnie ci jakiegoś paszteta. A z mojego doświadczenia wynika, że twarz nie ma takiego znaczenia, jak... no wiesz... jak laska jest chętna.

Przygłupy potakiwały z nieśmiałymi uśmiechami, nieco zaskoczone tym, że stanąłem po ich stronie.

– Maski faktycznie mogą wprowadzić element podniecającej tajemnicy – dodałem.

Wasim zastanawiał się chwilę, trzymając kumpli w niepewności. Wiedziałem, że są nieźle przestraszeni, i sprawiało mi to sporo satysfakcji. Widocznie moja złośliwa natura wypłynęła na powierzchnię.

– Niech tak będzie – zawyrokował Wasim i uśmiechnął się, na co Karim i Abbas odetchnęli z ulgą.

Z Maroush jechaliśmy okrężną drogą. Wasim zachowywał się dziwnie, był wycofany, cichy, zupełnie jak nie on. Zapytałem go wprost, czy coś się stało, ale natychmiast zaprzeczył. Był jednak mało przekonujący. Zawsze pełen życia, wyluzowany i daleki od wybuchów, jeszcze chwilę temu wrzeszczał z powodu głupich masek. A kolejna burza wisiała w powietrzu. Gdy zadzwonił jego telefon i dźwięk dzwonka rozległ się w głośnikach rozmieszczonych w całym samochodzie, Wasim nie odebrał. Widziałem, że jest poirytowany, ale jednocześnie wyglądał na przestraszonego. Po raz pierwszy w życiu wisiałem mojego brata w takim stanie. Rozłączył zestaw głośnomówiący i zahamował z piskiem opon. Zjechał na pobocze, po czym złapał za telefon, kiedy ten znów zadzwonił.

– Mówiłem ci, żebyś więcej nie dzwoniła! – odebrał z wrzaskiem. – Skąd w ogóle masz mój numer?!

Przez krótką chwilę słuchał.

– To twój problem! Trzeba było się zachować jak profesjonalna dziwka!

Znowu chwila milczenia.

– Chyba cię ostro pojebało! Dostałaś swoje! Mam cię w dupie…

Widziałem, że ze złości aż poczerwieniał.

– Słuchaj, kurwo, grozić to ty możesz swoim alfonsom, a nie mnie! Odpuść, bo pożałujesz!

Wasim rozłączył się i uderzył telefonem o kierownicę. Wpatrywał się w dal przez szybę samochodu. Na kilka minut zupełnie zastygł. To było do niego niepodobne. Jeszcze nigdy go takim nie widziałem. Nawet w chwili naszego konfliktu w Warszawie, kiedy go zaatakowałem, zachował zimną krew, był opanowany. Teraz zachowywał się jak rozdrażnione zwierzę, przyczajone, w każdej chwili gotowe do ataku. Nie wiedziałem, jak mu pomóc. Nie wiedziałem, czy jestem w stanie. Nie wiedziałem nawet, jak o to zapytać. Ale ta niezręczna cisza nie mogła trwać wiecznie.

– Wasim, bracie… – zacząłem nieśmiało. – Czy mogę ci jakoś pomóc?

Spojrzał na mnie i uśmiechnął się najszerzej, jak potrafił.

– *Habibi*, tu nie ma w czym pomagać. Dziękuję i przepraszam za ten wybuch. Po prostu pewnej żałosnej kurwie wydaje się, że jest warta więcej, niż dostała, i próbuje mnie doić. Wiesz, jak to jest…

– Szczerze mówiąc, nie bardzo. Nigdy jeszcze nie płaciłem za seks…

– I słusznie, chłopaku. Seks się facetom należy, a kurwy chcą za niego kasę.

– A ja myślę, że dziewczyny lubią seks tak samo jak faceci. To może być zwykła wymiana usług.

– Ale wtedy możesz trafić na paszteta…

– Bracie, z twoim wyglądem możesz przebierać w fajnych dupach.

Wasim zaśmiał się, nieco speszony, choć doskonale wiedział, że świetnie wygląda.

– Może kiedyś zacznę wyrywać na żebraka, zobaczymy.

Humor zdecydowanie mu się poprawił. Wiedziałem, że podrywanie bez udziału kapitału w jego przypadku nigdy się nie wydarzy, choć był wyraźnie zaintrygowany moimi słowami. Obaj wychowywaliśmy się w świecie absolutnego bogactwa. Możliwość wybierania, przebierania i wybrzydzania psuła nas na co dzień, ale mnie w jakiś sposób udało się od tego uciec we właściwym momencie. Oczywiście nie oznacza to, że nie korzystałem z fortuny ojca, ale miałem okazję poznać ludzi, którzy nie mają takiej kasy. Wasim otoczony był wyłącznie miliarderami albo ludźmi, którym płacił. To stworzyło między nami podstawową różnicę – zwykle niezauważalną, ale w takich chwilach nie do zatarcia.

Gdy dotarliśmy pod mój dom, zdawało się, że Wasim wrócił już do siebie.

– Widzimy się w piątek. Damy czadu! – rzucił na pożegnanie.

W piątek po zajęciach jak zwykle wróciłem do domu. I jak zwykle miałem zamiar rozpocząć przygotowania do imprezy, tyle że tym razem zamiast szlajania się po klubach z Robem i Alanem czekała mnie balanga Wasim Style. W salonie spotkałem uśmiechniętego Namiba, który wskazał na stół. Stało na nim kilkanaście turkusowych pudełek.

– Kolekcja na dzisiejszy wieczór. Przysłał ją książę Wasim. Dla ciebie i twoich gości – wyjaśnił.

Otworzyłem pierwsze pudełko. W jego wyłożonym białym jedwabiem wnętrzu leżała piękna maska, wykonana z misternie przyciętych, farbowanych na różowo piór. Raczej damska. W kolejnym znalazłem równie piękną ozdobę, dekorowaną szarymi piórami przepiórek ze złoconymi końcówkami. Ta też, choć stanowiła absolutne dzieło sztuki, nie wyglądała na męską. Kolejne pudełka i kolejne ewidentnie kobiece maski. Zaczynałem się zastanawiać, czy to przypadkiem nie jest kolejny mierny żart

Wasima. A może pomylono przesyłki? W końcu natrafiłem na maskę z czarnych piór z krawędziami z czystego srebra – w przeciwieństwie do poprzednich ewidentnie męską. Przymierzyłem. Pasowała idealnie. Pomysł z zakryciem twarzy spodobał mi się jeszcze bardziej. Od dawna ukrywałem swoją tożsamość, teraz mogłem to robić jeszcze skuteczniej.

Na imprezę włożyłem czarny, klasyczny garnitur Gucci. Nie miałem do tej pory okazji go nosić, ale ten wieczór wydał się idealny. Maska doskonale pasowała do garnituru. Byłem gotowy na noc pełną wrażeń.

Apartament wynajęty przez Wasima był spektakularny. Nowoczesny i wysmakowany. Nie był przeładowany dekoracjami, przeciwnie, pod tym względem bardzo skromny, ale każdy jego centymetr wyłożony był drogimi materiałami. Mahoniowa podłoga, włoski marmur, atłasowe tapety. Minimalizm w najlepszym wydaniu. W salonie zainstalowano olbrzymie monitory, które przywitały mnie teledyskiem jakiejś seksownej gwiazdki pop, niewątpliwie obdarzonej wieloma talentami, poza wokalnym. Dookoła panował półmrok rozświetlany wyłącznie blaskiem monitorów, który pozwalał na dostrzeżenie postaci, nawet na odróżnienie kobiet od mężczyzn, ale o dokładnym przyjrzeniu się komukolwiek nie było mowy. Utrudniały to też obowiązkowe maski, które wszyscy goście karnie założyli, nikt się nie wyłamał.

Przybyłych witali Abbas i Karim. Rozpoznałem ich natychmiast. Przygłupy bardzo sobie schlebiły, wybierając niezwykle nobilitujące maski. Abbas założył tę imitującą sokoła, a Karim udawał tygrysa. Porównanie tych dwóch pajaców do tak dostojnych zwierząt wydało mi się słabym żartem, ale oni wyglądali na zadowolonych. Robili sobie zdjęcia ze wszystkimi dziewczynami, które wchodziły do apartamentu.

– Twoja uroda przebija nawet przez maskę, *babe*. – Abbas flirtował z każdą laską.

– Chcesz zrobić sobie fotę z prawdziwym tygrysem? – zachęcał Karim. – No pięknie! A teraz uciekaj się bawić… *Fuck you later!**

Uważnie obserwowałem gości, wsłuchując się w rozmowy, które prowadzili. Dziewczyny stojące najbliżej mnie prowadziły dość enigmatyczną konwersację:

– Najlepsze tipy** daje ten z Omanu, Muhammed czy jak mu tam…

– Oni wszyscy mają na któreś imię Muhammed.

– Dla mnie mogą mieć na imię nawet John, byle kasa się zgadzała.

– Dzisiaj na tipy się nie nastawiaj, wiesz, jaki jest plan.

– No wiem, Cheryl już zapłaciła. Zawsze płaciła po wszystkim, ale mówiła, że to nie jest pewne i zobaczymy, jak pójdzie. Może jednak będzie jak zawsze, nie pogardziłabym tysiącem funtów.

– To zależy, jak trafisz. Mój rekord to dwa i pół, no i tona zakupów. Oczywiście poza umówioną stawką. W sumie, nie licząc zakupów, jakieś dziesięć tysięcy funtów przywiozłam.

– To prawie rok zapieprzania na kasie w Tesco!

– Coś koło tego.

– A który to?

– Imad. Jest z Arabii. Strasznie zboczony.

– Ale że co robi?

– Stara, szkoda gadać. Kiedyś może ci powiem, ale to naprawdę akcja dla lasek o mocnych nerwach.

Jedna z dziewczyn chyba stwierdziła, że to nie najlepsze miejsce do tego typu rozmów, bo spojrzała na mnie, uśmiechnęła się i szybko pociągnęła koleżankę w kierunku łazienki.

* Z ang. – Przelecę cię później; parafraza popularnego pożegnania „See you later" – Do zobaczenia później.

** Napiwki.

Spragniony podszedłem do baru i zamówiłem gin z tonikiem.

– Gordon's, Bombay Sapphire czy G-spirits? – wyliczył sprawnie barman.

O ile dwa pierwsze, nawet przy moim niewielkim doświadczeniu, były mi znane, o tyle nazwę trzeciego słyszałem po raz pierwszy.

– G-spirits? Co to takiego?

– To specjalne alkohole, którymi przed wlaniem do butelki polewane są piersi modelek. To daje im niepowtarzalny smak – przekonywał barman. – Gin mamy z piersi dwóch brazylijskich modelek, ale mamy też whisky z piersi modelki z Aruby.

Zaintrygowany tym absolutnie niedorzecznym pomysłem, zamówiłem gin z dodatkiem smaku piersi brazylijskiej modelki. Smakował tak jak gin nieprzelewany przez piersi, ale jak wspomniałem, nie byłem ekspertem w kwestii alkoholu, a i z brazylijskimi piersiami nie miałem do tej pory do czynienia.

Ośmielony kilkoma łykami ginu, obróciłem się do trzech stojących przy barze dziewczyn. Wszystkie były długowłosymi blondynkami, miały na sobie czarne, obcisłe sukienki i różniły się wyłącznie maskami. Jedna z nich miała na twarzy pięknie zdobioną, haftowaną złotą nitką imitację oczu pantery, druga emeraldową, wyszywaną kryształami jedwabną opaskę, a trzecia zdobioną kruczoczarnymi piórami ze srebrną lamówką, jakby damską wersję mojej. Czyżby wszystkie maski miały swoje damskie i męskie odpowiedniki, a ktoś za kulisami bawił się w swatkę? A może był to rodzaj loterii? Los za pomocą masek miał łączyć gości w pary... Coś musiało w tym być, bo chwilę po tym, jak przywitałem się z dziewczynami, dwie z nich odeszły, tłumacząc się koniecznością poprawienia i tak niewidocznego pod maską makijażu. Od tej pory moja uwaga skupiła się wyłącznie na dziewczynie kryjącej się za bliźniaczą maską. Miała na imię Kate. Była Brytyjką z uroczym północnym akcentem, usilnie prostowanym przez królewską angielszczyznę. Tworzyło to dość unikatową mieszankę, a w połączeniu z prostolinijnym poczuciem humoru sprawiało, że towarzystwo Kate było wyborne.

– Jesteś księciem czy tylko udajesz? – spytała nagle.

– Skąd pomysł, że udaję księcia?

– Z wyglądu byś się nadawał.

– Jak chcesz, mogę zostać twoim księciem – powiedziałem, na co Kate zaśmiała się ironicznie. – Brzmi, jakbyś dawała mi kosza – dodałem.

– A ty brzmisz, jakbyś grał w tandetnej komedii romantycznej.

– Mogłabyś zagrać w niej razem ze mną. Główna rola żeńska wciąż jest nieobsadzona.

– Jesteś pewien, że masz na myśli komedię? Większość facetów w tym miejscu wolałaby zagrać w pornolu.

– Nie mam nic przeciwko pornolom, ale komedia romantyczna brzmi równie kusząco – odpowiedziałem, zdając sobie jednocześnie sprawę, że Kate nie może być dziewczyną wynajętą przez Wasima. Zamawiane na imprezy dziwki doskonale wiedziały, po co na nie przychodzą i że pornol jest jedyną opcją, o komediach nie ma mowy, zwłaszcza romantycznych. One nie negocjują. Nie trzeba ich zdobywać, a flirt trwa krótko i zawsze kończy się rozłożonymi nogami. Kate sprawiała wrażenie obserwatorki. Dziewczyny, która nie przyszła tu na zlecenie, a już na pewno nie po to, by umilać czas facetom, choć ja w jej towarzystwie bawiłem się doskonale. To mogło być jednak tylko wrażenie – wszak wstęp na imprezy Wasima miały jedynie starannie wyselekcjonowane modelki o luźnym podejściu do kontaktów z facetami. Ładne i łatwe. Kate była inna, ale w końcu stwierdziłem, że skoro rozmawia się nam tak dobrze, to pewnie taki właśnie ma styl. Wiele dziewczyn, które dają dupy na imprezach sponsorowanych przez szejków, to bardzo inteligentne laski, a prostytucją zarabiają na studia. Do tej właśnie grupy zaliczyłem Kate.

W pewnej chwili ktoś ze sporą krzepą klepnął mnie w plecy. Obróciłem się. Przede mną stali Rob i Alan. Poznałbym ich mimo masek, ale obaj opuścili je na chwilę dla pewności.

– Książę Solo! – zawołał z radością Alan.

– No, no, no! Nieźle nas wkręciłeś. Nie mieliśmy pojęcia, stary! – dodał Rob.

– Taki był plan – mruknąłem. – Szkoda, że nie wypalił. Ale miło was widzieć. Poznajcie Kate. Kate, to Rob i Alan, moi kumple z uczelni i sprawcy wszelkiego zła, które dzieje się poza nią.

– Jak to plan nie wypalił? – zdziwił się Rob. – Przecież sam nas tu zaprosiłeś! Dość spektakularny sposób, by oświadczyć, że jesteś księciem, ale udało się. W pierwszej chwili szczęki nam opadły.

– Ja? Jak to? – Nic z tego nie rozumiałem.

– Przecież obaj dostaliśmy od ciebie maila. Na początku się zdziwiliśmy, bo przecież normalnie napisałbyś esa, ale zapowiadała się wyjebana w kosmos impreza, więc stwierdziliśmy, że stąd to oficjalne zaproszenie – wyjaśnił Alan. – Mail nie był od ciebie?

– Nie… to znaczy tak… Nie. Długo by wyjaśniać… – Próbowałem wyjść z twarzą z sytuacji.

Na szczęście Rob i Alan wykazali się sporym zrozumieniem. Było jasne, że za zaproszeniem stał Wasim. Wystarczyło, że w naszej rozmowie wspomniałem imiona moich kumpli, a on natychmiast ich odnalazł. I mimo że zrobił to bez mojej zgody, a nawet wiedzy, nie miałem mu za złe. Lubiłem imprezy z Robem i Alanem, a jedynym powodem, dla którego ich nie zaprosiłem, był fakt, że nie wiedzieli o moim pochodzeniu. Chciałem utrzymać ten stan. Nie udało się.

– Myślałeś, że się od nas uwolnisz? Nieładnie tak porzucać kumpli na pastwę kobiet – kpił Rob.

– Jeśli przyszliście tutaj, by się przed nimi schronić, to kiepsko trafiliście – podłapałem żart.

– No właśnie! Tu są takie dupy, że nie wiadomo, którą złapać… Za przeproszeniem. – Alan zatrzymał się w swojej ekscytacji, zauważając gromiący wzrok Kate.

– Ależ nie ma za co przepraszać. Dupy też lubią łapać. Szkoda tylko, że często nie mają za co – odpowiedziała Kate z ironicznym uśmiechem, patrząc na krocze Alana.

– Oj, kochana, zdziwiłabyś się. – Mój kumpel, coraz bardziej zmieszany, próbował ratować sytuację.

– Oj, kochany, myślę, że moje zdziwienie byłoby bardzo niewielkie. – Kate sugestywnie rozsunęła palce na mniej więcej dwa centymetry.

Teraz byłem już pewny: Kate nie jest dziwką Wasima. Była ujmująco bezczelna, a ja coraz bardziej ją lubiłem.

– Więc jednak książę – zwróciła się do mnie.

– We własnej osobie – odparłem. – Mam jednak nadzieję, że nadal zechcesz zagrać ze mną w tym filmie.

– Zagram. Ale to nie będzie ani pornol, ani komedia romantyczna. – Kate uśmiechnęła się i odeszła.

Byłem nieprawdopodobnie zaintrygowany tymi słowami, ale nie zatrzymałem jej. Miałem przeczucie, że to nie koniec naszej znajomości.

ROZDZIAŁ 10
Jade

Rozmowa z Kate zostawiła niemały mętlik w mojej głowie, podobny zapewne do tego, z jakim Zafira zostawiła Sajida po ich pierwszym spotkaniu, choć oni poznali się w zupełnie innych okolicznościach. Czułem się oczarowany i porzucony. W przypadku moich rodziców pierwsze rozdanie było skazane na spektakularną porażkę. Mój ojciec jest wychowanym w tradycyjnych wartościach typem macho. Kocha całym sercem, ale pojmuje męskość w dość atawistyczny sposób. Pod tym względem reprezentował cechy, których moja mama wprost nie znosiła. Była przekonana, że jeśli ustąpi tradycji i poślubi Araba, prędzej czy później będzie musiała poddać się surowym wobec kobiet zasadom islamu, będzie jedną z wielu żon i spędzi życie na zabieganiu o względy swojego mężczyzny. A na to nie miała najmniejszej ochoty. Gdyby jej rodzina nie przeprowadziła się do Wielkiej Brytanii, pewnie łatwiej byłoby jej zaakceptować taką przyszłość, ale tu jej niezależność wzmagała się z każdym dniem. Nie wyobrażała sobie, że podzieli los milionów kobiet, które rezygnują z własnych ambicji, by usługiwać mężom. Gdy Zafira odrzuciła zaproszenie na randkę od mojego pewnego siebie ojca, ten absolutnie oszalał na jej punkcie. Po pierwsze, nie był przyzwyczajony do odmowy, co bardzo mu zaimponowało, po drugie, poczuł wyzwanie, ale tak naprawdę i przede wszystkim po prostu zakochał się po uszy.

Nie był w stanie zrozumieć, co Zafira widzi w Paulu, z którym zaczęła się spotykać. Paul był wysokim, przystojnym Anglikiem z bogatej, powiązanej z dworem królewskim rodziny, której tradycje sięgały wielu wieków wstecz. Nie brakowało mu niczego. Był inteligentny, wysportowany, szarmancki i uroczy. Wkrótce miał też skończyć jedną z najlepszych uczelni na świecie. Absolutnie idealny kandydat na męża. I choć Zafira wcale nie myślała wtedy o byciu czyjąkolwiek żoną, traktowała Paula bardzo poważnie. Najlepszym dowodem na to był fakt, że zdobyła się na przedstawienie go rodzicom. Znając stanowisko swojego ojca, wiedziała, że nie będzie to łatwa sprawa, ale prędzej czy później musiała się na to zdobyć. Wolała prędzej, zwłaszcza że była w Paulu coraz bardziej zakochana. Rodzice Zafiry mieszkali w eleganckim domu w Chelsea. Choć dom nie należał do najbardziej imponujących w okolicy, sam fakt, że znajdował się w tej dzielnicy, świadczył o zasobności ich portfela. Zafira jednak nigdy nie odczuwała tego, że rodzice dysponują majątkiem. W czasach jej dzieciństwa w Jordanii trwała wojna, co znacznie wpłynęło na jej postrzeganie dostatniego życia. Pierwsze lata w Anglii upłynęły jej rodzinie na ciągłych, niejednokrotnie zakończonych porażkami, próbach dopasowania się. Dopiero na studiach Zafira pozbyła się poczucia, że jest obca i gorsza. Zakochany w niej rodowity Anglik był swoistym przypieczętowaniem tego procesu.

Państwo Al-Faytiri wydali obiad na przyjęcie pierwszego oficjalnego chłopaka córki, nie wiedząc o nim zbyt wiele. Zafira wszystkie pytania zbywała zapewnieniem, że jak tylko poznają Paula, na pewno go pokochają. Wiedzieli jedynie, że młodzi poznali się na Oksfordzie, co znacznie ich uspokajało i pozwalało myśleć pozytywnie.

Sytuacja skomplikowała się już w chwili, gdy okazało się, że niedoszły zięć jest Arabem. Z miejsca stracił ten zaszczytny tytuł, choć rodzice Zafiry nie dali po sobie poznać niezadowolenia. Przyjęli Paula na tyle serdecznie, że ich córka przekonana była o ich pełnej akceptacji. A po spotkaniu kazali jej z nim zerwać. Trudno było się spodziewać, że Zafira podda się ich woli. I oczywiście się nie poddała. Zrobiła dobrą minę do złej gry i udawała – przed Paulem, że rodzice są nim zachwyceni, a przed rodzicami, że ich posłuchała. Postanowiła pozostawić sprawy własnemu biegowi. Kochała Paula. Wiedziała, że on kocha ją. I jedynie to się dla niej liczyło. Jeśli rodzice nie są w stanie zaakceptować jej szczęścia, nie będą w nim uczestniczyć. I koniec.

Kilka miesięcy później Paul zaprosił Zafirę do posiadłości swoich rodziców. Piękny dom w zachodnim Londynie zbudowany na początku osiemnastego wieku, otoczony gęstym parkiem, sprawiał nieprawdopodobne wrażenie. Był zjawiskowy i niepokojący zarazem. Porośnięta bluszczem masywna brama wjazdowa przypominała portal do przekraczania granic czasu i przestrzeni, a przejazd przez nią był jak wycieczka do ubiegłego stulecia. Zafira pojechała tam sama, swoim czerwonym garbusem; jeździła nim mimo szyderstw otoczenia i sprzeciwu ojca. Nie czuła strachu, wyłącznie podsycaną ciekawością ekscytację. Była bardzo szczęśliwa, że wreszcie pozna rodziców swojego ukochanego. Ci, podobnie jak państwo Al-Faytiri, przekonani byli, że wkrótce poznają przyszłą żonę swojego syna. Wizyta w domu Paula przybrała jednak niespodziewany obrót. Już mina lokaja, który otworzył drzwi, wzbudziła w Zafirze niepokój. Wyglądał na przerażonego, jakby zobaczył ducha. Paul, który pojawił się po chwili, z uśmiechem przytulił dziewczynę, pocałował ją i zaprowadził do salonu, gdzie przywitała ich jego matka. Trudno było o chłodniejsze przyjęcie. Podana z odrazą dłoń, wyrwana niemal natychmiast po zetknięciu z dłonią Zafiry, była najmilszym gestem, na jaki było stać tę elegancką, choć przeraźliwie bladą i chudą kobietę. Reakcja matki zaniepokoiła Paula. Niestety po ojcu nie mógł się spodziewać niczego lepszego. Pan domu dołączył do nich w jadalni. A w zasadzie jedynie podszedł do szczytu stołu i zmierzył siedzącą obok Paula spłoszoną, bliską łez Zafirę.

– Ani mi się waż! – krzyknął, celując palcem w pobladłą twarz syna, po czym odwrócił się na pięcie i ruszył w kierunku drzwi. – Pieprzone brudasy w moim domu! – rzucił jeszcze.

Paul zamarł. Spuścił głowę, bojąc się spojrzeć w twarz Zafiry. Cisza, jaka zapadła w pokoju, stawała się coraz bardziej nieznośna. W końcu Zafira nie wytrzymała – wstała, ukłoniła się matce Paula i pobiegła do wyjścia. Walczyła o to, by się nie rozpłakać. Czuła, że jeśli choć jedna łza spłynie po jej policzku, będzie pokonana.

Paul ruszył za nią.

– Kochanie, wybacz… – powiedział dopiero przy drzwiach.

– Wybaczam – odparła i szarpnęła za klamkę, by wydostać się z domu, w którym doznała największego upokorzenia w swoim życiu.

To była ich ostatnia rozmowa. Od postawy Paula Zafira uzależniała ich wspólną przyszłość. Ona zignorowała niechęć własnych rodziców do swojego wybranka. On powinien zrobić to samo. Nie zrobił. Stchórzył. Nie potrafił jej obronić. Oblał pierwszy prawdziwy egzamin w ich związku, a przede wszystkim udowodnił, że jego miłość była tylko mrzonką.

Po rozstaniu z Paulem Zafira była załamana. Wpadła w wir nauki, co pozwoliło jej odzyskać równowagę. Jej pierwsza prawdziwa miłość powoli obumierała, a ona usilnie próbowała ją zdusić. Zachowanie Paula bardzo jej w tym pomogło. Tłumaczyła sobie, że nie zasługiwał na jej miłość, że dobrze się stało.

Oprócz tego, że kochała go całym sercem, do tej pory widziała w nim jeszcze potwierdzenie tego, że jest u siebie, jest częścią brytyjskiego społeczeństwa. W pełni akceptowana i kochana. Zachowanie rodziców Paula całkowicie to zmieniło. Nie rozumiała, dlaczego kolor skóry i pochodzenie mają aż tak wielkie znaczenie. Przecież ona i Paul studiowali na tej samej uczelni, rozumieli się, kochali... Dlaczego miejsce urodzenia miało im uniemożliwić wspólne szczęście?

Sajid tymczasem wciąż nie pozbył się marzeń o Zafirze. Przeciwnie – jego uczucia tylko wzbierały na sile. Choć wieści o rozstaniu z Paulem dotarły do niego bardzo szybko, nie potrafił zdobyć się na odwagę, by ponownie stanąć przed wybranką swego serca. Był przekonany, że skutek znów będzie mierny. Z podrywacza zmienił się w zakochanego kundla. Maślanymi oczami spoglądał na dziewczynę, która przyciągnęła go urokiem, a zdobyła niezależnym charakterem, tylko po to, by pokazać, że tak naprawdę jest nie do zdobycia. Kumple zaczynali się o niego martwić. Godzinami przesiadywał w bibliotece uniwersyteckiej, gdzie Zafira bywała niemal codziennie, by choć na nią spojrzeć. Zachowywał się tak, jakby świat przestał dla niego istnieć. Zafira widywała go, ale sądziła, że jego częsta obecność w odwiedzanych przez nią miejscach jest przypadkowa. Podczas ich pierwszego spotkania zrobił na niej wrażenie pewnego siebie dupka, który nie jest zdolny do wyższych uczuć, a kobiety traktuje przedmiotowo. Przeznaczenia jednak nie da się oszukać. Los zawsze znajdzie sposób, by połączyć to, co ma być razem. I pewnego wiosennego dnia podał pomocną dłoń zrezygnowanemu młodemu księciu.

– *Causality**! Niestety ostatnia została wypożyczona kilka godzin temu... – powiedziała bibliotekarka z prawdziwie

* Z ang. – przyczynowość.

współczującą miną do dziewczyny, która stała przy ladzie w tylnej części holu.

Słowa te dobiegły uszu Sajida. Zafira powiedziała, że będzie jeszcze pytać o książkę, podziękowała i podeszła do jednego z długich stołów do nauki.

Wtedy do niego dotarło. To był właśnie ten moment. Chwila, gdy los mówi ci: teraz albo nigdy. Na jego stole, wśród wielu innych, leżała oprawiona w zieloną okładkę książka ze złoconym napisem *Casuality*, dokładnie ta, której szukała Zafira. To on wypożyczył ostatnią kilka godzin wcześniej.

Niewiele myśląc, Sajid wstał i podszedł do Zafiry. Usiadł cicho na krześle obok i zanim dziewczyna zdążyła podnieść wzrok znad notatek, położył na stole książkę i przesunął w jej kierunku.

– Szukałaś jej, prawda? – zapytał cicho.

Była wyraźnie zaskoczona. Uśmiechnęła się nieśmiało i zapytała:

– Skąd ją masz?

– Powiem ci, nie było łatwo. Musiałem przebyć tysiące mil, stoczyć wiele bojów, zabić wielu wrogów, pokonać bestię... Ale dla ciebie wszystko – zażartował Sajid.

– To brzmi jak bajka o dzielnym księciu, który walczy o miłość swojej księżniczki. Wy, mężczyźni, lubicie je opowiadać.

– Chciałabyś zostać taką księżniczką z bajki?

– Nie. Jestem już dużą dziewczynką. A w bajki nie wierzę. W miłość też nie za bardzo. W życiu, odwrotnie niż w opowieściach, księżniczki zostają kopciuszkami – odpowiedziała poważnym tonem. – Ale za książkę bardzo dziękuję.

– A ja myślę, że ty zostaniesz księżniczką. I nigdy nie będziesz kopciuszkiem... Tylko jeszcze o tym nie wiesz.

Tego dnia Sajid odważył się stanąć do walki o miłość Zafiry. A już dwa lata później jego słowa stały się faktem – Zafira wyszła za młodego szejka i została księżną jednego z emiratów. Po spotkaniu w bibliotece powoli otwierała się na nową znajomość. Zrozumiała też swój błąd. Chciała zademonstrować swoją niezgodę na rasizm, spotykając się z białymi chłopakami. Odrzucała możliwość poślubienia Araba, nawet tak zakochanego i oddanego jak Sajid. Wkrótce przekonała się, że kolor skóry nie determinuje prawdziwej miłości. Oczywiście nie mogła o tym wiedzieć po pierwszym spotkaniu z Sajidem.

– Tak, wiem, zachowałem się jak skończony idiota – przyznał, gdy powiedziała mu, co wtedy myślała.

– Nie zaprzeczę.

– Do tej pory działało.

– A przy mnie przestało?

– Po prostu ty jesteś wyjątkowa.

Okazali się idealnie dobraną parą. Gdy Zafira dowiedziała się o prawdziwym pochodzeniu Sajida, była nieco przerażona – wiedziała, że poślubiając go, stanie się kimś więcej niż tylko żoną. Przez moment nawet wahała się, czy z nim nie zerwać, ale gdy powiedziała mu o swoich rozterkach, on zapewnił, że uczyni ją najszczęśliwszą kobietą na świecie.

– To, że nie jesteś pewna, czy za mnie wyjść, teraz, gdy już wiesz, kim jestem, sprawia, że jeszcze bardziej cię kocham – powiedział wzruszony Sajid. – Nie zależy ci na pieniądzach ani tytułach. Jesteś nie tylko mądra i piękna… jesteś absolutnie niezwykła. Zawsze szukałem kobiety, która pokocha mnie, a nie zaszczyty związane z moim statusem, ale nawet nie marzyłem, że spotkam kogoś takiego jak ty. I oto jesteś…

Po tych słowach Zafira ostatecznie zgodziła się na małżeństwo. Sajid dzielnie oparł się początkowej presji rodziny, która już szykowała mu wianuszek kandydatek do ożenku. Obiecał swojej wybrance dozgonną miłość, wierność i to, czego Zafira spodziewać się po nim nie mogła – że będzie jego jedyną żoną. Danego słowa dotrzymał.

Przez gwar rozkręconej na dobre imprezy moich uszu dobiegł donośny wrzask. Był tyradą arabskich i angielskich wyzwisk wykrzykiwanych dobrze mi znanym głosem. Stawał się coraz głośniejszy, zagłuszając inne dźwięki. Po chwili ucichła muzyka. Na środku salonu pojawił się kompletnie pijany Wasim. Był w amoku. Bosy, z koszulą wystającą ze spodni... Jego zielono-chabrowa maska z pawich piór niedbale wisiała na szyi.

– Jebana dziwka! Po chuj się tu przywlekłaś? Kto cię tu wpuścił? Mam w dupie ciebie i tego bękarta! Trzeba było uważać! Na skrobankę dostałaś i wypierdalaj! Wyprowadzić ją, kurwa! – wrzeszczał z zaciętą miną.

– Obejdzie się! Sama wyjdę! – krzyknęła piękna brunetka stojąca tuż za nim. Jej ramiona krępowały już uściski dwóch rosłych ochroniarzy. – Zresztą nie tylko ja!

Na te słowa wszystkie dziewczyny w salonie zaczęły ściągać maski. To wyglądało jak protest ciemiężonych pracowników fabryki, którzy właśnie postanowili odstąpić od pracy i walczyć o swoje. Dziewczyny jednak o nic nie walczyły. Chciały jedynie dać nauczkę Wasimowi. Akcja ewidentnie została zaplanowana w każdym calu. Rozbawione do tej pory kobiety po prostu odeszły od mężczyzn, z którymi akurat się bawiły, i jedna po drugiej zaczęły opuszczać salon.

Wasim szybko się zorientował w sytuacji.

– Idźcie sobie! Wypierdalać! Kurwy jebane! – darł się. – Chuja wam zapłacę!

– To akurat, mój książę, jest już załatwione. Dziękujemy za przelew – powiedziała jedna z ostatnich kobiet wychodzących z pokoju. Piękna, trzydziestoparoletnia Brytyjka o kenijskich korzeniach.

Wasim rozpoznał ją od razu.

– Cheryl! Ty to wszystko ukartowałaś, to był twój pomysł... Ty nasłałaś na mnie tę dziwkę!

– Jestem winna wszystkich zarzutów. I równie z nich dumna – powiedziała z niekłamaną satysfakcją. – Widzisz, książę, ta „dziwka" to przyszła matka twojego dziecka. Jesteś zbyt głupi, by to docenić, i zbyt mały, by okazać jej szacunek.

W salonie zapanowała cisza. Wasim zamarł. Spojrzał na ochronę, ale nie dał im znaku do działania. Cheryl kontynuowała wywód spokojnym i wyważonym tonem:

– Dla ciebie kobiety to rzeczy. Myślisz, że masz prawo do tego, by nas tak traktować, bo rzeczy kupuje się za pieniądze, a tobie ich nie brakuje. Bycie, jak to nazywasz, dziwką to dla nas praca i wiele jesteśmy w stanie znieść, ale są granice, których przekraczać nie wolno. Przez lata naszej współpracy żyliśmy w dobrych stosunkach. Pomagałam ci zaspokajać twoje, nawet najbardziej wyuzdane, żądze, a moje dziewczyny robiły wszystko, by przypodobać się tobie i twoim gościom. Gdy okazało się, że Jade jest w ciąży, zapewniałam ją, że zachowasz się jak mężczyzna i zapewnisz swojemu dziecku dostatnie życie. Bardzo się pomyliłam. Dlatego kończymy nasze interesy. Bo widzisz, książę, prawdziwe męstwo nie kryje się w rozporku... A gdyby nawet, twoje nie byłoby zbyt wielkie. – Cheryl uśmiechnęła się i ukłoniła, jakby właśnie wygłosiła monolog na teatralnej scenie, po czym wyszła z pokoju.

Wasim stał całkiem oniemiały. Po chwili doskoczył do niego Abbas.

– Bracie...

– Zamknij się, kurwa! To wasza wina! Ta suka specjalnie wymyśliła maski, żeby przemycić tu dziwki, które od dawna nie mają wstępu na moje imprezy!

Wasim zerwał wiszącą na szyi maskę i cisnął nią o ziemię. Następnie wymaszerował z salonu, zupełnie jeszcze nieświadomy, że ta historia będzie miała ciąg dalszy.

Impreza się skończyła. Rob i Alan podeszli do mnie, by się pożegnać. Kompletnie nie wiedzieli, jak skomentować to, czego właśnie byli świadkami. Ja też nie wiedziałem, co powiedzieć. To przypominało nieco składanie kondolencji po pogrzebie, kiedy żadne słowo nie jest właściwe.

Większość gości opuszczała apartament z zażenowaniem i w milczeniu. Nie pomógł nawet lejący się wcześniej litrami alkohol. Wszyscy w jednej chwili wytrzeźwieli. Wasim zniknął. Wiedziałem, że rozmowa z nim w takim momencie nie ma najmniejszego sensu, ale wiedziałem też, że jestem jedyną osobą, która będzie w stanie do niego dotrzeć. Dlatego poprosiłem Namiba, by zorientował się w sytuacji i dał mi znać, gdy tylko mój brat dojdzie do siebie.

Do domu wracałem piechotą. Zupełnie zbity z tropu, w głowie miałem gonitwę myśli. Z jednej strony całym sercem byłem z Wasimem. To mój kuzyn, starszy brat. Zawsze się mną opiekował. To w zasadzie dzięki niemu wszedłem w dorosłe życie. Rodzice opiekowali się mną troskliwie, ale to Wasim otworzył mi drzwi na prawdziwy świat. Imponował mi. Z drugiej strony w uszach wciąż dźwięczały mi słowa Cheryl. To, co mówiła, było bardzo prawdziwe. Wasim nie darzył kobiet zbytnim szacunkiem, traktował je przedmiotowo, ale najbardziej zdziwiło mnie, że tak beznamiętnie podszedł do sprawy dziecka, którego prawdopodobnie był ojcem. Jade, jedna z wynajętych dziewczyn, była w ciąży. Wasim dał jej pieniądze na aborcję i pewnie dorzucił kilka tysięcy funtów na pocieszenie, ale nie przewidział, że Jade nie zdecyduje się na usunięcie ciąży. Zastanawiałem się, czy nie jest ciekaw swojego potomka. Czy nie ma wobec niego żadnych uczuć? Ja chyba nie byłbym w stanie przejść nad czymś takim do porządku dziennego. I miałem wrażenie, że Wasimowi, choć bardzo się stara to ukryć, też nie jest to obojętne.

Prawo w Emiratach zakazuje aborcji – poza dwoma przypadkami: gdy poród zagraża życiu matki lub gdy stan płodu jest tak ciężki, że istnieje prawdopodobieństwo śmierci noworodka zaraz po narodzinach. Nieszczęsne kobiety, które zachodzą w ciążę podczas arabskich orgii, często mieszczą się w obu tych kategoriach. Ich życie może być zagrożone, a jeśli nawet nie jest, to noworodek ma marne szanse na przeżycie. Dlatego wbrew zakazom aborcje są na Bliskim Wschodzie tak powszechne jak piasek na pustyni. Tym częstsze, że używanie prezerwatyw przez wielu konserwatywnych macho uważane jest za niemęskie i uwłaczające ich książęcym wzwodom. Ciąża prostytutki jest dowodem grzechu, a bogobojni muzułmanie takowych nie popełniają. Oczywiście oficjalnie. Wystarczy pozbyć się dowodu, by akt uznać za niebyły. W dawnych czasach sprawę załatwiano dość kategorycznie i kompleksowo. Pechowe kobiety, które zachodziły w niechcianą przez mężczyznę ciążę, wywożono na pustynię na pewną śmierć. Zgodnie z przekonaniem do dziś obowiązującym na Bliskim Wschodzie to kobieta ponosi winę za nieślubny stosunek, a zgwałcona – za sam gwałt, dlatego gdy ciężarną odstawiano na pustynię, dokonywał się akt sprawiedliwości. Nie dość, że miała okazję odpokutować za zbrodnię, to jeszcze znikał problem bękarta. A i grzechu aborcji można było uniknąć. Same korzyści.

Niestety ten sposób myślenia wciąż zatruwa głowy wielu młodym, używającym życia chłopakom znad Zatoki Perskiej. Obawiam się, że Wasim nie był od niego wolny.

Następnego dnia obudziłem się koło południa. W zasadzie obudził mnie Namib i przywitał zaskakującą wiadomością.

– Książę Wasim wyleciał do Emiratów. Prosił, by się z nim przez jakiś czas nie kontaktować, i obiecał wkrótce zadzwonić – wyrecytował spokojnym głosem.

Tego się nie spodziewałem. Wasim każdego roku spędzał w Wielkiej Brytanii około trzech miesięcy, teraz zniknął po dosłownie kilku dniach. Był tak zraniony, tak zawstydzony czy tak urażony, że postanowił usunąć się w cień? Dlaczego nie chciał ze mną porozmawiać? Przecież wiedział, że może na mnie liczyć, a mimo to po prostu zwiał. Skoro jednak „prosił, by się z nim przez jakiś czas nie kontaktować", postanowiłem uszanować prośbę i przez resztę dnia kompletnie się nie skupiałem na wydarzeniach ubiegłej nocy.

Kolejny poranek jednak zmienił mój spokój w absolutny koszmar. Obudziłem się, gdy Namib gwałtownie wtargnął do mojej sypialni. Byłem zaskoczony, bo ten człowiek to chodząca siła spokoju. W dłoni trzymał gazetę, poranne wydanie „Daily Mail"*. Na okładce widniały zdjęcie Wasima, Gisele i grafika ociekającego krwią drinka oraz wielki napis „Killer sheikh". Dwuznaczny tytuł z jednej strony sugerował morderstwo dokonane przez szejka, z drugiej nic więcej jak tylko morderczy drink. Podtytuł wyjaśniał znacznie więcej: „UAE Prince suspected for DUI, almost killing pregnant woman"**. Na okładce było małe zdjęcie Wasima i insert przedstawiający Gisele, jego ulubione bugatti.

Ręce ugięły mi się pod ciężarem gazety. Przerażony, w jednej chwili zrozumiałem powody natychmiastowego wyjazdu Wasima z Wielkiej Brytanii. Przerzuciłem okładkę. Na artykuł

* Druga największa pod względem sprzedaży gazeta codzienna w Wielkiej Brytanii.

** Z ang. – Książę z ZEA podejrzewany o jazdę po pijanemu niemal zabija ciężarną kobietę.

poświęcono całą pierwszą rozkładówkę. Zwróciłem uwagę na maleńkie zdjęcie pięknej dziennikarki, Katherine Warwick, która spisała tę mrożącą krew w żyłach historię. Przykuła mój wzrok, jakby chciała powiedzieć: Zobacz, do czego zdolny jest twój brat. Zacząłem czytać o koszmarze, jaki rozegrał się z udziałem Wasima piątkowej nocy.

„Dwudziestoczteroletnia ciężarna kobieta została potrącona piątkowej nocy przez rozpędzone bugatti veyron. Za kierownicą samochodu siedział prawdopodobnie syn szejka jednego z emiratów. Kobieta straciła dziecko i walczy o życie.

Do tragicznego wypadku doszło około trzeciej nad ranem przy Brook Street, na wysokości ambasady Argentyny. Jade Godall właśnie rozstała się z koleżankami, z którymi uczestniczyła w przyjęciu wydawanym przez księcia Wasima, trzeciego syna szejka Muhammada Ahmeda ibn Jabala, młodszego brata władcy (tu padła nazwa emiratu) oraz tamtejszego ministra spraw zagranicznych i wewnętrznych. To właśnie dwudziestosiedmioletni książę podejrzewany jest o spowodowanie wypadku. Jego auto, warte około 1,2 miliona funtów bugatti veyron, znaleziono porzucone w pobliżu stacji Green Park z wyraźnymi śladami wypadku. Policja zabezpieczyła pojazd. Wyniki badań pobranych próbek potwierdzą, czy to właśnie ten samochód był narzędziem zbrodni. Zbrodni, która pochłonęła życie nienarodzonego dziecka, Jade Godall była bowiem w piątym miesiącu ciąży. Matka walczy o życie w Szpitalu św. Tomasza. Świadkowie mówią o olbrzymiej prędkości, pisku opon, uderzeniu i ucieczce z miejsca wypadku. – To był ułamek sekundy. Nie wiedziałam, co się dzieje. O spisaniu numerów samochodu nie było mowy, natychmiast zadzwoniłam na pogotowie. Ta biedna dziewczyna... to był straszny widok – wspomina roztrzęsiona Anne Thorn, która jako pierwsza pospieszyła z pomocą ofierze.

Interesującym wątkiem w sprawie jest bliskie prawdy przypuszczenie, że ojcem dziecka Jade był sam książę Wasim. Czy książę dokonał egzekucji na swoim dziecku i jego matce? Czy poniesie za to karę? Prokuratura na razie milczy w tej sprawie, tłumacząc, że zbada wszystkie wątki. Z naszych źródeł wynika, że książę opuścił teren Królestwa prywatnym odrzutowcem kilka godzin po wypadku. Śledztwo trwa".

Nie mogłem uwierzyć w to, co czytam. W głębi duszy wiedziałem jednak, że niestety wszystko, co zostało napisane w artykule, jest prawdą. Tamtej nocy Wasim był niezwykle wzburzony i kompletnie pijany. Rozsądek to ostatnia rzecz, o jaką można go było wtedy posądzić. Jak skończony idiota wsiadł do samochodu i śledził Jade tylko po to, by się na niej zemścić i dokonać aborcji. To było niewiarygodne. Wasim miał swoje za uszami, ale nie był mordercą. Mój brat nie był mordercą! Nie chciałem w to wierzyć...

Złapałem za telefon i wybrałem jego numer. Nie spodziewałem się, że odbierze, i oczywiście nie odebrał. Nie wiedziałem, co robić. Namib siedział na krześle pod oknem. Milczący, z kamienną twarzą, był nie mniej przerażony. Zadzwoniłem do najmłodszej z moich sióstr. Anwar jest o niecałe dwa lata starsza ode mnie i pewnie dlatego z całego rodzeństwa jest mi najbliższa. Pomyślałem, że tylko ona jest w stanie szczerze opowiedzieć mi o tym, co się dzieje w domu po tym, jak wieść o wypadku dotarła nad Zatokę.

– Wszyscy oszaleli – powiedziała przejęta. – Ojciec wrzeszczał na wuja, nigdy go takiego nie widziałam. Normalnie pewnie by tego przy nas nie zrobił, ale był tak wściekły, że było mu wszystko jedno, nawet na obecność służby nie zwracał uwagi. Wrzeszczał, że wuj się doigrał, że puszczał Wasima samopas i wychował mordercę. Wściekał się, że jako minister spraw zagranicznych załatwił Emiratom świetną reputację…

– A co na to wuj?

– Milczał. Siedział tylko ze spuszczoną głową. Ciotka Latifa bez przerwy płacze. Widziałam ją rano, blada jak ściana, oczy podpuchnięte…

– No a Wasim? Wrócił do domu?

– Wrócił. Nie widziałam go, ale ponoć wszystkiemu zaprzecza. Mówi, że to nie on prowadził samochód, że auto mu skradziono.

– W to raczej nikt mu nie uwierzy – odparłem zrezygnowany. – Chociaż chciałbym, żeby to była prawda. Żeby faktycznie ukradli mu ten cholerny samochód. To okropne, co się stało, ale zrobiłbym wszystko, by zatrzymać go tamtego wieczoru.

– Ty tam byłeś? On podobno zorganizował przyjęcie…

– Byłem…

– To pewnie wiesz coś, co świadczy o jego niewinności.

– Niestety, wszystko, co wiem, mogłoby go jedynie pogrążyć.

Rozmowa z Anwar wyłącznie potwierdziła, w jak poważnej sytuacji znalazł się nie tylko Wasim, ale cała nasza rodzina, a wraz z nią cały emirat. Ten wypadek, ucieczka z jego miejsca, a potem z Anglii były absolutną katastrofą dla wizerunku i stosunków pomiędzy oboma krajami. To, co bardzo mozolnie budował przez lata mój ojciec, mogło lec w gruzach. A wszystko przez głupi wybryk pijanego, rozwydrzonego dzieciaka, który nie zna umiaru. Bardzo chciałem współczuć Wasimowi, ale czułem, że to byłoby wręcz perfidne. Mój kuzyn zabił własne dziecko, a bardzo możliwe, że i jego matkę. Tego nie dało się usprawiedliwić.

Kolejny dzień odkrył nowe wątki w sprawie, z zapałem raportowane przez Katherine Warwick:

„Policja potwierdziła, że właścicielem bugatti veyron, które w ubiegły piątek potrąciło młodą kobietę na jednej z ulic Mayfair, jest książę Wasim ze Zjednoczonych Emiratów Arabskich. Książę tuż po wypadku zbiegł z kraju. Jeszcze dziś zostanie wystosowany oficjalny list gończy.

Jade Godall, ofiara wypadku, jest w śpiączce farmakologicznej. Lekarze pozostają ostrożni w rokowaniach. Jej dziecka nie udało się uratować. Kobieta była w piątym miesiącu ciąży. Wyniki badań laboratoryjnych potwierdziły, że wypadek spowodowano należącym do księcia samochodem, porzuconym kilkaset metrów dalej. W aucie nie znaleziono żadnych szczególnych śladów, na jego tylnym siedzeniu leżała jedynie maska balowa, która świadczyć może o tym, że sprawca wracał z przyjęcia, niewykluczone, że pod wpływem alkoholu. Policja jednak mówi o tym wątku raczej ostrożnie.

Premier Tony Blair na dzisiejszej konferencji powiedział, że zachowanie młodego księcia kładzie się cieniem na wzajemnych stosunkach pomiędzy Wielką Brytanią a ZEA. – Mam nadzieję, że ze względu na wspólną historię uda się tę sprawę załatwić honorowo – oświadczył. Wyraził też nadzieję, że Jade Godall wróci do zdrowia i pełnej formy”.

Wasim zostawił w samochodzie swoją maskę? Idiota! Dobrał ją idealnie – całe życie był dumny jak paw, szkoda tylko, że w kluczowym momencie zwiał jak szczur. Nie rozumiałem, jak to się mogło stać. Jak pełen radości i zabawy wieczór mógł się skończyć taką tragedią.

Z zamyślenia wyrwał mnie dzwonek mojego telefonu. Zdziwiłem się, bo nie znałem numeru, który się wyświetlił. Bardzo dbałem o to, by mój numer trafiał do nielicznych osób, i wszystkie one wpisane były w pamięci telefonu. W ten sposób unikałem niespodzianek takich jak ta. Ale ciekawość wzięła górę. Odebrałem.

– Cześć, tu Kate… pamiętasz mnie?

Byłem zaskoczony, ale też bardzo zadowolony, słysząc znajomy głos. Nie pamiętałem, żebyśmy się wymienili numerami, co więcej, byłem pewien, że do tego nie doszło, ale naprawdę się ucieszyłem. Mimo że poznaliśmy się feralnej nocy, kompletnie nie kojarzyłem Kate z wydarzeniami, które miały miejsce od chwili, gdy się rozstaliśmy.

– Kate! Wow! Cześć… Skąd masz mój numer?

– Myślałam, że się ucieszysz…

– Nie, no pewnie, że się cieszę! Po prostu nie pamiętam, żebym ci go dawał.

– Bo nie dałeś. Ale my, kobiety, mamy swoje sposoby, gdy zainteresuje nas mężczyzna.

– Mam przez to rozumieć, że jesteś mną zainteresowana?

– Oj, książę, nie udawaj, że to dla ciebie takie zaskoczenie. Kobiety z pewnością interesują się tobą na potęgę.

– To tylko pozory. Niewiele kobiet w moim otoczeniu wie o tym, że jestem księciem.

– Czyżbyś się ukrywał? To musi być chyba rodzinne – zaśmiała się.

Jej słowa bardzo mnie zaniepokoiły.

– Co masz na myśli?

– Nic, drogi książę, absolutnie nic… to tylko głupi żart. Pójdziemy na kawę? – spytała wprost.

Perspektywa poznania Kate bliżej – zobaczenia jej bez maski – bardzo mnie ucieszyła. Podobało mi się, że nie ma oporów przed „moją książęcą mością". Jest normalna i wyluzowana. Nie traktuje mnie z namaszczeniem, choć wie o moim pochodzeniu. To była rzadkość. Na takie relacje mogłem sobie do tej pory pozwolić wyłącznie z osobami, które nie wiedziały o mnie nic. Tymczasem Kate wydawała się zupełnie inna. Nie robiły na niej wrażenia ani tytuły, ani bogactwo. A może po prostu, nomen omen, doskonale się maskowała.

Umówiliśmy się następnego dnia rano w przytulnej kawiarni Nero, niedaleko Covent Garden. Po drodze czekała mnie jeszcze codzienna lektura „Daily Mail".

„Szejk Muhammad Ahmed ibn Jabal – minister spraw zagranicznych Zjednoczonych Emiratów Arabskich i ojciec podejrzewanego o potrącenie dwudziestoczteroletniej ciężarnej Jade Godall – zapewnił we wczorajszym oświadczeniu, że jego syn jest niewinny, ale podda się dochodzeniu, by wyjaśnić tę okropną sytuację. Obiecał też pomoc dla ofiary wypadku.

Książę Wasim jeszcze w tym tygodniu ma przylecieć do Londynu na przesłuchanie w sprawie. Scotland Yard zapewnia, że książę nie zostanie zatrzymany do momentu zakończenia śledztwa. – Wierzymy, że zapewnienia o niewinności księcia potwierdzą się, i liczymy na pełną współpracę – mówi komisarz Ian Becker prowadzący sprawę wypadku.

Z nieoficjalnych informacji, do jakich udało się nam dotrzeć, wynika, że znajomość pomiędzy Jade Godall a księciem Wasimem trwała długo. Jade była częstym gościem wystawnych przyjęć, z których słynie książę Wasim. Latała na jego zaproszenie w różne zakątki świata. Feralnej nocy na przyjęciu przy Hyde Parku między parą miało dojść do sprzeczki, po której Jade opuściła apartament w towarzystwie kilku koleżanek. Kamery monitoringu zarejestrowały również moment, gdy książę opuszcza apartament w masce balowej i wyjeżdża z garażu swoim bugatti. To prawdopodobnie ta maska została znaleziona w porzuconym po wypadku samochodzie. Tymczasem ofiara pozostaje w śpiączce. Kobieta ma rozległe obrażenia wewnętrzne, pękniętą czaszkę i połamane nogi. Lekarze wciąż są bardzo ostrożni w rokowaniach".

Czekałem na Kate przy stoliku pod oknem, delektując się czarną americano z dużą ilością cukru. Nie wiedziałem dokładnie, kogo wypatrywać, ale na szczęście Kate nie miała problemu ze znalezieniem mnie. Stanęła przede mną piękna, choć zupełnie inna niż tego wieczoru, kiedy się poznaliśmy. Jej długie blond włosy spięte były w kucyk, a na głowie miała czarną czapkę baseballową. Po raz pierwszy mogłem zobaczyć jej twarz w pełni. Nie miała makijażu, ale też zupełnie go nie potrzebowała. Ubrana była w czarny modny dres, szary krótki płaszcz, na ramieniu miała olbrzymią torbę i wyglądała na osobę, która zawsze się spieszy.

– Cześć! – Z uśmiechem podała mi rękę.

– Hej! – Ja też się uśmiechnąłem. – Zapraszam. Czego się napijesz?

– Poproszę czarną americano.

– Dobry wybór.

Już po chwili wróciłem do stolika z kubkiem gorącej kawy.

– Widzę, że czytasz „Daily Mail"... – Kate wskazała leżącą na blacie gazetę.

– Czytam artykuły o sprawie Wasima. Z pewnością wiesz, co się stało.

– Wiem bardzo dobrze... Chwilami lepiej, niżbym chciała.

Spojrzałem na gazetę otwartą na stronie z artykułem o Wasimie i wtedy zrozumiałem, kto siedzi naprzeciwko mnie.

– Ty jesteś Katherine Warwick?

Kate uśmiechnęła się znacząco.

– Wiedziałem, że nie jesteś typową dziewczyną z imprez Wasima. Skąd się tam wzięłaś?

– Zostałam zaproszona.

– Przez Wasima?

– Nie.

– Więc pracujesz dla Cheryl?

– Powiedzmy, że wyświadczyłyśmy sobie wzajemnie przysługę. Widzisz, książę, spotkałam się z tobą, by dobić targu. Jestem w stanie pomóc ci oczyścić twojego kuzyna z zarzutów, ale chcę, żebyś w zamian odpowiedział mi na kilka pytań.

– Jak to? Wasima nie da się oczyścić z zarzutów! Spowodował tragiczny w skutkach wypadek!

– A gdybym ci powiedziała, że to nie on siedział za kierownicą samochodu?

– Istnieją nagrania pokazujące Wasima wychodzącego z apartamentu i wyjeżdżającego z garażu.

– Te nagrania niczego nie dowodzą. Nie widać na nich, kto prowadzi samochód. A ja wiem o czymś, co dowodzi, że nie był to Wasim.

Trudno mi było uwierzyć w rewelacje Kate, ale jeśli istniała jakakolwiek szansa na udowodnienie niewinności mojego brata, nie chciałem jej zaprzepaścić.

– Dobrze zatem. Zgadzam się. Mogę ci zaufać?

– Ręczę moją dziennikarską reputacją – zapewniła.

– A czy zanim odpowiem na twoje pytania, mogę się dowiedzieć, co właściwie robiłaś na tej imprezie? Nie byłaś tam zabawiać gości...

– Jesteś twardym negocjatorem, książę. Dobrze. Historia za historię. Opowiem ci, skąd się tam wzięłam, ty odpowiesz na moje pytania, a potem pomogę ci uwolnić Wasima. Chociaż muszę przyznać, że całą sobą pragnęłabym, by poniósł karę.

– Za zbrodnię, której nie popełnił?

– Nie. Za to, jak traktuje kobiety. W zasadzie to właśnie było powodem, dla którego znalazłam się w ubiegły piątek na tej imprezie. Zła sława Wasima jako klienta setek prostytutek na całym świecie jest wielka. To, co on uznaje za powód do dumy, mnie osobiście napawa odrazą, ale jestem daleka od umoralniania. Kiedy jednak Cheryl pewnego dnia trafiła do mojej redakcji, by opowiedzieć mi historię Jade, jednej z wielu dziewczyn zmuszanych do aborcji, co było pokłosiem organizowanych przez Wasima orgii, postanowiłam działać.

Jade, jak wiele innych dziewczyn, które przewinęły się przez łóżko Wasima, upatrywała w spotkaniach z młodym księciem możliwość łatwego zarobku. Propozycję dostała od Cheryl w jednym z londyńskich klubów. To miały być niezobowiązujące spotkania sponsorowane.

– To, jak daleko się posuniesz, będzie zależało od ciebie. Oczywiście im dalej się posuniesz, tym więcej skorzystasz – wyjaśniła Cheryl.

Jade, studentka, która nie narzekała na nadmiar gotówki, postanowiła spróbować. Na pierwsze spotkanie z księciem i jego świtą poleciała do Saint-Tropez. To była jej druga podróż zagraniczna w życiu. Pierwsza, na której nie wydając ani pensa, opływała w luksusy. Jade miała szczęście. Wpadła w oko Wasimowi, co warte było grubych tysięcy funtów. Musiała tylko zdecydować się na seks. Książę okazał się bardzo przystojnym mężczyzną, więc nie było to niewykonalne. O tym, że będzie jedną z wielu, postanowiła nie myśleć. Wasim zaprosił ją do swojej sypialni już drugiej nocy i przez kolejny tydzień sypiał tylko z nią. Był wyraźnie oczarowany jej wdziękami. Taka monogamia Wasimowi nie zdarzała się często. Po tygodniu Jade wróciła do Londynu bogatsza o pięć tysięcy funtów, po odliczeniu prowizji Cheryl. Dorabiając w knajpach, na takie pieniądze musiałaby harować pół roku. Prosty rachunek ekonomiczny, wyjazd do Saint-Tropez i seks z przystojnym księciem były wystarczającymi argumentami, by godzić się na kolejne propozycje Cheryl. A tych było sporo. Zdarzało się, że Jade wyjeżdżała nawet dwa razy w miesiącu. Seszele, Kajmany, Barbados, Emiraty, Hongkong, Los Angeles... Zachłysnęła się światowym życiem i trudno było się jej dziwić. Zwykła dziewczyna z angielskiego Swindon podróżowała po całym świecie i zarabiała krocie, bawiąc się na wystawnych imprezach i uprawiając seks z arabskim playboyem. Ale świat nie jest idealny. Z czasem Jade dostawała coraz mniej zleceń. Choć widywała się z Wasimem kilka razy do roku, on wyraźnie interesował się nią coraz mniej. Jej miejsce w sypialni zajmowały nowe modelki, a ona coraz częściej trafiała do łóżek innych zapraszanych na imprezy mężczyzn lub chłopaków z książęcego dworu. Była coraz bardziej zdesperowana. I niewątpliwie zakochana po uszy. Uciekła się do najbardziej prymitywnego sposobu, jakim kobiety od wieków próbowały usidlać facetów. Przestała brać pigułki i przy jednej z coraz rzadziej nadarzających się okazji zaszła z Wasimem w ciążę. Oczywiście naiwnością było sądzić, że uwielbiający rozpustę książę na wieść o tym, że zostanie ojcem, zrezygnuje z dotychczasowego stylu życia, poślubi Jade i będzie biegał z wózkiem po parku. Zresztą Jade chyba nawet na to nie liczyła, ale przygoda z prostytucją pokazała jej, że życie może być łatwiejsze, że jeśli dobrze się kombinuje, można dostać wiele, robiąc tak niewiele. Niestety tym razem plan nie wypalił. Gdy Cheryl zadzwoniła do Wasima z wiadomością o ciąży Jade, ten zareagował bardzo gwałtownie.

– Jak pilnujesz swoich kurew? – warknął. – Płacę za profesjonalne usługi!

– To był wypadek…

– Zajmijcie się tym! Zapłacę za skrobankę.

– Jade nie chce słyszeć o aborcji.

– Gówno mnie obchodzi, czego chce Jade! Poza tym to jasne, każda kurwa chce kasy… Ale ja nie dam się szantażować. Moi ludzie zrobią przelew na pozbycie się bękarta. To moje ostatnie słowo. A ty zacznij się lepiej przykładać do pracy, bo towar, jaki ostatnio przysyłasz, jest nieco wybrakowany… I jeszcze ta ciąża!

Cheryl jest kobietą interesów. Na układzie z księciem zarabiała olbrzymie pieniądze, ale po tej rozmowie coś w niej pękło. Zawsze uważała, słusznie zresztą, że pomaga swoim dziewczynom. Nigdy do niczego ich nie zmuszała. Umożliwiała jedynie zarobienie sporych pieniędzy. Wiele z kobiet, którym proponowała współpracę, odmawiało. Te, które się godziły, robiły to świadomie. Same też decydowały, jak daleko są w stanie się posunąć. To była transakcja wiązana – dziewczyny sprzedawały usługi w wysokiej cenie, Cheryl pośredniczyła w kontakcie, załatwianiu wyjazdów. Wszyscy wydawali się zadowoleni. Reakcja Wasima na ciążę Jade wydała jej się jednak przekroczeniem pewnej granicy. Jade przestała być dla księcia jakąś podrzędną kurwą – teraz była matką jego dziecka. Cheryl postanowiła, że nadchodzące zlecenie będzie jej ostatnim, a przy tym doskonałą okazją do tego, by dać księciu nauczkę. Wtedy właśnie zgłosiła się do redakcji „Daily Mail" i trafiła na Kate – Katherine Warwick. Wspólnie opracowały plan, dzięki któremu Jade będzie mogła twarzą w twarz porozmawiać z księciem i przemówić mu do rozsądku. Pragnęła jedynie, by wziął odpowiedzialność za przyszłość dziecka, zapewnił mu dostatnie życie. Bała się, że jako samotna matka z nieskończonymi studiami nie podoła, a dla niego to był wydatek, którego nawet by nie zauważył. Katherine zdecydowała, że dołączy do dziewczyn zaproszonych na przyjęcie. Chciała zobaczyć na własne oczy, jak wyglądają imprezy u Wasima, a później napisać rzetelny artykuł o niefortunnym romansie. Nie mogła wtedy przypuszczać, że w jej artykułach Jade nie będzie samotną kobietą spodziewającą się dziecka, ale walczącą o życie ofiarą perfidnego wypadku. Sposobem na uniknięcie wszelkich podejrzeń były maski. Na szczęście dla Cheryl i Katherine Wasim zlecił załatwienie dziewczyn na imprezę Abbasowi i Karimowi. Z reguły spotykał się z Cheryl osobiście. To nietypowe, bo szejkowie mają od tego ludzi, ale Wasim lubił trzymać rękę na pulsie, poza tym przebieranie wśród kobiet ewidentnie sprawiało mu przyjemność. Tym razem jednak zadanie powierzył swoim kumplom. Dziewczyny szybko przekonały mało rozgarniętych posłańców księcia, że maski to doskonały pomysł; pozwolą na stworzenie atmosfery zmysłowej tajemnicy. Kupili to. Ponieważ Abbas i Karim nie mieli pojęcia, jak ogarnąć temat masek, Cheryl zadeklarowała pomoc.

Wszystkie dziewczyny, które przyszły na imprezę, były wtajemniczone w sprawę. Cheryl zapewniła je, że otrzymają swoje honoraria bez konieczności uprawiania seksu. Wcześniej wymusiła na Abbasie i Karimie przelew z góry. To też nie było trudne. Ta dwójka bystrzaków do negocjacji ewidentnie się nie nadawała.

Plan był prosty. Dziewczyna, która przypadnie do gustu księciu i znajdzie się z nim w sypialni, miała udać, że musi jeszcze na chwilę z niej wyjść. Wtedy miała się zamienić z Jade. Dla uniknięcia podejrzeń wszystkie ubrane były w niemal identyczne czarne sukienki, wszystkie też były blondynkami. Jade założyła perukę. Ta część przebiegła bez zakłóceń. Gdy Jade znalazła się sam na sam z Wasimem, postanowiła przez chwilę poddać się jego pocałunkom, ale każdy z nich powodował, że książę wydawał się jej coraz bardziej odpychający. W końcu Wasim zorientował się, że coś jest nie tak. Pociągnął dziewczynę za włosy, zrywając perukę. Od razu ją rozpoznał, ale dla pewności zerwał też jej maskę.

– Ty kurwo! – krzyknął, przymierzając się do ciosu.

– Uderz! – zawołała zdesperowana Jade. – I tak nie będzie bolało! Nie jesteś mnie w stanie bardziej skrzywdzić. Łudziłam się, że będę mogła z tobą po ludzku porozmawiać, ale właśnie zrozumiałam, że po ludzku można rozmawiać z człowiekiem. Ty zachowujesz się gorzej niż rozjuszone zwierzę.

Wasim zamilkł, jakby zbierał siły do riposty, ale nie był w stanie wydobyć z siebie słowa. Złapał stojącą na stoliku butelkę z resztką Dom Pérignon i wypił ją duszkiem, po czym wybiegł z sypialni. Jade ruszyła za nim.

– Jebana dziwka! Po chuj się tu przywlekłaś? Kto cię tu wpuścił? Mam w dupie ciebie i tego bękarta! Trzeba było uważać! Na skrobankę dostałaś i wypierdalaj! Wyprowadzić ją, kurwa! – wrzeszczał z zaciętą miną.

– Obejdzie się! Sama wyjdę! – krzyknęła piękna brunetka stojąca tuż za nim. Jej ramiona krępowały już uściski dwóch rosłych ochroniarzy. – Zresztą nie tylko ja!

Wtedy przyszedł moment na wprowadzenie w życie kolejnego etapu planu. Wszystkie zebrane na imprezie dziewczyny jak na komendę zaczęły zdejmować maski i wychodzić z apartamentu.

Wasim ściął się jeszcze z Cheryl, która z wielką satysfakcją utarła mu nosa, po czym również wybiegł z salonu.

Niecałe dwie godziny później doszło do wypadku, w którym pod kołami bugatti Wasima zginęło jego nienarodzone dziecko.

Opowieść Kate przyprawiła mnie o dreszcze. Mówiła o moim ukochanym bracie, ale trudno było mi wziąć jego stronę. Przeciwnie – byłem pełen podziwu dla Kate i Cheryl za to, że próbowały dać mu nauczkę. Jej skutki okazały się tragiczne, ale taka Wasimowi ewidentnie się należała. Tylko to nie on w tej chwili walczył o życie...

– To nie był przypadek, że na przyjęciu byliśmy w maskach do pary – powiedziałem. – W zestawie, który dostałem, nie miałem zbytniego wyboru. A ja myślałem, że to zrządzenie losu...

Kate się uśmiechnęła.

– Losowi czasami trzeba pomóc. Nie, to nie był przypadek. Chciałam cię spotkać. Wiedziałam, że twoje informacje na temat Wasima będą kluczowe. Widzisz, uważam, że nawet najgorsza kreatura ma prawo do obrońcy. A w obronie Wasima, zwłaszcza w tej sytuacji, nie stanie nikt.

– I to ja mam być jego adwokatem?

– Miałam napisać o niegrzecznym księciu, który nie został nauczony szacunku wobec kobiet. Twój głos mógł być dość ważnym elementem tego artykułu... A tymczasem mamy sprawę księcia podejrzanego o zabójstwo i usiłowanie zabójstwa. Twoja wypowiedź jest tu kluczowa.

– Rozumiem, że to jest twoja cena za ujawnienie faktów, które mogą oczyścić Wasima z zarzutów.

– Nie chcę się targować... I tak ci o nich powiem, ale liczę, że i ty mi pomożesz...

– Dobrze, zatem jak mogę ci pomóc? – zapytałem.

– Wystarczy, że odpowiesz na kilka moich pytań i zgodzisz się na publikację – odparła Kate. – W redakcji bardzo czekają na ten wywiad. To ma być sensacja.

– Na sensację w moim przypadku raczej liczyć nie można.

– Sam wywiad z tobą jest sensacją.

– Nie przesadzajmy. Wiesz, że w Londynie mieszkam anonimowo. Ale skoro takie są twoje warunki... Zgoda.

Kate pytała, nagrywała, notowała. A ja postanowiłem być szczery. Niczego nie ukrywać. Skoro ten wywiad miał mnie doprowadzić do prawdy, przyszedł czas, by stawić czoło faktom, nawet tym najbardziej niewygodnym.

– Czy książę Wasim byłby zdolny do spowodowania tego wypadku?

– Znam go i wiem, że jest człowiekiem ceniącym dobrą zabawę, ale nie chce mi się wierzyć, że zrobił coś tak okropnego. Dowody świadczą jednak na jego niekorzyść. Jade została potrącona przez jego samochód, a ja wiem, że Wasim tego wieczoru pił alkohol. Kocham go jak rodzonego brata, ale boję się, że to on siedział za kółkiem.

– Jaki jest książę Wasim na co dzień?

– Bardzo ciepły, kochany, ma świetne poczucie humoru. Jest też bardzo inteligentny. Wychowywaliśmy się razem. Zawsze imponował mi jako starszy brat. Jest ode mnie o cztery lata starszy, więc wiele mnie nauczył. Między innymi postępowania z kobietami, gdy dopiero wchodziłem w świat damsko-męski. Zawsze mogłem mu się zwierzyć, zapytać o radę.

– Postępowanie z kobietami to chyba nie jest jego atut...

– Trudno mi się do tego odnieść, bo z jednej strony wiem, że Wasim to kobieciarz i otacza się wieloma kobietami, z drugiej strony nie oszukujmy się, kobiety chętnie się z nim spotykają, bo płaci im za towarzystwo, i to bardzo hojnie. Nie chciałbym tłumaczyć niewłaściwych zachowań, ale też przestrzegałbym przed ferowaniem zbyt pochopnych wyroków.

– Co się stanie, jeśli wina księcia zostanie udowodniona?

– To wielka tragedia dla całej naszej rodziny, ale jestem przekonany, że Wasim honorowo podda się karze. Chciałbym móc sprawić, by całe cierpienie, jakie spowodowała ta sytuacja, zniknęło, by Jade była zdrowa, jej dziecko bezpieczne, by okazało się, że Wasim jest niewinny. Ale nie mam takiej mocy...

Nasze spotkanie zakończyło się serdecznym uściskiem. Pomyślałem, że gdybyśmy poznali się w innych okolicznościach, być może Kate zajęłaby ważne miejsce w moim życiu. Wtedy myślałem, że połączyły nas wyłącznie interesy, nie zauważyłem rodzącego się uczucia.

Gdy wyszliśmy z kawiarni, Kate wyjęła z torby dużą szarą kopertę. Obiecany dowód.

– Wszystko zrozumiesz – powiedziała, po czym pocałowała mnie w policzek i pobiegła w kierunku stacji Charing Cross.

Złapałem taksówkę, by wrócić do domu. Walczyłem z ciekawością, ale nie chciałem otwierać koperty w miejscu publicznym. Nawet nie domyślałem się jej zawartości. Dopiero gdy znalazłem się w swoim apartamencie, rozdarłem jej krawędź. W środku było zdjęcie. Nie mogłem uwierzyć w to, co widzę. Natychmiast dotarło do mnie, co naprawdę wydarzyło się piątkowej nocy. Postanowiłem jednak nie działać pochopnie. Wasim jest niewinny. To nie on prowadził samochód. Wciąż nie był w tej sprawie bez skazy, ale nie zrobił tego, o co od kilku dni oskarżały go media i opinia publiczna.

Następnego ranka dowiedziałem się, że los napisał kolejny rozdział tej historii.

„Nie żyje Jade Godall, dwudziestoczteroletnia kobieta potrącona w ubiegły piątek przez samochód należący do emirackiego szejka.

Godall w chwili wypadku była w piątym miesiącu ciąży. Dziecka nie udało się uratować, a ofiara walczyła o życie, pozostając w śpiączce farmakologicznej. Obrażenia zadane przez rozpędzone bugatti veyron były jednak na tyle ciężkie, że wczoraj wieczorem kobieta zmarła. Podejrzewany o spowodowanie wypadku młody szejk Wasim, który tuż po zdarzeniu zbiegł do swojego kraju, ma wkrótce powrócić do Wielkiej Brytanii, by poddać się przesłuchaniu i oddać w ręce sprawiedliwości. Szczegóły przyjazdu księcia nie są znane".

ROZDZIAŁ 11
Maska

Wasim miał wylądować w Londynie nadchodzącej nocy. Media od kilku dni obstawiały dziennikarzami wszystkie lotniska w mieście, łącznie z prywatnym Biggin Hill, a także Luton i Stansted, będącymi zupełnie poniżej standardów szejków. Jego przylot był zapowiedziany przez ojca, ale szczegóły utrzymywano w tajemnicy. Każda stacja telewizyjna, każda gazeta chciała mieć bezpośrednią relację z przyjazdu szejka mordercy. Finalnie nie miała jej żadna.

– Książę, mamy gościa… – powiedział Namib, wchodząc do pokoju.

Zerwałem się z sofy. Zza pleców Namiba wychylił się przygarbiony Wasim. Ubrany w najgorsze ciuchy, jakie kiedykolwiek na nim widziałem, blady i załamany. Na ramieniu miał sportową torbę, na głowie głęboko naciągniętą czapeczkę z daszkiem. Wyglądał, jakby chciał zniknąć. I nie mogłem mu się dziwić. Rzucił się w moje ramiona i wtulił jak przestraszony dzieciak.

– Jak się tu znalazłeś? – zapytałem.

– Przyleciałem lotem rejsowym z trzema przesiadkami.

Taka podróż była dla Wasima zupełną nowością, ale w tamtej chwili nie wyglądał na człowieka, który narzekałby na jakiekolwiek niedogodności.

– To był jedyny sposób, by uniknąć mediów. Oni mnie rozszarpią... Zwłaszcza teraz, kiedy Jade nie żyje. Biedna dziewczyna. Nie chciałem jej zabić...

Jego słowa zbiły mnie z tropu. Przecież miałem dowód, że tego nie zrobił.

– A zabiłeś?

Wasim usiadł na sofie i ukrył twarz w dłoniach.

– Zabiłem...

– Jesteś tego pewien?

– Przeze mnie nie żyje!

– To są dwie różne rzeczy – przekonywałem. – Nie jesteś bez winy, ale czy na pewno ty spowodowałeś wypadek?

– A co to za różnica? Jade umarła! Ja jestem mordercą!

– Wasim, weź się w garść, *habibi*... Śmierć Jade jest strasznie smutną sprawą, ale ja wiem, że to nie ty siedziałeś za kierownicą.

Kuzyn spojrzał na mnie z zaskoczeniem.

– Jesteś pierwszą osobą, która tak mówi. Nawet mój ojciec, mimo że oficjalnie poświadczył moją niewinność, jest przekonany, że ją przejechałem.

– I trudno mu się dziwić. Zasłużyłeś na opinię nieodpowiedzialnego hulaki, ale wiem, że nie jesteś mordercą...

– Braciszku, kochany jesteś, ale skąd możesz to wiedzieć? Nikt mi w to nie uwierzy. Samochód był mój, są w nim głównie moje odciski palców. Milion mandatów za zbyt szybką jazdę i złe parkowanie też nie pomaga.

– Prowadziłeś ten samochód po imprezie?

– Nie.

– Wiesz, kto go prowadził?

– Nie!

– Jest nagranie z monitoringu. Widać na nim, jak wychodzisz z apartamentu, a niedługo po tym z garażu wyjechało twoje bugatti. Co zatem robiłeś po wyjściu z imprezy?

– Wstyd się przyznać, ale byłem tak pijany, że obudziłem się na klatce schodowej jakieś dwie godziny później. Kiedy odzyskałem świadomość, byłem wściekły, czułem się poniżony. Rozkazałem służbie przygotować bagaże i samolot. Kilka godzin później byłem już w drodze do Emiratów.

– Sam? A co z przygłupami?

– Zijad przyleciał następnego dnia, a Abbas i Karim nadal są w Londynie. Kazałem im zostać i rozglądać się za dowodami w sprawie. Jak dorwę tego, kto ukradł Gisele... – Wasim na chwilę odzyskał swoją dawną werwę.

– Wybrałeś sobie idealnych ludzi do tej roboty – mruknąłem z ironią. – I jak wyniki śledztwa detektywów Karima i Abbasa?

– Na razie mierne. Nie wiadomo, kto wyprowadził Gisele z garażu, ale wszystko wskazuje na to, że to mógł być któryś z uczestników imprezy. Tylko że tam było kilkadziesiąt osób... Karim i Abbas uważają, że to jedna z tych suk złapała za kluczyki i potrąciła Jade, żeby mnie wrobić. Możliwe, że nawet były w zmowie, tylko sprawy wymknęły się spod kontroli. Moim zdaniem to najbardziej prawdopodobna wersja wydarzeń.

– Interesująca teoria, ale daleka od prawdy.

– Mówisz, jakbyś wiedział, co się wydarzyło...

– Bo wiem! Wiem, kto prowadził samochód i kto spowodował wypadek.

Sięgnąłem po kopertę, którą otrzymałem od Kate. Wasim otworzył ją, spojrzał na zdjęcie i pobladł.

Przez kolejne godziny w moim apartamencie panowała przejmująca cisza. Wasim siedział skulony na kanapie i milczał. Nie chciałem mu przeszkadzać, potrzebował chwili, by sobie to wszystko poukładać. W końcu się odezwał:

– Jutro idę na policję. Dzisiaj musimy jeszcze załatwić jedną sprawę. Będziesz miał coś przeciwko, jeśli poproszę Karima i Abbasa, by tu przyjechali?

Zgodziłem się. Wiedziałem, że Wasim będzie chciał się z nimi zobaczyć, a lepiej byłoby, gdyby się nie pokazywał na mieście.

Dwie godziny później przygłupy ściskały Wasima, pocieszając go w trudnych chwilach.

– Wszystko będzie dobrze, bracie. Na pewno złapią prawdziwego sprawcę.

– Wiem, wiem, chłopaki. Dzięki za wasze wsparcie. Mam tylko jedną prośbę. Czy moglibyście wywołać zdjęcia, które w dniu przyjęcia robiliście z dziewczynami? Mam wrażenie, że mogą nam się przydać. Może któraś z lasek się czymś zdradziła...

– Pewnie, bracie, nie ma sprawy. Robi się! – Karim zabrał się do działania.

– Załatwimy to do wieczora – zapewnił Abbas.

Faktycznie, już wieczorem Wasim miał w rękach kilkadziesiąt zdjęć z zamaskowanymi laskami w towarzystwie głupawego tygrysa i sokoła idioty.

– Kurczę... oglądam i oglądam, ale chyba nie ma tu żadnych tropów – powiedział samozwańczy detektyw Karim, po raz kolejny przerzucając foty. – Ja mam do tego nosa, ale tu nic nie widzę.

Tak naprawdę gdyby na zdjęciach były setki dowodów, Karim nie dostrzegłby żadnego, ale wcielał się w rolę detektywa powierzoną mu przez jego przyjaciela z estymą godną wyższej sprawy.

Gdyby nie braki w talencie i inteligencji, można by nawet odnieść wrażenie, że wie, co mówi.

– Nic się nie martw, w prawdziwym śledztwie trzeba sprawdzić każdy potencjalny ślad. W końcu natrafimy na ten właściwy. – Wasim uśmiechnął się, chyba po raz pierwszy od wielu dni.

– No mnie tego mówić nie musisz – oburzył się Karim.

– Idę jutro na policję złożyć zeznania – zapowiedział Wasim. – Pójdziecie ze mną, chłopaki?

– Pewnie, możesz na nas liczyć!

Na komisariat pojechałem taksówką razem z Wasimem. Na wszelki wypadek wchodziliśmy pojedynczo, najpierw ja, potem mój brat. Po chwili dołączyły do nas przygłupy. Media, przyzwyczajone do blichtru, jakim otaczają się szejkowie, nie spodziewały się, że kilku śniadych, nie najlepiej ubranych chłopaków to tak naprawdę osoby, na które czekają, a wśród nich najbardziej poszukiwany książę świata. Na dźwięk nazwiska Wasima policjant w dyżurce zesztywniał i przyspieszył ruchy. Niemal natychmiast pojawiło się przy nas dwóch innych funkcjonariuszy, którzy bardzo uprzejmie zaprosili nas dalej. Szliśmy długim korytarzem, przechodząc przez bramki, które otwierały się tuż przed nami i tuż za nami zamykały, aż dotarliśmy do sali przesłuchań. Wasim poprosił jednego z policjantów, by pozwolił mi wejść razem z nim.

– To niezgodne z procedurami – oświadczył policjant.

– Rozumiem, ale bardzo o to proszę. Choć na chwilę. To bardzo ważne dla dalszego biegu sprawy.

Policjant, zaintrygowany wytłumaczeniem, bez słowa otworzył drzwi przede mną i Wasimem. Karim i Abbas zostali na korytarzu. To przesłuchanie było bardzo krótkie i zostało zaprotokołowane ścisłą, rzeczową notką.

Nazajutrz w „Daily Mail" pojawiła się informacja:

„Książę Wasim oskarżony o spowodowanie śmiertelnego wypadku Jade Godall uwolniony od zarzutów. Prawdopodobni sprawcy wypadku są już w rękach policji.

Szejk Wasim zgłosił się wczoraj przed południem na komisariat policji. W trakcie przesłuchania ujawniono, że maska tygrysa, którą funkcjonariusze znaleźli na tylnym siedzeniu porzuconego po wypadku bugatti veyron, należała do Karima Abdula Amida, serdecznego przyjaciela księcia. Jak udało się nam ustalić, książę wszedł w posiadanie fotografii znalezionej na siedzeniu maski, a na komisariat zgłosił się z licznymi zdjęciami zrobionymi feralnego wieczoru na imprezie. Podejrzani pozują na nich z gośćmi. Jeden z mężczyzn ma na twarzy maskę tygrysa, identyczną jak ta znaleziona w samochodzie. W trakcie wypadku bugatti księcia miał też jechać Abbas Tiraki, widoczny na zdjęciach w masce sokoła. Policja przeszukała wczoraj znajdujący się nieopodal miejsca wypadku apartament w Mayfair zajmowany przez mężczyzn. Wśród ich rzeczy prywatnych znaleziono drugą maskę. Obaj mężczyźni przyznali się do winy i pozostają w areszcie".

Wasim był wolny. Nadal uważałem, że nie był zupełnie bez winy, ale przynajmniej wiedziałem, że nie był tak głupi, by po pijanemu polować na Jade na ulicach Londynu. Karim i Abbas za to właśnie ten sposób rozwiązania problemu ich księcia uznali za najwłaściwszy. Zawsze mówiłem, że przygłupy to dla nich najwłaściwsza ksywka, ale oni udowodnili, że ich głupota absolutnie nie zna granic. Byli żywym dowodem na to, że niektórzy ludzie potrafią utrzymać funkcje życiowe, będąc zupełnie pozbawionymi mózgu.

Wasim odwiedził ich w areszcie jeszcze przed zapadnięciem wyroku. Ich ostatnie spotkanie nie należało do miłych. Karim i Abbas wyjaśnili mu, że chcieli rozwiązać problem z szantażującą go Jade, postraszyć ją, by się odczepiła, ale Karim zbyt mocno przycisnął gaz.

– Niby w jaki sposób to miało rozwiązać problem? – zapytał Wasim. – Przejechaliście ją moim samochodem! Przecież to było jasne, że podejrzenie spadnie na mnie.

– Mieliśmy wziąć inny, ale Karim powiedział, że w ten sposób Jade od razu będzie wiedziała, od kogo ma się trzymać z daleka – argumentował Abbas. – A tak mogłaby to uznać za przypadek…

– Doskonale to wymyśliliście! – pochwalił z ironią Wasim, co Karim przyjął za dobrą monetę.

– Staraliśmy się, żeby dobrze wyszło.

– No to chyba nie wyszło!

– Ale pomożesz nam stąd wyjść…

– Wiecie, doceniam fakt, że chcieliście załatwić moją sprawę – odparł spokojnie Wasim, na co przestraszone przygłupy odetchnęły z ulgą. – Wasza troska jest godna prawdziwych przyjaciół, jest jednak jeden malutki problem. Oprócz tego, że jesteście nieprawdopodobnie głupi, to jeszcze nie widzieliście żadnego problemu w tym, że pójdę siedzieć za waszą zbrodnię. Bez mrugnięcia okiem kłamaliście, mataczyliście, nie mieliście skrupułów, wiedząc, co mi grozi… I właśnie dlatego, drodzy panowie, nie kiwnę w waszej sprawie małym palcem u nogi. Gnijcie za kratami. Mam nadzieję, że wyrok nie będzie łagodny.

Przygłupów sądzono w Wielkiej Brytanii, a ich proces był intensywnie relacjonowany przez media. Abbas dostał do odsiadki dwanaście lat, Karima skazano na czternaście. Dopiero niedawno opuścił więzienie. Nie pomogły prośby ich rodzin o wstawiennictwo. Mój ojciec odmówił wszelkiej pomocy i zakazał mi jakichkolwiek interwencji w tej sprawie. Wasim wkrótce po oczyszczeniu z zarzutów wrócił do kraju i rozpoczął przygotowania do ślubu. Wuj Ahmed wymusił na nim przyrzeczenie, że jak tylko sprawa z Jade się zakończy, Wasim ożeni się i ustatkuje. Trudno sobie wyobrazić bardziej dotkliwą karę. Jego często pozbawiony rozsądku styl życia coraz bardziej dawał się we znaki całej rodzinie. Młodzi, zepsuci bogactwem arabscy arystokraci są przyzwyczajeni do unikania odpowiedzialności za nawet najbardziej skandaliczne wybryki, a Wasim nie był wyjątkiem. Jednak wydarzenia w Londynie zaszły za daleko. Nie dość, że zginęła młoda, ciężarna kobieta, to cała sprawa groziła konfliktem dyplomatycznym. Wpłynęła na opinię o naszej rodzinie, o kraju. Wuj musiał to zakończyć, a Wasim poddał się jego woli. Myślę, że po raz pierwszy w życiu był naprawdę przerażony konsekwencjami swoich poczynań i wyglądało na to, że wyciągnął z tej lekcji naukę. On, arabski playboy, szastający pieniędzmi i przebierający w panienkach, miał poślubić wybraną przez jego ojca dziewczynę, której nawet nie znał. Brzmiało to nieprawdopodobnie i – dziś już to wiem – nie mogło się skończyć szczęśliwie. Ta decyzja doprowadziła do jeszcze większej tragedii. Anwar twierdzi, że to za sprawą klątwy Jade, ale ja nie do końca w to wierzę. Jeśli jednak tak było, na początku nic nie zwiastowało kłopotów. Chwilę po pogrzebie Jade Emiraty szykowały się do ślubu księcia.

ROZDZIAŁ 12
Wywiad

Minęło kilka godzin, a ja po raz kolejny zostałem zahipnotyzowany historią Abeda. Książę wymykał się wszelkim kategoriom, a jego opowieści zdawały się tylko to potwierdzać. Czas studiów spędził na szaleństwach, ale dalekie były one od tych, którym oddają się równie bogaci młodzi Arabowie. Kontrast pomiędzy nim a Wasimem był bardzo znaczący. Zastanawiałem się, jak to jest, że pochodząc z tej samej rodziny, są tak różni. Na pewno niemały wpływ na to miał sam sposób wychowania, ale to nie mógł być jedyny powód. Bardzo chciałem, żeby historia Abeda trwała, ale pragnąłem też na koniec napisać: „Żyli długo i szczęśliwie". Piękny, bogaty, dobry książę powinien się szczęśliwie zakochać. Życie to nie bajka, choć życie szejków często ją przypomina. Musiałem więc zapytać:

– A co z Kate? Spotkaliście się jeszcze? Wydawało mi się, że między wami zaiskrzyło…

Abed zaśmiał się i spuścił głowę. Odezwał się dopiero po chwili:

– Tak, spotkaliśmy się.

– Jeśli to trudny temat, nie nalegam.

– Trudnym tematom warto stawiać czoło, więc chętnie ci o tym opowiem. Ale już nie dziś…

– Będę zatem czekał na kolejną wiadomość.

– Dajmy już spokój tym konwenansom – zaśmiał się książę. – Namib jest czasami strasznym służbistą. Jutro w tej samej kawiarni o tej samej porze?

– Idealnie!

Abed zaproponował mi odwiezienie do hotelu, ale podziękowałem. Miałem głowę pełną myśli, które mógł uporządkować tylko długi spacer. Ruszyłem uliczkami Mayfair, kierując się na Brook Street. Gdy dotarłem w pobliże ambasady Argentyny, stanąłem, zamknąłem oczy i puściłem wodze wyobraźni. Smutna historia tego miejsca ponownie rozgrywała się w mojej głowie. Sugestywne szczegóły, z jakimi opowiadał Abed, sprawiły, że widziałem to tak, jakbym sam był świadkiem wypadku Jade. Śmiech, radość, a po chwili już tylko rozpacz, ból i krew na jezdni. Samochód z piskiem opon odjeżdżający z miejsca wypadku. Krzyk. Cichy jęk. Niebieskie światło bezszelestnie podjeżdżającej karetki. Granica pomiędzy wyobraźnią a rzeczywistością na chwilę zupełnie zniknęła. Poruszony poszedłem dalej, ale myśl o losie Jade nie opuściła mnie do końca dnia.

Nazajutrz czekała mnie następna porcja wcale nie mniejszych emocji. Książę Abed przyjechał do „naszego" Starbucksa punktualnie. Uśmiechnięty i serdeczny jak zwykle.

– Jak się masz? – spytał.

– Świetnie, dziękuję – odparłem. – Przyznam, że nie mogę przestać myśleć o historii Jade.

– I założę się, że w twoich przemyśleniach Wasim nie wypada najlepiej?

To prawda, ale nie chciałem tego powiedzieć. Wiem, że Wasim nie był bezpośrednim sprawcą śmierci Jade, jednak nie mogłem się pozbyć przeświadczenia, że to w zasadzie on ją spowodował.

– Nie musisz się krępować – kontynuował Abed. – Szczerze mówiąc, ja też uważam, że Jade zginęła nie bez winy Wasima. Bardzo bym chciał, by było inaczej, ale gdyby nie to, jak ją potraktował, dziewczyna na pewno wciąż by żyła, a ich dziecko byłoby dziś szczęśliwym nastolatkiem. Nie wydarzyłoby się też wiele innych okropnych rzeczy, które były następstwem tej koszmarnej nocy...

– Jakich rzeczy? – zainteresowałem się.

– To innym razem... Chciałeś spytać o Kate.

– Tak! Proszę, powiedz, że się w sobie zakochaliście i wasza historia miała happy end.

Abed zaśmiał się krótko, a potem odparł zamyślony:

– Zakochaliśmy się. Ja na pewno...

***

Zadzwoniłem do Kate krótko po aresztowaniu Karima i Abbasa. Chyba nawet tego samego dnia, którego ukazał się jej artykuł o oczyszczeniu Wasima z zarzutów.

– Redaktor Warwick? Czy zgodziłaby się pani na spotkanie w bardzo ważnej sprawie? – zapytałem zmienionym głosem, udając czytelnika, który dzwoni z tematem.

Ona jednak doskonale wiedziała, że to ja.

– Nie wiem... A cóż to za sprawa? – spytała ze śmiechem.

– Ważna. Chodzi o to, że... Okej, nie wiem, o co chodzi, ale wiem, że chcę cię zaprosić na randkę. Nie mogę o tobie zapomnieć – powiedziałem wprost niemal na jednym tchu.

Kate milczała przez dłuższą chwilę.

– Nie wiem, czy powinnam, książę... To nie byłoby fair.

– Jak to? – Nic z tego nie rozumiałem. – Nie byłoby fair wobec kogo?

– Wobec ciebie, książę...

– A więc dajesz mi kosza? Bolało!

– Nie, to nie tak... nie daję ci kosza. Tak naprawdę ja też nie mogę o tobie zapomnieć, ale to chyba nie powinno się wydarzyć.

– Czuję, że czegoś mi nie mówisz – drążyłem. – Jest ktoś ważny w twoim życiu?

– Nie, to zupełnie nie o to chodzi, ale... Dobra, spotkajmy się! Jutro w południe w tym samym Nero.

– Mówisz serio? – Ziemia na chwilę usunęła mi się spod nóg. – Wow! Wspaniale... Do zobaczenia, pani redaktor.

– Do zobaczenia, książę.

To było niesamowite. Przez chwilę myślałem, że pierwsza od lat dziewczyna, którą chciałem zatrzymać w swoim życiu na dłużej, jest poza moim zasięgiem. Bałem się, że jest już zajęta, a nasza wspólna przyszłość była wyłącznie moją projekcją, ale na szczęście tak nie było. Nie wiedziałem, z czego wynikał moment zawahania. Dlaczego Kate była przeświadczona, że nie powinna iść na tę randkę? Byłem jednak przekonany, że prędzej czy później i tak się tego dowiem, dlatego postanowiłem nie zatruwać sobie tym głowy i cieszyć się z nadchodzącego spotkania.

Czekanie na południe kolejnego dnia było udręką, ale gdy dobiegło końca, siedzieliśmy razem jak przed kilkoma dniami. Było zupełnie inaczej. Wtedy w moim życiu rozgrywał się jakiś koszmarny dramat. Nie wiedziałem, co mam zrobić, komu ufać. Mój brat oskarżany był o zabójstwo, a ja tym oskarżeniom mimowolnie wierzyłem. Jego ofiara walczyła o życie w szpitalu. Śledztwo było w toku, a media szalały. I choć finał tej sprawy okazał się daleki od szczęśliwego, siedząc po raz kolejny przed Kate, poczułem wyjątkowy spokój. To była fascynująca kobieta. Piękna w nieprawdopodobny sposób. Nie potrzebowała podkreślać urody strojem ani makijażem, by trudno było o niej zapomnieć.

Przyzwyczajony do plastikowych lalek z toną tapety na twarzy, teraz miałem przed sobą naturalnie piękną kobietę. Wprawdzie przykuła moją uwagę wyglądem, ale uwiodła mnie intelektem i osobowością. Chciałem ją mieć tylko dla siebie. Była pierwszą kobietą od czasów Anny, o której myślałem poważnie, choć tak naprawdę była pierwszą w ogóle, bo zauroczenie Anną było przecież wyłącznie przesadzoną hormonalną reakcją świeżo rozprawiczonego nastolatka. O Kate myślałem już jako mężczyzna.

– Dziękuję za to, co zrobiłaś w sprawie Wasima – odezwałem się. – To dzięki tobie ta sprawa skończyła się dla niego szczęśliwie.

– Chcesz powiedzieć, że dzięki mnie uniknął kary – odparła Kate z nutą rozgoryczenia.

– Chcę powiedzieć, że dzięki tobie policja ujęła prawdziwego sprawcę wypadku. A Wasim, wierz mi, wcale nie uniknął kary…

– Jak to? Jest wolny. Jestem pewna, że za chwilę wróci do swojego dawnego stylu życia i będzie niszczył kolejne dziewczyny…

– Raczej nie wróci. Wkrótce się żeni. Żonę wybrał mu ojciec. On nawet jej nie zna.

– Ha! To faktycznie idealna kara dla tego skurwysyna… Sama nie wymyśliłabym lepszej – skwitowała Kate z niekłamaną satysfakcją. Ta informacja ewidentnie poprawiła jej humor.

– Nie znosisz go, co? – zapytałem.

– Ująłeś to dość delikatnie. Pomogłam mu ze względu na ciebie i dlatego, że po prostu nie prowadził tego samochodu, ale nadal uważam, że to on jest winny śmierci Jade. Przez całe życie traktował kobiety przedmiotowo. Tamtego wieczoru musiał przeżyć ogromne, ale w pełni zasłużone upokorzenie. Szkoda tylko, że ta historia miała tak tragiczny finał i w zasadzie znowu on jest górą. Ale to nie potrwa długo. Widzisz, nie chciałam się z tobą spotkać, bo piszę artykuł o tym, co tak naprawdę działo się na słynnych imprezach Wasima. Milczące do tej pory dziewczyny, wykorzystywane tylko dlatego, że potrzebowały pieniędzy, których on ma w nadmiarze, po raz pierwszy zdobyły się na odwagę, by mówić otwarcie. Ja wysłuchałam ich historii. Artykuł ukaże się za trzy dni...

– Myślę, że cokolwiek powiedziały, to zdecydowanie ciekawszy materiał niż wywiad ze mną.

– Na publikację tamtego wywiadu z tobą może być już za późno. Rozmawialiśmy, gdy Wasim był podejrzanym, później sprawy potoczyły się w innym kierunku i trochę stracił sens.

– Nie powiem, żebym był tym faktem rozczarowany.

– Zawsze możesz mi udzielić kolejnego...

– Możemy ponegocjować.

– Jaka jest twoja cena?

– Zostawmy to na razie... Nie chcę, by zaproszenie na randkę było kartą przetargową. Nie chcę płacić za towarzystwo kobiety, która zawróciła mi w głowie.

– W takim razie jesteś chyba jedynym arabskim szejkiem, który nie płaci za kobiety. A z tym zawracaniem w głowie chyba przesadzasz.

– Na pewno nie jestem jedynym i ani trochę nie przesadzam.

– Książę, naprawdę nie powinnam...

– Ja uważam, że powinnaś.

– W takim razie chyba nie bardzo mam wyjście. – Kate uśmiechnęła się do mnie.

Byłem przeszczęśliwy. Szczerze mówiąc, w tamtym momencie nie obchodziła mnie reputacja Wasima. Przez wiele lat pracował na najgorszą opinię, a jeśli artykuł Kate miał pozwolić na oczyszczenie atmosfery i uporanie się z przeszłością, to zdecydowanie powinien się ukazać. Wtedy interesowała mnie wyłącznie jego autorka.

Zaraz po tym, jak się rozeszliśmy, ruszyłem do mojego apartamentu. Po drodze zadzwoniłem do Namiba, by dać mu instrukcje dotyczące wieczoru. Chciałem, by był magiczny.

Poszliśmy na kolację do Busaba Eathai w Soho, gdzie nawzajem karmiliśmy się słynnym tajskim zielonym curry. Przytuleni spacerowaliśmy małymi, urokliwymi uliczkami Covent Garden, Mayfair, aż do Knightsbridge. Po drodze złapał nas drobny letni deszcz, który dopełnił filmowej atmosfery. Jak na zamówienie.

Kate była niesamowitą kobietą. Każda chwila z nią była dla mnie warta fortuny, ale nie musiałem za nią płacić ani pensa. To było chyba moje największe szczęście. Nie wiem, jakim cudem udało mi się uniknąć pułapki, w jaką wpadało wielu bogatych chłopaków. Od początku swojego dorosłego życia są przyzwyczajani do tego, że uczucia się kupuje. Podświadomie czułem, że to najgorsza inwestycja z możliwych, nawet wtedy, gdy o uczuciach niewiele jeszcze wiedziałem. Byłem jednak pewny, że te kupione nie mogą być prawdziwe. Postanowiłem, że nigdy nie zaangażuję w miłość swojej fortuny, nawet jeśli będzie to oznaczało, że muszę się jej wyrzec. W tamtej chwili Kate nie była ze mną dla pieniędzy…

Przemoczeni weszliśmy do mojego mieszkania. Kate wprawdzie się opierała, chciała wracać, ale przekonałem ją, że powinna się osuszyć. Obiecałem też, że osobiście ją odwiozę, jak tylko wyschniemy. Wyglądała tak uroczo w mojej koszuli, dużo na nią za dużej. Pocałowała mnie pierwsza. Ja chybabym się na to nie odważył, bojąc się, że ją spłoszę. Reputacja, jaką Wasim wyrobił bogatym szejkom, nie działała na moją korzyść. Dlatego pierwszy krok ze strony Kate bardzo mnie ucieszył. A potem sprawy potoczyły się same. Spędziliśmy pół nocy, kochając się namiętnie. Odkryłem zupełnie nową stronę seksu. Dojrzałą. Smakował dużo lepiej, gdy zaangażowane były w niego uczucia.

Następnego dnia nie musiałem prosić o spotkanie. Spotkaliśmy się z Kate zaraz po jej pracy i nie mogliśmy się od siebie odkleić. Byłem w siódmym niebie, bo czułem, że kobieta moich marzeń odwzajemnia moje uczucia. Jednak gdy kolejnego ranka zamiast Kate na poduszce znalazłem kartkę, spadłem na ziemię, a moje marzenia roztrzaskały się w pył.

„Wybacz… to, co się stało… i to, co się stanie. Próbowałam to powstrzymać, ale nie potrafiłam. Od miłości do nienawiści jest tylko jeden krok. Wiem, że Ty jutro go zrobisz.

Kocham Cię

Kate".

Co ona znowu wymyśliła? Jakże mógłbym ją znienawidzić? Nie mogłem sobie wyobrazić, co musiałoby się wydarzyć, bym poczuł nienawiść do kobiety, którą kochałem coraz bardziej z każdą chwilą. Czy to oznacza pożegnanie? Dzwoniłem jak opętany, ale Kate nie odbierała moich telefonów. Po jakimś czasie odbijałem się już tylko od poczty głosowej. Dlaczego zniknęła tak nagle?

Odpowiedź dostałem już nazajutrz wraz z poranną lekturą „Daily Mail". Obowiązkowy punkt każdego dnia, od kiedy poznałem Kate. Myliła się. Nie znienawidziłem jej, ale tego dnia pękło mi serce. Tytuł na okładce krzyczał: „(Not so) innocent prince"*. Z przejęciem odszukałem artykuł wewnątrz gazety.

„Książę Wasim, należący do jednej z najbogatszych rodzin świata emiracki arystokrata i playboy, wkrótce ma się ożenić. Pałac szejka Muhammada Sajida ibn Jabala potwierdził

* Z ang. – (Nie tak) niewinny książę.

informację o ślubie bratanka władcy, który jeszcze niedawno oskarżany był o spowodowanie śmierci dwudziestoczteroletniej ciężarnej Jade Godall. Oczyszczony z zarzutów, ale czy faktycznie niewinny?".

Z dziewczynami, które poznały księcia Wasima podczas jego niesławnych imprez, rozmawiała Katherine Warwick. I nie była to miła rozmowa.

„Za spowodowanie wypadku Jade Godall sąd skazał przyjaciół księcia Wasima: Karima Abdula Amida i Abbasa Tirakiego na karę bezwzględnego pozbawienia wolności, ale wśród osób znających księcia osobiście jest wiele takich, które uważają, że szejk powinien dzielić z nimi ławę oskarżonych, a karę powinien ponieść nie tylko za śmierć Jade. Czym się naraził na taką opinię? Dziewczyny, które spotkały księcia Wasima, zdobyły się na odwagę i postanowiły wyjawić jego sekrety.

Alice, 23 lata, studentka medycyny z Cork

Po raz pierwszy spotkałam księcia Wasima na imprezie w Omanie. Poleciałam tam, absolutnie przerażona, po tym, jak w jednym z klubów powiedziano mi, że jeśli chcę, mogę na takim wyjeździe sporo zarobić. Zaczynałam wtedy studia i to był naprawdę trudny okres w moim życiu. Na pieniądze, które mi obiecano, musiałabym pracować prawie rok. Dla mnie to była fortuna. Do Omanu poleciałam z Jade i Cyntią. Dla Jade to był któryś z kolei wyjazd, a Cyntia tak jak ja była debiutantką i tak jak ja była absolutnie przerażona. Opowieści Jade nas uspokoiły. Powiedziała, że nie jest tak źle, ale lepiej nie odmawiać seksu. Oczywiście można, ale trzeba się liczyć z tym, że to będzie ostatni wyjazd, a kasa z niego nie będzie duża. Na lotnisku w Muskacie czekała na nas limuzyna, która zawiozła nas do hotelu Shangri-La. Byłam oszołomiona, zestresowana i podekscytowana tym wszystkim, co widziałam. Nigdy wcześniej nie miałam w dłoni szczerozłotej klamki ani nie myłam rąk wodą wypływającą z kryształowego kranu. Tego przepychu nie da się opisać słowami. Przynajmniej ja nie umiem. Po przylocie kazano nam się przygotować na spotkanie z księciem. Byłam zmęczona, ale Jade powiedziała, że nie jesteśmy tu na wakacjach i lepiej, żebym zrobiła wszystko, by się reanimować i zabłysnąć. Po około godzinie ja i Cyntia stałyśmy w olbrzymim jasnym salonie, pachnącym duszącym kadzidłem. Jade z nami nie było. To dlatego, że książę już ją znał, a nas musiał dopiero obejrzeć. Kazano nam stać. Pamiętam, że okropnie bolały mnie nogi, ale jakoś to zniosłam. Cały czas przypominałam sobie, że to niewielkie poświęcenie za kasę, którą mam tu zarobić. Przez dłuższą chwilę nic się nie działo, a gdy otworzyły się drzwi, do pokoju wszedł dostojny biały lew. Byłam przerażona. Cofnęłyśmy się z Cyntią o kilka kroków, absolutnie pewne, że przywieziono nas tu dla jakiejś chorej rozrywki psychopaty, który lubi patrzeć, jak jego lew pożera młode dziewczyny. Ale lew nie był nami zainteresowany. Po kilku leniwych krokach położył się na perskim dywanie, zupełnie nas ignorując. Za zwierzęciem do pokoju weszli dwaj ubrani na biało mężczyźni i stanęli po obu stronach drzwi, a chwilę po nich pojawił się młody chłopak w kremowo-złotej kandurze z białą chustą zamotaną na głowie. Był bardzo przystojny. Twarz miał pogodną, ale nic nie mówił. Podszedł do nas, przyglądając się każdemu szczegółowi. Obszedł nas dookoła, a my, zupełnie nie wiedząc, jak się zachować, stałyśmy jak wryte. Jeszcze raz zatrzymał się przed każdą z nas, po czym odszedł, mówiąc coś po arabsku.

W jego wypowiedzi jedynym słowem, jakie zdołałam zrozumieć, było „Cheryl". Wtedy jeszcze nie wiedziałam, czy zdałyśmy egzamin, ale okazało się, że książę Wasim był zadowolony z wyboru. Zostałyśmy zaproszone na imprezę. I dopiero ta okazała się wizytą w jaskini lwa.

Janine, 21 lat, modelka z Croydon

Moja pierwsza przygoda z księciem Wasimem miała miejsce w Londynie. To było kilka lat temu, kiedy stawiałam pierwsze kroki w modelingu. Atrakcyjne dziewczyny z Croydon zawsze chcą doścignąć ideał, czyli Kate Moss*, która pochodzi z naszej okolicy. Mnie oczywiście też marzyła się podobna kariera, ale ewidentnie gorzej trafiłam. Dostałam kontakt do Cheryl od mojego agenta, który powiedział, że jeśli chcę dorobić w czasie, gdy nie ma zleceń, mogę do niej zadzwonić. Nie zdradził nic więcej, ale Cheryl wyjaśniła mi wszystko. Ponieważ pójście na imprezę w Londynie nie wydawało mi się dużym ryzykiem, przyjęłam pierwsze zlecenie. Książę Wasim zaakceptował mnie na dość dziwnym castingu, na którym zachowywał się jak sopel lodu, ale na imprezie zdecydowanie się rozluźnił. Podszedł i od razu złapał mnie za krocze. Byłam w totalnym szoku, ale nie zareagowałam. Przestrzeżona, że lepiej się nie sprzeciwiać, i zupełnie zaskoczona, pozwoliłam mu na to. Nie zważając na ludzi dookoła nas, wsunął mi palec w pochwę, wyjął go i z perwersyjnym uśmiechem oblizał.

– Teraz ty – powiedział tylko, po czym pociągnął mnie do sypialni, gdzie w ułamku sekundy wyjął ze spodni penis i zmusił mnie, bym wzięła go do ust. Przytrzymywał mi głowę, zupełnie nie zważając na to, że się dławię. Im bardziej

* Brytyjska modelka, światowa ikona mody.

się dławiłam, tym bardziej zadowolony się zdawał. Łapałam powietrze przez nos, a on penetrował moje gardło. Marzyłam, by to się skończyło. Na szczęście nie trwało długo.

– Smakowało? – spytał, jakby właśnie poczęstował mnie jakimś przysmakiem.

Nie zareagowałam. Ledwo łapałam oddech.

– Smakowało?! – wrzasnął, a gdy przestraszona skinęłam głową, dodał: – No! To podziękuj!

– Dziękuję... – wyjąkałam, co ewidentnie sprawiło mu przyjemność, bo uśmiech wrócił na jego twarz.

Wciąż klęczałam na podłodze przy łóżku i bałam się ruszyć. On wstał i złapał mnie za włosy. Jęknęłam, przekonana, że zaraz mnie za nie pociągnie, ale on użył ich, by wytrzeć swój członek. Następnie schował go i wrócił do gości. To było najbardziej upokarzające doświadczenie, jakie przeżyłam, ale zrozumiałam, że właśnie o to chodzi. Historie innych dziewczyn potwierdziły później moje przypuszczenia. Książę Wasim jest psychopatą. Seks podnieca go tylko wtedy, gdy może poniżyć kobietę. Inaczej na niego nie działa.

Claire, 20 lat, studentka z Londynu

Przyjaźniłam się z Jade. Tamtej nocy, kiedy miała wypadek, byłam razem z nią na imprezie. Wyszłyśmy razem. Była lekko roztrzęsiona, ale w sumie szczęśliwa. Poszłyśmy jeszcze z kilkoma innymi dziewczynami do pubu uczcić swoje zwycięstwo. Tamtego wieczoru doszło na imprezie do awantury, podczas której Cheryl powiedziała publicznie, jaką świnią jest Wasim. I wtedy wszystkie dziewczyny wyszły solidarnie z jego apartamentu. Jade nie piła alkoholu. Była w ciąży i mimo okoliczności chyba nawet cieszyła się z tego, że będzie miała dziecko. To Wasim był jego ojcem, ale wyrzekł się go, czym potwierdził tylko, jakim jest szmaciarzem. Ja miałam z nim seks tylko raz. Akurat miał wtedy fazę na brunetki, a ja kiedyś byłam brunetką. Dopiero za radą Cheryl przefarbowałam się na blond. Wasim to straszny zboczeniec. Chciał, żebym błagała go, by mnie przeleciał. To było strasznie dziwne; prosiłam go, zgodnie z jego życzeniem, ale chyba niewystarczająco, bo w pewnym momencie złapał mnie za włosy i zaczął wrzeszczeć:

– Błagaj, dziwko! Chcesz mojej spermy! To najcenniejsza sperma na świecie! Chcesz jej, kurwo jebana!

A potem mnie zgwałcił. Tak, wiem, byłam tam z własnej woli i za kasę, ale to był gwałt. Z normalnym stosunkiem nie miał nic wspólnego. Zresztą on chyba nie potrafi uprawiać normalnego seksu. Wszystkie dziewczyny, z którymi rozmawiałam, wspominały o przemocy. Te, które następnego dnia po wizycie u Wasima miały siniaki i nie zdołały ich ukryć, natychmiast były opłacane i odprawiane. Jedna z najgorszych rzeczy, o jakiej słyszałam, spotkała Cyntię. Młoda laska. To był chyba jej pierwszy raz na wyjeździe. W Omanie. Nie chciała uprawiać seksu bez gumy. Wasim w ogóle nie używał prezerwatyw. Uważał, że to niegodne. Uważał swoją spermę za płynne złoto, był więc przekonany, że nie może przenosić żadnych chorób. O ewentualną ciążę też się nie martwił, bo dziewczyny musiały się zabezpieczać pigułkami, a jeśli jakakolwiek zaszła w ciążę, natychmiast załatwiano to szybkim zabiegiem i odpowiednią sumą pieniędzy. Mimo że Cyntia brała pigułki, chciała, by książę założył prezerwatywę. Nawet miała ją ze sobą. Na wycofanie się z seksu było już za późno. Podniecony Wasim stawał się człowiekiem, którego trudno zatrzymać. Na początku zwyzywał Cyntię, a potem zaświtała mu w głowie myśl, którą na nieszczęście tej biednej dziewczyny wprowadził w życie. Potulnie założył gumkę i zrobił swoje, a po wszystkim zdjął ją i zawiązał. Następnie ściągnął niczego niepodejrzewającą Cyntię z łóżka i rzucił na kolana. Stał nad nią jak kat.

– Popatrz na mnie, kurwo! Do góry! Patrz! Otwórz buzię… szeroko! Szerzej, kurwa! Teraz posłusznie to zjesz!

Włożył zużytą prezerwatywę do buzi dziewczyny, ale Cyntia zakrztusiła się i na swoje nieszczęście ją wypluła. Wtedy naprawdę się wściekł.

– O ty niewdzięczna suko… Powinnaś dziękować, a nie wypluwać. Zbieraj to z podłogi i połykaj!

Cyntia błagała o litość, ale bezskutecznie. Przyciskał jej twarz do podłogi, dopóki nie wzięła do buzi zużytej gumki. Wiedziała, że z nim nie wygra. Przez dłuższą chwilę starała się ją połknąć, a on pilnował jej z satysfakcją, aż to zrobiła. Potem uderzył ją w twarz, tak że omal nie straciła przytomności. Udawała jednak, że zemdlała. Nie przejął się. Ubrał się i wyszedł.

Po chwili po Cyntię przyszła służba. Godzinę później siedziała już na lotnisku z biletem do domu. Po powrocie do Anglii Cyntia miała operację. Z tego, co słyszałam, jest też pod opieką psychiatrów. Już dwukrotnie próbowała popełnić samobójstwo.

Te wstrząsające historie z książęcej alkowy to tylko fragment tego, co opowiedziały mi uczestniczki obrzydliwych orgii. Dziewczyny, które chciały poprawić swój byt, a wpadły w ręce psychopaty, który uważa, że za pieniądze można kupić absolutnie wszystko, łącznie z ludzkim życiem. Ja nie mam wątpliwości, że Wasim powinien odpowiedzieć za to karygodne postępowanie i za śmierć Jade Godall, ale okazuje się, że ma też swoich obrońców. Udało mi się porozmawiać z księciem Abedem, bliskim kuzynem szejka Wasima.

– Znam Wasima i wiem, że jest człowiekiem ceniącym dobrą zabawę, ale nie chce mi się wierzyć, że zrobił coś tak okropnego – powiedział. – Wasim jest niewinny. Kocham go jak rodzonego brata. Wychowywaliśmy się razem. Wiele mnie nauczył. Między innymi tego, jak postępować z kobietami.

Pozostaje zatem przypuszczać, że książę Wasim nie jest jedynym zepsutym pieniędzmi playboyem znad Zatoki Perskiej i że ma godnego następcę, którego dobrze wyszkolił. Piszę to ku przestrodze i w hołdzie Jade Godall, która przypłaciła zabawy księcia Wasima życiem".

Nie mogłem uwierzyć w to, co czytam. Historie z imprez Wasima przeraziły mnie. Zupełnie nie pasowały do mojego brata – słodkiego, opiekuńczego chłopaka, którego znałem od dziecka. Ale nie mogłem też zrozumieć, dlaczego Kate w tak okropny sposób zmanipulowała wywiad, który ze mną przeprowadziła. To wyglądało tak, jakby powykreślała niektóre zdania, by reszta zupełnie zmieniła znaczenie. Poza tym wywiad dotyczył przecież wypadku, o którego spowodowanie oskarżany był w tamtym czasie Wasim, a z treści artykułu wynika, że bronię jego stosunku do kobiet. Mało tego – chwalę się, że sam mam podobny! Przecież Kate wiedziała, że szanuję kobiety. Nie byłbym w stanie zrobić krzywdy żadnej z nich, a ją dosłownie nosiłem na rękach.

Chwyciłem za telefon. Nie spodziewałem się, że Kate odbierze, ale odebrała.

– Kate... dlaczego?

– Wybacz, próbowałam to powstrzymać...

– Ale dlaczego to napisałaś?

– Nie napisałam... Ja tylko spisałam wywiady z dziewczynami... To i tak nie ma teraz znaczenia... Przepraszam.

– W artykule jest też moja wypowiedź, i to kompletnie zmanipulowana.

– Wiem... Mój wydawca uparł się, żeby artykuł miał tezę, miał być przestrogą przed wszystkimi szejkami. Nie mogłam mu powiedzieć, że się znamy na gruncie innym niż tylko zawodowy. Podczas edycji wyciągnęli mój wywiad z tobą. Nie zdążyli go opublikować, bo akurat umarła Jade, a zaraz potem okazało się, że Wasim tamtej nocy nie prowadził samochodu, więc trochę stracił sens. Odkopali go, skrócili i dopasowali do mojego tekstu, ale to i tak moja wina. Przepraszam cię...

Po tych słowach Kate się rozłączyła. Musiała wyłączyć telefon, bo nie udało mi się już do niej dodzwonić.

Nigdy więcej nie znalazłem jej artykułu na łamach „Daily Mail". Namib dowiedział się, że ten tekst był jej ostatnim. Złożyła rezygnację z pracy i wyjechała z Londynu, ale ja nie mogłem o niej zapomnieć. Byłem załamany tym, co o mnie napisała, ale jeszcze bardziej tym, że zniknęła z mojego życia tak nagle. To spowodowało bardzo bolesną wyrwę w moim sercu, którą starałem się w jakiś sposób zasypać. Kate zniknęła z mojego życia, ale na szczęście to nie był ostatni raz, kiedy miałem z nią kontakt. Spotkaliśmy się po latach. I to znowu za sprawą Wasima. Ale to już zupełnie inna historia. Dziś mam wrażenie, że jej artykuł był w pewnym sensie samospełniającą się przepowiednią, bo kolejne lata mojego życia nie były wolne od błędów, których wolałbym nie popełnić. Jednak czasu nie da się cofnąć.

***

– Skoro mówimy o czasie, czas na mnie. – Książę wyrwał mnie z projekcji wydarzeń, o których opowiadał.

– Książę, chcesz mnie zostawić w takim momencie? – Nie było mi to w smak. – Co było dalej? Co masz na myśli, mówiąc o przepowiedni…

– To wszystko następnym razem. Jutro wyjeżdżam z Londynu, ale obiecuję, że to jeszcze nie koniec. Wkrótce się spotkamy. Tym razem organizację zostawię Namibowi, bo nie był szczęśliwy, że odstawiłem go na boczny tor. Czasami zachowuje się tak, jakbym ciągle miał siedemnaście lat. Do zobaczenia. – To mówiąc, książę Abed wyszedł z kawiarni.

ROZDZIAŁ 13
Ślub

Nie pozostało mi nic innego, jak czekać na kolejne spotkanie. Mimo że moja relacja z księciem Abedem była coraz bliższa, a dystans, który towarzyszył naszemu pierwszemu spotkaniu, znikał z każdą chwilą, nadal byłem na jego łasce. Była to jednak cena, którą chętnie płaciłem za jego opowieść. Wciąż nie rozumiałem, dlaczego zgodził się opowiedzieć mi to wszystko. Co pchało go do takiej szczerości? Przekonałem się jednak już nie raz, że w tym przypadku cierpliwość jest najlepszym doradcą i z czasem przynosi odpowiedzi nawet na najbardziej nurtujące pytania.

Ślubem Wasima interesowały się media na całym świecie. Nawet te, które nie wspomniałyby o nim w ogóle, gdyby nie skandal z Jade. Jedne złośliwie komentowały powody ożenku, uznając go, nie bez słuszności, za najbardziej okrutną, ale zasłużoną karę. Inne po prostu zachwycały się wszystkim, co związane było ze ślubem, relacjonując go w najdrobniejszych szczegółach.

Sama ceremonia była połączeniem tradycji z nowoczesnością. Zgodnie z beduińskim zwyczajem ślub trwał siedem dni i rozpoczął się od *al khouta* – ceremonii, podczas której ojciec pana młodego prosi ojca panny młodej o jej rękę. Oczywiście w przypadku Wasima była to wyłącznie formalność, bo ojcowie młodych już dawno porozumieli się w tej sprawie. Szejk Muhammad Ahmed ibn Jabal w porozumieniu ze swoim starszym bratem, szejkiem Sajidem, wybrali żonę Wasimowi i wynegocjowali warunki z jej ojcem. Miała nią zostać księżniczka Almas Al Hini, córka władcy jednego z sąsiednich emiratów.

Gdyby przeanalizować małżeństwa zawierane pomiędzy książętami z różnych emiratów, można w zasadzie bez większego ryzyka uznać, że rządzi tam jedna wielka rodzina. Najtrwalszy sojusz istnieje pomiędzy Dubajem i Abu Zabi. Najstarsza córka władcy Dubaju Manal Al Maktoum jest bowiem żoną szejka Mansoura Al Nahyana, brata emira Abu Zabi, a jej siostra Maryam poślubiła szejka Khalida Al Nahyana. Dubaj zadbał też o rodzinne relacje z emiratem Fudżajra. Jego koronowany książę, szejk Mohammed Al Sharqi, jest mężem Latify Al Maktoum, kolejnej córki dubajskiego władcy. Związki z Ras Al Khaimah wzmocnił ślub następcy tronu, szejka Mohammeda bin Sauda bin Saqra Al Qasimiego, z córką wiceprezydenta Dubaju, szejka Buttiego bin Maktouma bin Juma Al Maktouma. Dubaj za pomocą małżeństw dba też o relacje z innymi krajami Zatoki Perskiej. Shaikha bint Mohammed Al Maktoum, również córka władcy Dubaju, poślubiła Nassera bin Hamada Al Khalifa z rodziny władającej Bahrajnem. A sam szejk Mohammed Al Maktoum osobiście wzmocnił sojusz z Jordanią, za swą trzecią żonę biorąc jordańską księżniczkę Hayę bint Hussein.

W aranżowaniu ślubu księcia Wasima nie było zatem niczego dziwnego, choć dla samego pana młodego była to skrajna udręka. Zdawał się jednak robić dobrą minę do złej gry. W języku arabskim *nikah* – ślub ma jeszcze jedno znaczenie, określa się w ten sposób również stosunek płciowy. W potocznym języku pochodzące od niego słowo *nik* oznacza po prostu „pieprzyć". Jestem przekonany, że to właśnie to drugie znaczenie słowa *nikah* miał w głowie Wasim, gdy przystępował do szopki, jaką zaplanowano z jego udziałem. W tygodniu, w którym z niesfornego playboya miał się zmienić w przykładnego męża, widywany był publicznie po raz pierwszy od czasu afery w Londynie. Wyglądał na szczęśliwego. Uśmiechał się szczerze, podpisując *al akhd*, kontrakt małżeński, który tradycyjnie podpisywano na czterdzieści dni przed weselem (obecnie robi się to z reguły niecały tydzień przed nim). Wielką ulgą dla Wasima musiał być fakt, że jego przyszła żona, księżniczka Almas Al Hini, okazała się bardzo piękna. Wprawdzie nie przypominała dziewczyn, które kupował na swoje imprezy, ale była zdecydowanie warta grzechu. A Wasim grzeszyć lubił. To też zapewne było powodem jego dobrego humoru podczas ślubnego tygodnia. Gdy pojawił się w domu Almas z *addahbia* – tradycyjnym posagiem, wyglądał na absolutnie oczarowanego. Almas – drobna, urocza dziewczyna o pięknej, oliwkowej cerze i czarnych, lśniących włosach przez cały czas uśmiechała się nieśmiało, siedząc na zdobionym purpurowym atłasem fotelu po prawicy swojego ojca. Wasim przedstawiał prezenty. Specjalnie wykonane na tę okazję flakony znanych, drogich perfum. Wielka kryształowa butelka Flowerbomb Viktor & Rolf, z okuciem wykonanym ze szczerego srebra. Gigantyczny, blisko trzylitrowy, złoty flakon J'adore Yves Saint Laurent. Zachwycający zapach DKNY Golden Delicious we flakonie zdobionym trzema tysiącami kamieni szlachetnych tworzących panoramę Nowego Jorku. Tylko ten flakon kosztował milion dolarów, a nie zamykał listy. Był na niej również wykonany na specjalne zamówienie wielki flakon najdroższych perfum Baccarat Les Larmes Sacrées de Thèbes. Na świecie jest tylko sześć flakonów w oryginalnym rozmiarze i jeden powiększony, wykonany na zamówienie Wasima. Jeden mililitr tej cennej mieszanki mirry, kadzidła i egzotycznych kwiatów kosztuje około dwustu dolarów. W ukształtowanym w formę kryształowej piramidy flakonie przywiezionym przez Wasima były ponad dwa litry esencji. Po perfumach do salonu wjechały złote ramy z sukniami od najbardziej cenionych światowych projektantów, od Very Wang po Stellę McCartney. Zaraz za nimi weszło sześciu służących, ledwo widocznych zza lśniących pudełek z butami od Jimmy'ego Choo i Manolo Blahnika. Prezentację zamykały kosze kwiatów ustawione w półkole, tak by zamknęły stworzony przez prezenty krąg kosztowności. Wasim stanął w nim z oprawionym w barwioną na czarno cielęcą skórę etui z wytłoczonym napisem „Chopard Almas", które otworzył z dumą. W środku był olśniewający naszyjnik, wykonany z trzystu sześćdziesięciu pięciu brylantów najwyższej próby.

Wasim podszedł do Almas, a ta wstała, ukłoniła się i odwróciła tyłem, odgarniając włosy, by ułatwić swojemu przyszłemu mężowi założenie naszyjnika. Brylanty otuliły jej szyję, a środkowa część kolii spłynęła w kierunku jej piersi zachwycającą, lśniącą kaskadą.

– Jesteś wspaniałą ozdobą dla tego naszyjnika. Dopiero przy twojej urodzie zyskał właściwy blask – powiedział Wasim.

Almas zatrzepotała rzęsami, ale nie odezwała się słowem. Jej twarz nadal zdobił ten sam nieśmiały uśmiech.

Wasim ujął jej dłoń i wolnym krokiem oprowadził po okręgu stworzonym przez jej *addahbia* – obietnicę życia w szczęściu i dostatku. Traktował ją jak prawdziwą królową, jakby małżeństwo było wszystkim, na co w życiu czekał. Ta przemiana była niewiarygodna. Choć z drugiej strony nauczka, jaką odebrał w ciągu ostatnich miesięcy, dawała nadzieję, że Wasim naprawdę się zmienił.

Zanim Almas została jego żoną, czekał ją jeszcze wieczór panieński – *layat al hennaor*, podczas którego jej dłonie i stopy pokryły niezwykle zdobne ornamenty namalowane henną.

Oczywiście nie był to jedyny element imprezy, bo odbywający się w ściśle damskim gronie wieczór obfitował w zabawę, tańce i rewię najdroższych kreacji, które kobiety, obleczone na co dzień w czarne abaje, nie bez dumy prezentowały na parkiecie. Zaraz po *layat al hennaor* przyszedł czas na Wasima i ceremonię *al aadaa*. Tu krewni i przyjaciele ze strony Almas żądali tradycyjnego wykupu. Z tym oczywiście nie było problemu. Wasim płacił hojnie i w złocie. Zgodnie ze zwyczajem ta część ceremonii powinna się zakończyć pochodem do domu panny młodej, ale właściciele samochodów wartych grube miliony dolarów nie chodzą zbyt chętnie. Tego wieczoru z garażu Wasima wyjechały wszystkie auta, tworząc robiący niebywałe wrażenie szpaler. Wasim zdawał się naprawdę świetnie bawić.

Wreszcie nadszedł najważniejszy dzień w ślubnym tygodniu – *nikah*, ceremonia ślubna prowadzona przez niezwykle szanowanego islamskiego uczonego w piśmie *mullah*[*], wielebnego Altafa Khana. A ślub… ach, cóż to był za ślub! Zaproszono blisko sześćset osób, a wśród nich znaleźli się przedstawiciele rodzin królewskich z całego Bliskiego Wschodu, biznesmeni, gwiazdy filmu, muzyki, modelki. Ceremonia odbyła się w jednym z najbardziej ekskluzywnych hoteli świata – zachwycającym przepychem Waldorf Astoria w Ras Al Khaimah. Hotel, malowniczo położony tuż nad brzegiem zatoki, przypomina pałac sułtana – zdobiony bliskowschodnimi ornamentami, utrzymany w kolorach złocistego beżu przypominającego pustynny piasek, z elementami szafiru wkomponowanego w całość z precyzją godną wytrawnego jubilera. Idealna sceneria, by rozpocząć szczęśliwe, bajkowe życie.

Po tygodniu składania hołdu tradycji ta część uroczystości zdawała się ją porzucać. Choć w dalszym ciągu uroczystości

[*] Z arab. – mistrz, lider meczetu, kleryk.

podzielone były na wesele dla kobiet i osobne dla mężczyzn, obie utrzymane były w bardzo nowoczesnym tonie. Wasim i Almas przyjechali do hotelu razem, witani wiwatami przez wszystkich zebranych. Almas, ubrana w inkrustowaną blisko dwoma tysiącami kryształów Swarovskiego* suknię projektu Very Wang**, wyglądała absolutnie zjawiskowo. Kosztująca półtora miliona dolarów kreacja w formie była raczej skromna, ale każdy ruch panny młodej powodował, że kryształy odbijały światło słoneczne, co sprawiało wrażenie, że wokół Almas rozsypano księżycowy pył. Pan młody włożył tradycyjną kandurę, choć daleką od zwykłego ubrania. Pięknie skrojona, uszyta była z czystego dwudziestoczterokaratowego złota wartego sześćset tysięcy dolarów. Jej założenie było nie lada wysiłkiem, bo sama w sobie ważyła prawie dziesięć kilogramów. Para wyglądała nierealnie, wprost baśniowo.

Po przywitaniu z gośćmi państwo młodzi rozdzielili się, by dołączyć do weselników w osobnych salach. Gdy impreza zaczęła się rozkręcać, w damskiej sali ogłoszono przybycie pana młodego. To znak dla tradycyjnych kobiet, by włożyły abaje. Wielkie, lakierowane na biało drzwi otworzyły się ze świstem. Zdawał się on przygrywką dla orkiestry idącej na czele pochodu, który wkroczył do sali. W środku korowodu szedł Wasim, otoczony najbliższymi członkami rodziny, braćmi... Był też książę Abed. W dłoniach trzymali skromnie zdobione laski, z którymi Arabowie z tego regionu tańczą, kołysząc się na boki w rytm wybijany przez bębny. Gdy pochód stanął, książę Wasim wystąpił do przodu i podszedł do Almas. Przyszedł czas na fotografie. Młodzi zasiedli

* Najpopularniejsza na świecie marka słynąca z produkcji luksusowych kryształów.

** Amerykańska projektantka chińskiego pochodzenia, światową sławę przyniosły jej projekty sukien ślubnych dla gwiazd. Suknie jej projektu miały na sobie w dniu ślubu m.in. Victoria Beckham, Ivanka Trump, Jennifer Lopez czy Kim Kardashian.

na złotym szezlongu obitym kremowym jedwabiem. Najpierw pozowali sami, po czym dołączali do nich członkowie rodziny. Rodzice, rodzeństwo, przyjaciele, znajomi. W sali panowało wesołe zamieszanie – do czasu, gdy uznano, że w zasadzie wszyscy goście zostali uwiecznieni na fotografii i pora wrócić do zabawy. Mężczyźni opuścili salę, tym razem nie formując już zwartego szyku, i reszta nocy przebiegła tak, jak można się tego spodziewać po dobrej weselnej imprezie – na tańcach, jedzeniu i piciu.

Menu było bardzo tradycyjne, typowo arabskie. Oprócz kilkunastu rodzajów *hummusu** był oczywiście obowiązkowy *falafel***, również podany w kilku wersjach. Nie mogło zabraknąć najpopularniejszej w tej części świata sałatki *tabouleh*, która w tradycyjnym wydaniu łączy kaszę bulgur, miętę, pietruszkę, cebulę, ogórki i pomidory. Goście mogli się zajadać doskonałym *baba ghannouj**** i świeżo pieczoną pitą, a na deser podano niezliczoną liczbę rozmaitych rodzajów *baklavy***** i *lokum******. To tylko krótkie podsumowanie tego, co trafiło na stoły weselników, bo nietrudno się domyślić, że na jedzeniu nie oszczędzano. Oszczędzano za to na piciu. Tutaj oczywiście powodem był nie tyle budżet, co przywiązanie do religii, która picia alkoholu zakazuje, choć ci goście, którzy bardzo potrzebowali wspomagacza zabawy, w hotelu takim jak Waldorf Astoria z pewnością nie mieli problemu ze znalezieniem wysokoprocentowych napojów.

* Popularna na Bliskim Wschodzie pasta z cieciorki, tahini, czyli pasty sezamowej, oliwy z oliwek, czosnku i soku cytrynowego, serwowana z różnymi przyprawami.

** Smażone w głębokim oleju kulki z cieciorki, cebuli i przypraw.

*** Pasta ze zmiksowanego bakłażanu, soku cytrynowego i tahini.

**** Bardzo słodki tradycyjny deser podobny do wypieku z ciasta francuskiego, często pieczony z orzechami pistacjowymi, kwiatami pomarańczy albo wodą różaną.

***** Znane również jako *turkish delight*, uwielbiane na Bliskim Wschodzie, zrobione z cukru i mąki ziemniaczanej.

A noc poślubna? Cóż, na ten temat w mediach wzmianek nie ma, ale Wasim wyglądał na oczarowanego Almas, więc jest duże prawdopodobieństwo, że była gorąca. Natomiast fakt, że dopiero po kilku latach para doczekała się potomka, mógł świadczyć o tym, że ich namiętność nie skończyła się – jak to zazwyczaj w przypadku kobiet Wasima bywało – na jednej nocy. Książę Wasim, playboy, hulaka, uwodziciel, został przykładnym mężem. Przyjął rolę, od której uciekał przez całe dotychczasowe życie. Wszyscy mu gratulowali, ojciec i wuj wybaczyli, a błędy z przeszłości zaliczyli na karb młodości. Nie wiedzieć czemu ta nagła przemiana wydawała mi się nieprawdopodobna. Może gdybym nie znał treści artykułów Katherine Warwick, tych koszmarnych historii dziewczyn, które miały pecha go spotkać, byłoby mi łatwiej w nią uwierzyć. Podejrzewałem jednak, że to tylko rola, którą przyjął, by uspokoić wszystkich dookoła, może nawet by odkupić grzechy, ale z pewnością nie po to, by już nigdy więcej nie grzeszyć. Moją tezę mógł potwierdzić wyłącznie książę Abed. Ale na jego kolejną opowieść przyszło mi jeszcze chwilę poczekać.

ROZDZIAŁ 14

Lot

Mail od Namiba przyszedł miesiąc później. Dokładnie taki jak poprzednio. Krótki. Oficjalny. Konkretny. Punktualnie o dziewiątej stałem przed wejściem do Mall of The Emirates od strony hotelu Kempinski, oczekując na dalszy bieg wydarzeń. Oczywiście jak zwykle nie wiedziałem, co mnie czeka. Nie czułem już strachu, po prostu nie mogłem się doczekać. Abed zawsze na nasze spotkania wybierał miejsca symboliczne. Na początku chciał, bym poznał go jako prawdziwego szejka, zapraszając mnie do swojego pałacu. Później poznałem go jako zwykłego faceta, który nie ma problemu z wyskoczeniem na kawę do Starbucksa. Teraz mieliśmy się spotkać w miejscu nie mniej znaczącym.

Kilka minut po umówionym czasie pod hotelem zatrzymał się czarny maybach xenatec – zachwycające, warte sporo ponad półtora miliona dolarów połączenie futuryzmu i klasyki w najlepszym wydaniu. Zza kierownicy wysiadł Namib. Podszedł i przywitał mnie serdecznie, zapraszając do samochodu.

– Miło cię widzieć – powiedział, kierując auto na zjazd w kierunku Jumeirah Beach.

– Cała przyjemność jak zwykle po mojej stronie – odparłem najzupełniej szczerze. Spotkania z księciem faktycznie były do tej pory niezwykle przyjemne i pełne niekłamanej ekscytacji. – Dokąd dziś?

– Cierpliwości – rzucił spokojnie Namib.

Łatwo było mu mówić. Sam doskonale wiedział, dokąd jedziemy, zapewne znał też wszystkie historie z życia Abeda, które dla mnie wciąż pozostawały tajemnicą. Ja tymczasem czułem się jak dzieciak w drodze do Disneylandu – każda chwila wydawała mi się wiecznością.

Nie minęło dziesięć minut, a samochód się zatrzymał.

– Tutaj mamy przesiadkę – oznajmił Namib.

Przesiadkę? Okolica nie wyglądała na miejsce przesiadek, raczej na destynację samą w sobie. Mimo wielu lat spędzonych w Dubaju po raz pierwszy byłem tak blisko słynnego hotelu Burj Al Arab*. To jeden z najbardziej znanych budynków na świecie i wciąż niekwestionowany symbol Dubaju, ale z bliska wygląda zupełnie inaczej niż na pocztówkach, zdjęciach czy filmach. Jego minimalistyczna bryła, przypominająca rozpięty na wietrze żagiel, kryje w sobie niesłychany przepych. Miejscami przypomina on tandetne dekoracje teatralne, ale jednego można być pewnym – nawet jeśli gust akceptujących projekt pozostawia sporo wątpliwości, oni na pewno ich nie mieli, wydając na jego realizację miliony, a w zasadzie miliardy dolarów. Trzy miliardy dolarów – tyle kosztowała budowa tego siedmiogwiazdkowego, najbardziej luksusowego hotelu na ziemi.

Już od chwili przekroczenia progu poczułem się, jakbym wszedł do zupełnie innego świata. Uderzył mnie przyjemny, pachnący wonnym kadzidłem chłód. Przy drzwiach w szpalerze stały cztery osoby. Jedna z dwóch kobiet, ubranych w gustowne bordowe

* Stojący na sztucznej wyspie, położonej 280 m od dubajskiej plaży, siedmiogwiazdkowy hotel, oddany do użytku w 1999 r., jest jednym z najbardziej rozpoznawalnych symboli Dubaju.

garsonki ze złotymi zdobieniami, podała mi gorący biały ręcznik. Zanim zdążyłem go rozłożyć, na mojej dłoni pojawiła się kropla żelu, zaaplikowana przez drugą kobietę z pięknej, szafirowo-złotej butelki. Wtarłem żel w dłonie, wytarłem ręcznikiem i podszedłem do kolejnej osoby w rzędzie, mężczyzny w czarnym garniturze. Trzymał w dłoni złotą tacę, na której z wielką precyzją ułożono dorodne daktyle. Kolejny miał na sobie białą kandurę; ze złotego dzbana nalewał do porcelanowych filiżanek słodki, pomarańczowy sok. Byłem pod nieprawdopodobnym wrażeniem gościnności i uwagi, jaką obdarowywano każdego, kto wstępuje w progi tego hotelu.

Spojrzałem w górę. Każde z pięter budynku było misternie uformowane w kształt przypominający białą pianę morskich fal. Przestrzenie pomiędzy nimi, podświetlone zielononiebieskim światłem, potęgowały nadmorski charakter wnętrza. Fale pięły się na wysokość sześćdziesięciu pięter i spływały w dół, wspierane potężnymi złotymi filarami. Szum fontanny, delikatnie sącząca się tradycyjna muzyka i lekki gwar dopełniały niezwykłej atmosfery tego miejsca.

Namib ewidentnie zauważył, że jestem absolutnie oczarowany.

– Robi wrażenie, co?

– Nieprawdopodobne... Rozmachu w Dubaju nie brakuje.

– Nie tylko Dubaj ma taki rozmach – odparł w dziwny sposób. Nie mogłem wyczuć, czy poczuł się urażony, czy może miał na myśli coś zupełnie innego. – Wkrótce się o tym przekonasz – dodał.

A zatem Burj Al Arab nie był kulminacją dzisiejszego dnia.

Podążając za Namibem, wsiadłem do bogato zdobionej złotem windy, a ta po chwili łagodnie ruszyła w górę. Towarzyszący nam hinduski boy hotelowy uśmiechał się bez przerwy, jakby był to naturalny wyraz jego twarzy. Próbowałem odwzajemnić ten uśmiech, ale nie byłem w stanie utrzymać go na twarzy tak długo, dlatego by uniknąć niezręczności, udawałem, że się rozglądam. Jakkolwiek dziwnie to brzmi, w Burj Al Arab nawet winda jest zapierającym dech w piersiach popisem przepychu. Sądząc po ilości złota użytego, by wykończyć wnętrza tego hotelu, musiało nad nimi pracować wielu nie tyle budowniczych, co jubilerów.

Winda zatrzymała się na samym szczycie budynku. Wyszliśmy na dach. Uderzyło mnie przyjemnie gorące powietrze zmieszane z morską bryzą. Moim oczom ukazało się okrągłe lądowisko dla helikopterów. Widoczne z daleka wygląda bardzo skromnie, teraz jednak robiło olbrzymie wrażenie. Właśnie w tej chwili lądował na nim duży helikopter. Cały w kolorze antracytu, idealnie wypolerowany, połyskujący w słońcu, ze złotym logo na ogonie. Wyglądał, jakby przyleciał po Bonda. Ale przyleciał po mnie. Gdy helikopter usiadł na lądowisku, Namib pokazał mi, bym poszedł przodem. Wszedłem po białych metalowych schodach na płytę lądowiska. Stojący przy wejściu do wnętrza helikoptera przystojny Libańczyk w garniturze, ze słuchawką w uchu, gestem zaprosił mnie do środka. Hałas uniemożliwiał rozmowę. Namib wsiadł tuż za mną, a chwilę potem helikopter poderwał się i ruszył w kierunku Palm Jumeirah. Dubaj z lotu ptaka robi niesamowite wrażenie, ale odkrywa też skrywaną przez wszystkich tajemnicę. To w dalszym ciągu nie jest miasto, tylko gigantyczna pustynia z siecią autostrad i kilkudziesięcioma wysokimi budynkami. Reszta to połacie piasku, gdzieniegdzie usiane barakami, w których mieszkają budowniczy, sprowadzani tu w setkach tysięcy z najbiedniejszych krajów Azji i Afryki. Filmy reklamowe, foldery, katalogi pokazują z reguły to, co w Dubaju zachwycające i godne uwagi – nieprawdopodobne dzieła architektury, oszałamiające konstrukcje, budynki, bogactwo... Turyści również uwieczniają tylko to, bo kto by filmował baraki? W efekcie Dubaj jest jedną z największych mistyfikacji świata, okrzyknięty cudem na pustyni długo przed tym, zanim się nim stanie. Ale wystarczy tego sceptycyzmu, trzeba oddać sprawiedliwość, że wizja szejka Rashida bin Saeeda Al Maktouma* i jego syna, aktualnego władcy Dubaju, Mohammada, w ciągu zaledwie czterech dekad obróciła niewiele znaczący stan nad Zatoką Perską w rosnącą potęgę. Marzenia zaczęły się długo przed odkryciem u wybrzeży Dubaju złóż ropy. Zanim do tego doszło, Dubaj budował swoją potęgę na handlu. W latach pięćdziesiątych ubiegłego wieku szejk Rashid, wbrew swoim doradcom, ściągnął do emiratu zachodnie firmy, które rozpoczęły budowę infrastruktury elektronicznej, telefonicznej, zmodernizowały i zbudowały pierwsze lotnisko, a w zasadzie jeden krótki betonowy pas startowy z małą, przypominającą kurnik budką. Dziesięć lat później był tu już asfaltowy pas, a w kolejnej dekadzie powstał pierwszy prawdziwy terminal obsługujący pasażerów latających do kilkunastu destynacji. Dzisiaj w tym miejscu znajduje się międzynarodowe lotnisko, trzecie pod względem liczby obsługiwanych pasażerów na świecie, i baza największych na świecie linii lotniczych Emirates. Lotnisko stało się oknem na świat i głównym motorem rozwoju, ściągając turystów i imigrantów rozmaitych profesji, budujących dzisiejszy dobrobyt tego miejsca.

– Nie jesteśmy już w Dubaju – zauważyłem lekko zaniepokojony, gdy miasto zniknęło z zasięgu mojego wzroku.

– Słuszna uwaga – powiedział z uśmiechem Namib. – Właśnie przelatujemy nad wodami terytorialnymi Ajmanu.

– A dokąd lecimy?

– Wylądujemy za około dwadzieścia minut. Jeszcze chwila cierpliwości.

* Czczony ojciec obecnego władcy Dubaju, wizjoner, który zapoczątkował wyjątkowy rozwój tego emiratu. Urodzony w 1912 r., zmarł w 1990. Dubajem rządził przez 32 lata.

Wiedziałem, że nie wycisnę z Namiba żadnych dodatkowych informacji, więc zająłem się obserwacjami. Z lotu ptaka Ajman – najmniejszy z emiratów, wyglądał, jakby ktoś skurczył Dubaj i wymazał jego wyspy. Wkrótce wlecieliśmy w przestrzeń powietrzną Umm al-Kajwajn – kolejny emirat pod względem rozwoju pozostający daleko w tyle za Dubajem. Zaczynałem rozumieć, dlaczego Dubaj uważany jest za tak niezwykłe miejsce, po prostu przegonił sąsiadów o kilka dekad. Dzisiaj niemal każdy z emirów zapowiada budowę wyspy u swoich wybrzeży albo inwestycję w jakiś architektoniczny cud, licząc na przeciągnięcie zainteresowania w swoją stronę, ale zdaje się, że na zwycięstwo z niekwestionowanym liderem nikt nie ma szans. Helikopter przechylił się w prawo. Znaleźliśmy się bezpośrednio nad zatoką. Straciłem ląd z zasięgu wzroku. Poczułem, jak powoli zniżamy pułap. Lecieliśmy coraz niżej, wciąż utrzymując się nad wodą. Dopiero gdy byliśmy dosłownie kilka metrów nad ziemią, zobaczyłem pas nadmorskiej plaży.

Chwilę później wylądowaliśmy na pięknie przystrzyżonym, soczyście zielonym trawniku. Byłem tu po raz pierwszy w życiu, ale od razu rozpoznałem to miejsce. I od razu wiedziałem, że to tu spotkam się z Abedem. Zachwyciło mnie, jak doskonale to wszystko wymyślił. Wylądowaliśmy na terenie Waldorf Astoria w Ras Al Khaimah. To tu odbyło się wesele Wasima i Almas. Opisy i zdjęcia ślubne, które widziałem w prasie, nie były w stanie w żadnym stopniu oddać prawdziwej atmosfery tego miejsca. Czułem się tak, jakby ktoś wrzucił mnie w sam środek bajkowego snu. Stałem oniemiały naprzeciwko monumentalnej budowli, stylizowanej na bliskowschodni pałac, choć dość nieregularnej w kształcie. W jej centralnym punkcie umieszczona była wysoka wieża, u szczytu ścięta na płasko. Odchodzące od niej skrzydła zwieńczono kopułami. Niezliczona liczba okien, balkonów i kolumn tworzyła z daleka mozaikę znaną z najpiękniejszych arabskich pałaców. Tonący w słońcu hotel, otoczony soczystą zielenią trawników, klombów i palm, na tle skalistych wzgórz sprawiał piorunujące wrażenie.

– Jesteśmy na miejscu – oznajmił Namib, zanim zdążyli do nas dobiec pracownicy hotelu.

Dwóch elegancko ubranych Hindusów powitało nas i zaprosiło do środka, ale Namib zatrzymał ich, mówiąc, że dotrzemy tam wkrótce. Zdziwiło mnie to, jednak już chwilę później wiedziałem, dlaczego to zrobił. Namib zatrzymał się i obrócił w stronę plaży. Zaciekawiony spojrzałem w tym samym kierunku.

W naszą stronę galopowały dwa konie. Jednym z nich była piękna młoda kasztanka. Jej jeźdźca rozpoznałem od razu. Trzeba przyznać, że książę Abed potrafił zadbać o epickie, iście filmowe wejście. Na drugim, perłowobiałym wierzchowcu siedziała piękna blondynka. W pewnym momencie konie się zatrzymały. Dziewczyna podprowadziła swojego rumaka, tak by dosięgnąć ust księcia. Pocałowała go i odjechała w kierunku, z którego oboje przybyli. Książę tymczasem podjechał do nas i zeskoczył z konia w mistrzowskim stylu.

– Witaj, przyjacielu! – zawołał, przytulając mnie i klepiąc po plecach.

– Książę… to kolejny zaszczyt…

– Nie bawmy się w konwenanse. Cieszę się, że jesteś. Mam nadzieję, że tym razem nie wystraszyliśmy cię zbytnio.

– Absolutnie nie. Oczywiście byłem totalnie zaskoczony, ale to było nieprawdopodobne!

– Cieszę się, że ci się podobało.

– Czy to Silvia? – Wskazałem na konia, którego książę trzymał za uzdę.

– Niestety nie, staruszka odeszła już od nas. Ale to jej córka, Księżniczka Czardasza.

– Wow! Książę! Cóż za perfekcyjny polski – pochwaliłem jego niemal idealną wymowę.

– To wszystko, co potrafię powiedzieć w twoim języku. Ale mimo że Księżniczka urodziła się w Emiratach, zasługuje na to, by uczcić jej dziedzictwo.

– Twoje podejście do koni jest niezwykłe.

– Wiesz, co zawsze mówię... Allah stworzył wiele pięknych rzeczy, ale najbardziej udały mu się konie i kobiety.

– Widziałem, że dziś zdecydowanie towarzyszyły ci nie tylko konie. Mogę zapytać...

– ...kim jest ta dziewczyna? – zaśmiał się Abed. – Zostawmy to na później. Zepsułbym ci całą radość ze słuchania ciągu dalszego mojej opowieści.

– Albo jeszcze bardziej ją podsycił...

– Tak będzie lepiej.

– Oczywiście, książę.

Abed oddał lejce Księżniczki Czardasza służbie. Powoli ruszyliśmy alejką prowadzącą do wejścia do hotelu, rozmawiając o drobiazgach, wymieniając uprzejmości. Nie chciałem rozpoczynać tematu Wasima w takich warunkach. Czułem, że ta opowieść zabierze nam sporą część dnia. Wolałem zaczekać.

W hotelowym lobby rozstaliśmy się. Abed udał się do swojego apartamentu, by się odświeżyć, a ja zostałem ponownie oddany w ręce Namiba, który zaprowadził mnie do mojego pokoju. Oczywiście jako gość szejka nie mogłem zajmować zwyczajnego pokoju, o ile takowe w ogóle istnieją w tym hotelu. Wielki, przestronny apartament utrzymany był w kolorach kremowego budyniu z delikatnymi szafirowymi akcentami – ulubiona kombinacja kolorystyczna projektantów wnętrz tej części świata, symbolizująca arabskie przywiązanie do złotego piasku i błękitu wód Zatoki Perskiej, którą mogłem podziwiać przez wielkie okna. Iście królewskie łoże kusiło i onieśmielało jednocześnie. Rzuciłem się na białą, pachnącą pościel i zamknąłem oczy. W głowie wirowały mi wydarzenia tego poranka. Wrażenia, jakie zafundował mi Abed, były jednak niczym w porównaniu z historią, którą już godzinę później zaczął opowiadać.

Spotkaliśmy się w prywatnej sali jednej z hotelowych restauracji. Przygotowano ją tak, jakbyśmy mieli spędzić tu kolejny tydzień. Ciasta, baklawy, owoce, przekąski, misternie poukładane na stołach pod jedną ze ścian, pozwoliłyby wykarmić dwie drużyny piłkarskie, i to po wyczerpującym meczu. To był znak gościnności, jaką nieustająco okazywał mi szejk Abed. Z jednej strony uznawałem to za zbędną wystawność, kierowany polską praktycznością, z drugiej jednak doceniałem jego uprzejmość.

– Zachwycające miejsce, książę.

– Prawda? Ten hotel to prawdziwa perła.

– A skąd pomysł, byśmy spotkali się właśnie tutaj?

– Wiem, że chcesz poznać ciąg dalszy historii Wasima, a ja bardzo chcę ci ją opowiedzieć. To tutaj po raz ostatni widziałem mojego brata uśmiechniętego naprawdę szczerze. Ten hotel dobrze mi się kojarzy...

– To było podczas jego wesela? Później już się nie uśmiechał? Co się stało? – dopytywałem.

– Pewnie się uśmiechał, ale ja już nigdy nie miałem okazji tego zobaczyć. Wyjechałem wkrótce po weselu, a później wydarzyło się to, co moja siostra Anwar nazywa klątwą Jade.

– Wspominałeś o tym... Co to za klątwa? Brzmi nieprawdopodobnie.

– Wiem. Sam się zastanawiam, czy to w ogóle jest możliwe. Wszystko, co się wydarzyło po ślubie, mogło być nieszczęśliwym zrządzeniem losu, ale być może to była sprawa jakichś ciemnych mocy. Muzułmanie nie wierzą w czarną magię i klątwy, przynajmniej oficjalnie. Wielu zobaczy w tym karę Allaha, ale równie wielu klątwę umierającej Jade.

CZĘŚĆ III

ROZDZIAŁ 15

Porno

Po weselu Wasima wróciłem na jakiś czas do Londynu, a później zacząłem moją tułaczkę po świecie. Oczywiście nie miała zbyt wiele wspólnego z dosłownym tułaniem się, ale w Emiratach spędzałem tylko kilka tygodni w roku. Resztę dzieliłem między południe Francji, Paryż, Los Angeles, Nowy Jork, Londyn i Bangkok. Pewnie nie powinienem zbyt szczegółowo opowiadać o tym, co się działo w tych miejscach, ale to chyba nie byłoby uczciwe. W mojej opowieści Wasim wychodzi na nieokiełznanego hulakę, więc i ja nie będę się wybielał. Też nie jestem bez skazy. Mam wrażenie, że to chyba swego rodzaju obciążenie genetyczne, bo ja też odkryłem w sobie zew erotycznych przygód. Ten okres mojego życia daleki jest od świętości i bardzo przypomina to, co wyprawiał Wasim. Od dzieciństwa żyłem trochę w jego cieniu, choć zgodnie z linią dziedziczenia tronu to on powinien żyć w moim. Odpowiadała mi ta sytuacja. Potrzebowałem starszego brata, a Wasim wbrew pozorom doskonale się sprawdzał w tej roli. Mówi się, że niedaleko pada jabłko od jabłoni. Jeśli to prawda, to nasi ojcowie w młodości musieli być niezłymi ziółkami, ale doskonale się z tym kryli. A nasze jabłka – moje i Wasima – nie poturlały się zbyt daleko od siebie.

Okres, gdy mieszkałem w Londynie anonimowo i nie przyznawałem się do swojego pochodzenia, musiałem uznać za zamknięty. Mimo traumy, jaką spowodowała historia z Jade, trochę za namową Roba i Alana, sięgnąłem po przywileje, jakie oferują pieniądze. Mówiąc wprost: zamiast chodzić na weekendowe imprezy i uprawiać przygodny, anonimowy seks z napalonymi laskami, zaczęliśmy z chłopakami jeździć po świecie i korzystać z usług modelek, które dla pieniędzy były gotowe na naprawdę wiele. Robiliśmy to jednak w nieco innym stylu, bardziej kameralnym. Wasim wydawał wystawne przyjęcia, które ściągały mnóstwo przygodnych ludzi pragnących ogrzać się w książęcym blasku, a przede wszystkim uszczknąć dla siebie choć trochę jego fortuny. My wynajmowaliśmy kilka dziewczyn i po prostu się z nimi zabawialiśmy. Jednak zwykły seks znudził się nam dość szybko – wtedy weszliśmy w fazę eksperymentowania. W tej dziedzinie najbardziej kreatywny okazał się Rob. Inspiracji szukał w filmach porno, a w realizowaniu ich scenariuszy sprawdzał się jak wytrawny reżyser. Szybko zdobył kontakty z osobami, które pomagały mu zapraszać na nasze orgie najlepsze dziewczyny. Nie korzystał z usług skautów, do naszych zabaw zdecydowanie wystarczyła pomoc wtajemniczonych agentów.

Arabscy playboye dzielą się na tych, którzy korzystają z usług zaufanych, zatrudnianych przez siebie skautów, tych, którzy wynajmują agentów, oraz tych, którzy nie dyskryminują i interesuje ich efekt końcowy, niezależnie od tego, czy jest dostarczony przez skauta, czy przez agenta. Podstawowa różnica pomiędzy jednymi a drugimi polega na metodach działania. Agenci z reguły używają przykrywki mniej lub bardziej prawdziwych agencji modelek. Czasami naprawdę je prowadzą, a pracę w prostytucji załatwiają tylko dziewczynom, które potrzebują więcej pieniędzy, albo takim, którym pieniędzy nigdy za wiele. Zdarza się, że prowadzone przez nich agencje są po prostu burdelami, które dostarczają prostytutki bogatym klientom.

Skauci działają inaczej. Podczas gdy agenci dysponują portfolio dziewczyn w różnych typach, skauci są bardziej selektywni. Dobierają dziewczyny zgodnie ze zleceniem szejka, dla którego pracują. Jeśli szef gustuje w blondynkach z Europy Wschodniej, takie dziewczyny będą na celowniku skauta. Problem pojawia się, gdy zbyt wielu skautów dostaje podobne zamówienie, a wschodnioeuropejskie blondynki, w tym Polki, należą właśnie do tych najbardziej pożądanych. Dochodzi wtedy do swoistej konkurencji, którą bardziej wprawione w branży dziewczyny potrafią wykorzystać na swoją korzyść. Gdy popyt przekracza podaż, pojawia się szansa na negocjacje. Podkupywanie dziewczyn nie jest jednak kwestią ceny; niektórzy szejkowie są w stanie zapłacić nawet najbardziej wygórowaną, ale czasami to nie wystarczy, by zapewnić usługi co bardziej popularnych dziewczyn. Dlatego wielu skautów zabiera dziewczyny z klubów lub barów natychmiast po dogadaniu warunków.

Mimo dyskrecji, jaka powinna przyświecać temu specyficznemu zawodowi, niektórzy ze skautów są rozpoznawalni, zwłaszcza przez dziewczyny, które w przeszłości dały już się złowić. Chętne na powtórkę, robią wtedy wszystko, by pracujący w klubie skaut ponownie je zauważył. To jednak nie udaje się zbyt często. Szejkowie zawsze wskazują dziewczyny, z którymi chętnie spotkaliby się po raz kolejny, i do tych skauci mają bezpośredni kontakt. Jeśli nie jesteś na tej liście, raczej nie znajdziesz się na imprezie u szejka po raz kolejny.

W karierze skauta, jak w każdej innej, bywają też upadki. Najgłośniejszy nastąpił w przypadku grupy pracujących dla jednego z emirackich książąt, gdy ten zaraził się wirusem HIV od rosyjskiej prostytutki. Wywołało to nie tylko reperkusje wobec wszystkich skautów zatrudnionych na dworze, ale i wobec pracujących do tej pory bez większych problemów rosyjskojęzycznych dam lekkich obyczajów. Władze wielu bardziej liberalnych miejsc na Bliskim Wschodzie – Bahrajnu, Omanu, Abu Zabi czy Dubaju – przymykają oko na prostytucję, bo jest ona nieodłącznym elementem rozwoju turystyki, ale wiedzą też doskonale, gdzie znaleźć prostytutki. W odwecie za zakażenie wirusem HIV deportowanych zostały setki Rosjanek podejrzewanych o uprawianie nierządu, a wraz z nimi wszyscy skauci szejka.

Można odnieść wrażenie, że poszedłem w ślady Wasima i stworzyłem własny dwór, tyle że Rob i Alan nie mają w sobie niczego z przygłupów. Obaj są bardzo inteligentni, wykształceni i oczytani, jednak nie brakuje im skłonności do dobrej, choć często pozbawionej rozsądku zabawy. Zawdzięczam im wiele fantastycznych wspomnień, choć niektóre z nich, muszę przyznać, są dosłownie znad krawędzi. To, co moją żałosną inicjacją rozpoczął Wasim, oni kontynuowali, otwierając przede mną kolejne poziomy wtajemniczenia w relacje damsko-męskie. A ja za to wszystko płaciłem i szczerze mówiąc, nie żałuję ani centa.

Podróżowaliśmy od hotelu do hotelu, zachowując się jak trzech opętanych seksem wariatów. Nic więcej w tym czasie się dla mnie nie liczyło. Jedyne, co przywracało mnie do normalności, to moje notatki. Spisywałem wszystko, co warte było zatrzymania w pamięci. Trudno to nazwać pamiętnikiem, bo w zapiskach tych panuje skrajny chaos, ale w pewnym sensie odzwierciedla on tamten okres w moim życiu.

Maj 2007, The Ritz-Carlton, Los Angeles

– Panowie, dzisiejszy wieczór odbędzie się pod hasłem: „Black chicks & white dicks"*. Poruchamy czekoladki! – oświadczył z dumą Rob.

– To bawcie się dobrze – powiedziałem z udawanym fochem.

– No co ty? Solo! O co ci chodzi…

– Wiesz, mój mały biały nie jest…

– *Fuck! Dude…* Nie pomyślałem, przepraszam! No, ale przecież nie jesteś czarny, tylko taki… no wiesz… opalony… ładnie…

Reakcja szczerze przerażonego Roba bardzo mnie rozbawiła, postanowiłem więc jeszcze trochę się nad nim poznęcać.

– Nie pogrążaj się! Jesteś rasistą! Wykazałeś się skrajną odmianą rasizmu, rasizmem wobec organów płciowych. To karalne! I dlaczego? Co mój mały ci zrobił? – Starałem się brzmieć groźnie, obserwując, jak w oczach Roba rośnie strach.

– Nic, Solo… Wybacz, nie mam nic do twojego członka… Uważam, że jest wspaniały…

– Tak uważasz? To strasznie gejowskie! Może to ty chcesz się nim dziś zająć? A może zamówimy ci jakiegoś chłopaka?

– Nie, no nie w sensie gejowskim…

Nie miałem serca dłużej tego ciągnąć. Roześmiałem się.

– Spokojnie, chłopaku, tylko się z tobą droczę…

– *Dude…* serio mnie przestraszyłeś! Naprawdę myślałem, że uważasz mnie za rasistę.

* Z ang. – Czarne laski i białe fiuty.

– „Ruchanie czekoladek" można by uznać za przejaw rasizmu, ale wiem, że nie o to ci chodziło.

– Zdecydowanie! W każdym razie nazwę imprezy zmieniamy na „Hot chicks & mighty dicks"*.

– Trzeba było tak od razu!

Zmiana nazwy nie zmieniła zamysłu Roba. Tego wieczoru nasz apartament zaroił się od czarnoskórych piękności. Straumatyzowany wizją przepraszania mojego członka za rasistowski atak, Rob zdawał się wracać do siebie. Jak się jednak okazało, nie był to jedyny homoseksualny motyw tego wieczoru. Alan, zwykle wycofany, przystąpił do akcji pierwszy i zanim ja zdążyłem się przyjrzeć wszystkim długonogim laskom ściągniętym przez Roba, zaczął obracać jedną z nich, Jannelle. Profesjonalizmu nie można jej było odmówić. Żadnych negocjacji i udawania, że jest modelką, a w Ritzu znalazła się przez przypadek. Alan zagadał do niej, a niedługo potem ona siedziała na jego fiucie. Miętosił jej jędrne piersi, pojękując rytmicznie. To się nazywa skuteczne przełamywanie lodów. Chwilę później sam pozbyłem się majtek i penetrowałem piękność o imieniu Lola, z pewnością fikcyjnym. Miała cudownie pełne usta, całowaliśmy się jak szaleni. Miałem wrażenie, że mnie połknie, i w pewnym sensie to zrobiła, bo gdy tylko poczuła, że za chwilę polecę, zeskoczyła ze mnie i wzięła mi do buzi. Eksplodowałem w jej ustach. Oszołomiony orgazmem, powoli odzyskiwałem zmysły, podczas gdy Lola, zwieszona nad moim pulsującym członkiem, uśmiechała się z zadowoleniem. Jej policzki wydawały się jeszcze pełniejsze niż wcześniej. Wtedy podeszła do nas wysoka piękność, która miała na sobie jedynie czerwone szpilki. Klęknęła obok Loli i pocałowała ją. Dziewczyny przez chwilę penetrowały swoje usta językami, a moja

* Z ang. – Gorące laski i potężne fiuty.

męskość na ten widok ponownie zameldowała gotowość do akcji. Wtedy ta druga laska złapała go mocno, oderwała usta od Loli i uśmiechnęła się do mnie, po czym otworzyła buzię. Była pełna mojej spermy! Połknęła ją i zabrała się do obciągania. Przeleciałem ją ostro na stojąco, opartą o ścianę. Po raz kolejny byłem pod wrażeniem wyboru, jakiego dokonał Rob. Nie miałem wątpliwości, że sprowadził nam zawodowe kurwy, ale przecież o to właśnie chodziło. Te laski doskonale wiedziały, że lesbijskie akcje podkręcają facetów, i robiły to ze sobą, gdy tylko nam nie starczyło rąk, członków i języków, by się nimi zająć. Tego wieczoru chyba pobiłem rekord orgazmów. Za każdym razem, gdy byłem pewien, że już dalej nie pociągnę, lesbijska akcja rozgrywająca się w którejś części pokoju rozpalała mnie do czerwoności i byłem gotowy, by się przyłączyć. Wiedzieliśmy, że musimy to powtórzyć. Po latach seksu z heteroseksualnymi dziewczynami okazało się, że tak naprawdę kręcą nas głównie te homoseksualne.

Lipiec 2007, hotel Dorchester, Londyn

Zorganizowanie takiej imprezy nie jest jednak takie proste. Laski z Los Angeles były bardzo profesjonalne i znały się na robocie, ale wszelkie kolejne próby powtórzenia tej akcji paliły na panewce. Rob, wynajmując dziewczyny, zastrzegał, że mają obsługiwać nas, ale i siebie nawzajem, jednak za każdym razem kończyło się na nakłanianiu do kontaktów między nimi, co zupełnie psuło atmosferę. Cała magia wieczoru z „czekoladkami" polegała na tym, że one robiły to naturalnie i chętnie. Odstawiały przed nami ultraseksualne lesbijskie przedstawienie, na którego wspomnienie każdy z nas dostawał absolutnego szału. Musieliśmy to powtórzyć, ale nie mieliśmy w planie powrotu do Los Angeles przez kolejne kilka miesięcy. To nic, w Londynie przecież też są seksowne lesbijki. Rob przyjął nową taktykę. Zamiast płacić modelkom za udawanie lesbijek, postanowił sprowadzić na imprezę prawdziwe lesbijki. W tym celu założył profil na portalu randkowym dla dziewczyn preferujących seks z innymi dziewczynami. Jako Aisha Sheikh zaczął rozmawiać z gorącymi lesbijkami. Nietrudno się domyślić, że większość tych prób spełzała na niczym, gdy tylko Rob ujawniał, jaki jest jego prawdziwy plan. Okazało się, że lesbijki nie chcą uprawiać seksu z facetami, nawet za kasę, dlatego postanowił zmienić strategię i nie ujawniać swoich zamiarów. Udawał laskę, która szuka gorących lasek na imprezę, na której dodatkowo będą mogły zarobić. Ta oferta wydawała się zdecydowanie bardziej intratna. Rob pomyślał, że jak laski się napiją i zobaczą kasę, to się skuszą. Ostatecznie, jak twierdzi większość heteroseksualnych mężczyzn, lesbijka to dziewczyna, która nie spotkała jeszcze właściwego faceta. A na naszej imprezie miały okazję poznać aż trzech.

W końcu Aisha Sheikh trafiła na gorącą lesbijkę, która obiecała ściągnąć swoje koleżanki na imprezę do hotelu Dorchester. Julia pochodziła z Białorusi, ale od lat mieszkała w Londynie. Mimo młodego wieku miała już na koncie małżeństwo z ponad dwukrotnie starszym od siebie mężczyzną, do którego zmusili ją rodzice, gdy tylko skończyła piętnaście lat. Miała w ten sposób uciec od biedy, ale gdy tylko nadarzyła się okazja, uciekła od męża. Przyjechała do Londynu i po latach ciężkiej pracy i upokorzeń żyje tak, jak chce, w miarę dostatnio i z dala od mężczyzn. Dla Roba historia Julii była kolejnym dowodem popierającym męską tezę dotyczącą lesbijek. Gdy tylko zdobył zaufanie dziewczyny, powiedział jej o świetnym sposobie na szybkie zarobienie dużej kasy. Wystarczy, że z grupą lesbijek pojawi się w Dorchester. Już samo to miejsce było gwarancją dobrego zarobku; ktoś, kto robi imprezę w hotelu, w którym doba kosztuje tysiąc funtów, z pewnością nie ma kłopotów z płynnością finansową.

Dziewczyny się spóźniały. Okazało się, że obsługa hotelowa podważyła wiarygodność ich zaproszeń, zwłaszcza że żadna Aisha Sheikh nie widniała na liście hotelowych gości. Julia długo nie dawała jednak za wygraną, więc recepcjonista skapitulował. Ponieważ byłem jedynym szejkiem, który w tym czasie rezydował w hotelu, pomyślał, że być może mówiąca z twardym, rosyjskim akcentem dziewczyna coś pokręciła. Fakt, że szejk oczekiwał zgrabnej, seksownie ubranej „Rosjanki", był zdecydowanie prawdopodobny. Zadzwonił do mojego apartamentu. Telefon odebrał Rob.

– Dobry wieczór. Mówi James z recepcji. Przepraszam, że przeszkadzam, ale jest tu ze mną pani Julia i twierdzi, że ona oraz jeszcze kilka osób są gośćmi pani Aishy Sheikh.

– Aaaaa... tak! Dziękuję, James, wszystko się zgadza! Sam wiesz, jak to jest, szejk czasami musi używać pseudonimów. Proszę, wpuść Julię i całą resztę na górę.

– Oczywiście. Już się robi. Jeszcze raz przepraszam za kłopot.

– Nic się nie stało. Dziękuję, James.

Chwilę później do naszego apartamentu weszła ładna, zgrabna blondynka i... coś na kształt ekipy budowlanej, czyli grupa potężnie zbudowanych, krótko ostrzyżonych, ubranych w luźne spodnie i kraciaste koszule niewiast.

– Mamy zaproszenie od Aishy Sheikh. Jest tutaj? – zapytała nieco zmieszana Julia.

– Eee... nie, nie ma... wyszła – wyjąkał Rob, kompletnie nie wiedząc, jak się wykręcić z tej sytuacji.

– Możemy na nią zaczekać?

– Tak, jasne...

Dziewczyny obsiadły nasz salon.

– Jestem Rob, a to Abed i Alan. – Mój kumpel dokonał krótkiej prezentacji.

– Cristal – powiedziała jedna z lesbijek głębokim basem. Wyglądała bardziej jak Chris.

Potem przedstawiły się kolejne. I na tym się skończyła nasza konwersacja. Żenująca cisza nie zniechęcała jednak naszych gości. Przez następne dwie godziny dziewczyny dzielnie czekały na Aishę Sheikh. Wiedzieliśmy, że tego wieczoru nie poruchamy, a gdyby nawet do czegokolwiek doszło, istniała uzasadniona obawa, że będziemy mieć kłopoty z siedzeniem przez kolejny tydzień. Próbowaliśmy jakoś wybrnąć z sytuacji, ale ta wydawała się zupełnie beznadziejna. W końcu panie dały za wygraną i powoli zaczęły się wykruszać. Julia wyszła ostatnia. Poprosiła, by Aisha zadzwoniła do niej, jak wróci, ale skasowany w międzyczasie przez Roba profil chyba ostatecznie pozbawił ją nadziei.

Tego wieczoru dostaliśmy nauczkę, która przydałaby się niejednemu facetowi napalonemu na lesbijki. Zrozumieliśmy, że lesbijki, którymi jarają się heteroseksualni faceci oglądający pornole, nie mają nic wspólnego z tymi prawdziwymi. I nie chodzi tu nawet o wygląd, bo nie wszystkie lesbijki są męskie, ale przede wszystkim o to, że ich preferencje seksualne wcale nie wynikają z tego, że nie spotkały prawdziwego mężczyzny. Po prostu wolą dziewczyny. I ja całkowicie to popieram.

Kwiecień 2008, Siam Kempinski Hotel, Bangkok

Relacje pomiędzy Alanem i Robem zawsze oscylowały na granicy braterskiej miłości i złośliwości. Historia z Bangkoku idealnie to obrazuje. Tym razem Rob nie silił się na scenariusze rodem z pornoli. Słynne tajskie masażystki zdawały się naturalnym wyborem. W Bangkoku wylądowaliśmy tuż przed świętem

Songkran, tajskim Nowym Rokiem – kilkudniowym festiwalem, podczas którego hordy żądnych zabawy Tajów biegają po ulicach, polewając się bezlitośnie wodą i smarując kredową pastą po twarzach. Obcokrajowcy chętnie dołączają do imprezy, a często wprowadzają ją na zupełnie nowy poziom – do wody dorzucają lód, kolorowe pistolety wodne zamieniają na wiadra, słowem, robią wszystko, by popsuć zabawę. My mieliśmy świętować w tradycyjnym stylu.

– Kupiłem nam pistolety! Ruszamy za godzinę – oznajmił Rob.

Nie protestowaliśmy.

– Pamiętajcie tylko, żadnych klapek na nogach, telefony, portfele do woreczka, strumienie wody kierujemy w miarę możliwości na cycki ładnych lasek – wydawał instrukcje jak w wojsku.

Wylądowaliśmy na Khao San Road, w samym sercu piekła. Ulica spływała hektolitrami wody, wibrowała od muzyki, dźwięczała wrzaskami i śmiechem. Daliśmy się porwać zabawie i już po kilku minutach byliśmy zupełnie przemoczeni. Nie miało to jednak najmniejszego znaczenia. Fantastyczna zabawa trwała kilka godzin. Wylewaliśmy na obcych ludzi litry wody, co chwilę uzupełniając nasze pistolety w olbrzymich niebieskich beczkach wystawionych przy niemal każdym barze. Przystanki na załadowanie „amunicji" były zawsze chętnie wykorzystywane przez polujące na klientów prostytutki. Wyglądało to trochę tak, jakby beczki z wodą wystawione były dla przynęty, bo gdy tylko się przy nich zjawialiśmy, z barów wybiegały roznegliżowane laski, gotowe na sponsorowane akcje tu i teraz. Nie miały jednak szczęścia. Nie tym razem. Songkran wyzwolił w nas zew dziecięcej zabawy i nie mieliśmy zamiaru z niej rezygnować. Na rozrywki dla dorosłych przyszedł czas wieczorem.

No właśnie... wieczorem czekały nas kolejne tradycyjne tajskie atrakcje. Rob przeszedł w organizacji samego siebie. Z centralnego punktu salonu w naszym hotelowym apartamencie zniknęły meble. W ich miejsce pojawiły się trzy ciężkie stoły, wykonane z wiśniowego drewna. Ich nogi przybrały kształt rzeźbionych chińskich smoków, wspierających się na ogonach. Każdy w pysku trzymał jeden z rogów tapicerowanego skórą blatu. Na każdym stole leżał biały ręcznik z egipskiej bawełny, zwinięty misternie i przewiązany złotą wstążką, udekorowaną kremową orchideą.

– Panowie, czas na masaż! – oznajmił Rob. – Przygotujcie się na wycieczkę do raju.

Zmęczeni szaleństwem na Khao San, nie mogliśmy sobie wyobrazić lepszego zakończenia wieczoru. Wzięliśmy prysznic, wypiliśmy kilka drinków, a gdy każdy z nas – w miękkim szlafroku – gotowy był oddać się w sprawne ręce pięknej, utalentowanej Tajki, Rob zadzwonił po masażystki. Chwilę później w salonie zrobiło się niemal zupełnie ciemno. Mrok rozjaśniało jedynie słabe światło sączące się z listwy przy podłodze dookoła salonu. Do każdego ze stołów podeszła jedna dziewczyna. Wytężyłem wzrok, by przyjrzeć się mojej. Ładna, drobna, długowłosa. Ubrana w zapięty pod szyję kostium z purpurowego jedwabiu, zdobiony złotym, haftowanym wzorem. Siedziałem na krawędzi stołu. Dziewczyna położyła dłoń na mojej klatce piersiowej i delikatnie pchnęła, dając znak, bym się położył. Nie wiem, kiedy to zrobiła, ale gdy mój kark dotknął zwiniętego ręcznika, nie było już na nim ani wstążki, ani orchidei. Ręcznik wsparł moją szyję, pozwalając głowie swobodnie opaść do tyłu. Poczułem przyjemne rozluźnienie, które narastało z każdą następną chwilą. Masażystka zaczęła od moich stóp. Tego uczucia nie da się opisać! Nieprawdopodobnie relaksujące, chwilami bolesne, na granicy rozkoszy. Ból, który odczuwałem przy niektórych ruchach jej delikatnych dłoni, powodował spazm, ale szybko przynosił ulgę. Wędrowała rękami po moim ciele, odnajdując spięte, zastane mięśnie, i przynosiła im cudowne ukojenie. Czułem, że się rozpływam. Świat wirował. Resztkami świadomości dostrzegłem, że łóżka do masażu po obu stronach mojego, na których jeszcze jakiś czas temu leżeli Rob i Alan, są puste. Ale w tej chwili kompletnie mnie to nie interesowało. Z każdym ruchem mojej cudownej masażystki stawałem się jej niewolnikiem. Byłem gotowy zrobić wszystko, byleby nie przestawała. Okazało się, że ona też była gotowa na wiele. W pewnym momencie kocim ruchem wskoczyła na stół i postawiła jedną stopę na moich lędźwiach, a chwilę potem drugą oparła między łopatkami. Miała mnie całego u swoich stóp. Dosłownie. Każdym wystudiowanym ruchem sprawiała mi ból i rozkosz zarazem. Dotarła do pośladków, których do tej pory nie dotykała chyba żadna kobieta. Ona nadrobiła za nie wszystkie. Gdy zeskoczyła ze mnie, wykonała stopami ruch, który do dziś pozostaje dla mnie zagadką. Dość powiedzieć, że ja, ważący blisko trzy razy więcej od niej, poddałem się mu jak bezwładny liść na wietrze i w ułamku sekundy obróciłem na plecy. To ujawniło coś, czego w tej feerii doznań kompletnie nie zauważyłem. Moja męskość stała i pulsowała jak szalona. Masażystka, wciąż stojąc nade mną, przejechała po niej stopą, po czym jednym zwinnym ruchem nadziała się na mnie, pochłaniając w swojej gorącej cipce. Nie mam pojęcia, kiedy pozbyła się ubrań. Jeszcze jakiś czas temu była zapięta po szyję, teraz zupełnie naga ujeżdżała mnie jak rasowego ogiera. Masaż zakończył się nieprawdopodobnym finałem. To był chyba najdłuższy, najbardziej obfity orgazm w moim życiu. Na pewno będę go wspominał na łożu śmierci, choć już wtedy czułem się tak spełniony, że gdyby mój koniec przyszedł w tamtej chwili, umarłbym jako najszczęśliwszy facet na ziemi. Dziewczyna wkrótce po tym zniknęła. Jakby rozpłynęła się w ciemności pokoju. Domyślałem się, że takie miała instrukcje, ale nie do końca mi się to podobało. Nie miałem jednak siły, by cokolwiek zmieniać.

Następnego dnia przy śniadaniu podzieliłem się przeżyciami z Robem i Alanem, dziękując temu pierwszemu za genialną organizację wieczoru.

– A jak u was, panowie? – zapytałem.

– Bosko! Tan robi taki masaż, że trudno się powstrzymać, jeśli wiesz, co mam na myśli... – odpowiedział Rob z rubasznym uśmiechem, po czym zwrócił się do Alana: – A ty, Alan? Też nie mogłeś się powstrzymać?

– Spierdalaj, chuju! – Alan próbował wyglądać na wkurzonego, ale mało skutecznie powstrzymywał się od śmiechu. – Bardzo zabawne. Pożałujesz tego!

– Wtajemniczycie mnie? – zapytałem, ciekawy, co ich tak bawi.

– Alan, opowiedz Abedowi! Mam nadzieję, że masaż był wystarczająco... dogłębny?

– Ten kretyn ściągnął mi laskę z penisem – burknął Alan. – Była piękna, robiła zajebisty masaż, zorientowałem się, dopiero jak na mnie usiadła i okazało się, że liczba penisów się nie zgadza. Chciałem się spod niej uwolnić, ale była bardzo silna i było za późno. Poleciałem. Kurwa! Przez ciebie poleciałem na ladyboya!

– *Welcome to Thailand!** – Rob parsknął śmiechem. – Jako jedyny przeżyłeś prawdziwie tajską przygodę. Nie musisz mi dziękować.

– Nie licz na to! Ale rewanżu możesz się spodziewać!

* Z ang. – Witaj w Tajlandii.

Marzec 2009, Waldorf Astoria, Nowy Jork

Nie pamiętam, czy Alan kiedykolwiek zdołał się zrewanżować Robowi za tamten numer, ale nie był to jedyny raz, kiedy padł ofiarą zaproszonej przez naszego kumpla laski. W Nowym Jorku doznał poważnej kontuzji, która była wynikiem niedopatrzenia Roba i nieokiełznanego popędu seksualnego Alana jednocześnie. Rob zawsze dbał o każdy detal w odniesieniu do dziewczyn, które zapraszał na imprezy. Nie zważając na dobre maniery, bez skrupułów instruował:

1. Co się dzieje w Vegas, zostaje w Vegas.
2. Żadnych włosów, poza tymi na głowie.
3. Żadnego okresu. Krwawisz, wypadasz!
4. Seksowne ubranie, a przede wszystkim seksowna bielizna.
5. Uśmiech jak z reklamy pasty do zębów.
6. Zniewalający zapach, najlepiej Opium Black*!
7. Żadnych dragów.
8. Alkohol w umiarkowanych ilościach.
9. Seks nie jest obowiązkowy, ale jak się na niego zdecydujesz, nie ma odwrotu.
10. Żadnych fochów i dramatów.

Wydawać by się mogło, że ostatnie przykazanie z dekalogu Roba powinno ustrzec Alana przed kolejnym upokorzeniem, ale najwyraźniej nie wszyscy przestrzegają przykazań. Nic nie wskazywało na to, że będzie to pamiętna noc. Świetne laski, dobra muzyka, szampan i seks. Imprezę przerwał jednak przeraźliwy krzyk Alana. Gdy dobiegliśmy do jego

* Zapach marki Yves Saint Laurent.

sypialni, był cały czerwony i roztrzęsiony. Miał zdarte gardło, bo wrzeszczał dobre pół godziny, zanim ktokolwiek usłyszał go pośród dźwięków dudniącej muzyki i jęków towarzyszących seksualnym uniesieniom. Alan siedział nago na łóżku z głową ledwo poruszającej się dziewczyny przy swoim kroczu. Dziewczyna była czerwona na twarzy i wyraźnie wykończona. W buzi miała członek Alana i mimo że w pokoju pojawiliśmy się ja i Rob oraz kilka lasek z imprezy, nie wypuszczała go ani na chwilę.

– Co za oddanie! Musisz ją poślubić! – zażartował Rob.

– Pierdol się, chuju! – wrzasnął Alan. – Ona nie może go wyjąć!

Okazało się, że laska, z którą nasz kolega wylądował w łóżku, nie miała uśmiechu jak z reklamy pasty do zębów. Przynajmniej jeszcze nie. Nosiła aparat; podczas obciągania coś musiało w nim przeskoczyć. Alan poczuł przeszywający ból, a potem okazało się, że jego męskość zaklinowała się w ustach dziewczyny. Każdy, nawet najdrobniejszy ruch sprawiał mu potworny ból. Nie mieliśmy innego wyjścia, musieliśmy wezwać pogotowie. Po czterdziestu minutach walki ratownicy uwolnili Alana z ust właścicielki niebezpiecznego aparatu ortodontycznego. Oboje jednak wylądowali w szpitalu.

Alan wrócił do formy dopiero pół roku później. W tym czasie nawet erekcja sprawiała mu ból, co otwierało przed Robem olbrzymie pole do popisu. Dwoił się i troił, by pomóc przyjacielowi. Często całkiem skutecznie. Wysyłał mu podniecające foty, filmy, puszczał pornole na dzień dobry. Przestał, dopiero gdy Alan uświadomił mu, że żadna panna nie postawiła mu tyle razy, co on.

– Mów, co chcesz, Rob, ale na własne życzenie zostałeś moją dziwką!

Maj 2010, Hyatt Regency Le Palais de la Méditerranée, Nicea

Pobyt na południu Francji zawsze zawierał kilka obowiązkowych punktów. Dni upływały nam z reguły leniwie na pokładzie należącego do wuja Ahmeda jachtu Hamza*, wcześniej często wykorzystywanego przez Wasima. Olbrzymi i zachwycający, miał wszystko, czego dusza zapragnie. A ozdobiony laskami w bikini zmieniał się w pływający raj na ziemi. Wprawdzie nie był ani największym, ani najdroższym jachtem, który pływał po tamtejszych wodach, bo na tym polu arabscy szejkowie uwielbiają konkurować, ale trudno było tu narzekać na cokolwiek. Sześć luksusowych kabin, basen ze szklanym dnem i małe kino. Wasim miał jednak pewne zastrzeżenia – narzekał, że ta „łajba" nie ma lądowiska dla helikopterów, choć szczerze mówiąc, kompletnie go nie potrzebowała. W narzekaniach Wasima słychać było wyłącznie nutę współzawodnictwa, bo na jachtach należących do szejka Al Maktouma z Dubaju i Mohammeda bin Salmana, następcy tronu Arabii Saudyjskiej, można było wylądować helikopterem.

Poza jachtem zawsze zaliczaliśmy kasyno w Monte Carlo i Grand Prix Formuły 1 w Monako. Podsycani widokiem roznegliżowanych ciał na jachcie, naładowani testosteronem wywołanym kibicowaniem kierowcom Formuły 1 i nakręceni żyłką hazardu, wzięliśmy udział w absolutnie szalonej imprezie, która tym razem wyjątkowo nie została zorganizowana przez Roba. Południe Francji stanowiło terytorium Alana i szybko się okazało, że wśród jego znajomych znajduje się kilku królów życia. Jednym z nich był Jean-Pierre, typowy przedstawiciel hedonistycznej arystokracji, niezajmujący się w życiu niczym poza wydawaniem pieniędzy. Nie sprawiał zbyt dobrego wrażenia. Był klasycznym

* Z arab. – lew.

przykładem wiecznie uśmiechniętego, cynicznego dupka. Chudy i wysoki, wyglądał trochę jak młody David Bowie. Niby brzydki, ale jednak przystojny. Obserwując go, po raz pierwszy zdałem sobie sprawę, że ja też mogę sprawiać takie wrażenie. W zasadzie poza ukończeniem studiów nie dokonałem w swoim życiu niczego znaczącego. Pomyślałem, że zdecydowanie muszę zmienić swoje życie. Pod wpływem tego Francuza postanowiłem to po raz pierwszy. Jean-Pierre był dla mnie bardzo miły. Wiedział, kim jestem, a z tego, co mówił Alan, moja obecność na jego przyjęciu bardzo mu imponowała, dlatego przez kolejne kilka godzin nie opuszczał mojego boku. Robił to, od czego zawsze stroniłem – przedstawiał mnie absolutnie wszystkim jako syna arabskiego szejka, doprowadzając mnie tym do białej gorączki. Brylował, oprowadzając mnie po zatłoczonym salonie. Zatrzymywaliśmy się przy każdej grupce gości, by żadnemu z nich nie umknęło, że znajduje się w tym samym pomieszczeniu, co arabski książę. Było to jedno z najbardziej żenujących doświadczeń w moim życiu. Od tej pory już zawsze patrzyłem na Jeana-Pierre'a przez pryzmat tamtych chwil, nie muszę zatem wyjaśniać, że ten pozer nie należał do moich ulubieńców.

Jean-Pierre mówił doskonałą angielszczyzną z silnym francuskim akcentem. A mówił dużo. Jego wywody na każdy temat pełne były nadętych wstawek, które brzmiały jak prawdy objawione, choć w zasadzie pokazywały tylko, że jest nieprawdopodobnym dupkiem.

– Zawsze mówię kobietom, że je kocham. To pomaga w stworzeniu intymnej atmosfery. Nawet jeśli ta miłość trwa tyle czasu, ile seks… Cóż, nic nie trwa wiecznie. Kobiety tego potrzebują. Nie potrafią bez tego żyć. Dziś świat mówi im, by były niezależne, więc próbują udawać, że nie potrzebują mężczyzn, ale bądźmy szczerzy, bez nas nie przetrwałyby zbyt długo. Kto by je kochał…

W jego ustach ten szowinistyczny bełkot brzmiał jak wywód filozoficzny. Najgorsze, że absolutnie nie krępował się wygłaszać go w obecności kobiet, choć i tak nie to było najgorsze. Zdecydowanie bardziej szokowały mnie ich reakcje. Uśmiechały się, przytakiwały i żadna nie zdobyła się na wymierzenie absolutnie zasłużonego ciosu w jego wykrzywioną cynizmem twarz. Rozumiem, że uśmiechanie się, nawet do najbardziej bezczelnych klientów, jest częścią wzorowej obsługi, ale to wykraczało daleko poza granice dobrego smaku. Dla mnie było wprost nie do zniesienia. Z Jeanem-Pierre'em nie łączyło mnie absolutnie nic i nie byłem zachwycony, że to właśnie w jego towarzystwie przyjdzie mi spędzić kolejne kilka, a może nawet kilkanaście godzin, ale postanowiłem nie narzekać. Widziałem ekscytację Alana. Do tej pory pozostający raczej w cieniu naszego głównego *event plannera** Roba, tym razem miał zabłysnąć umiejętnościami organizacyjnymi. Widząc, jak się tym cieszy, nie miałem serca odbierać mu tej przyjemności.

Ten wieczór miał być kontynuacją naszego wypadu do kasyna, jednak w zdecydowanie bardziej frywolnej wersji. Graliśmy żetonami, ale każdy dostał tylko jeden. Początkowo wydawało mi się to nieco dziwne, ale wkrótce okazało się, że perwersyjne pomysły chłopaków potrafią nieźle działać na wyobraźnię. Nawet nie zauważyłem, kiedy salon w apartamencie opustoszał. Została w nim tylko nasza czwórka. Zaczęło się od drinków. Ale jakich! Alan zamówił na tę okazję słynny (podobno, bo ja nie miałem o tym pojęcia) drink stworzony dla i na cześć samej Grace Jones**. Składał się z luksusowej mieszanki szampana Vintage Cristal rocznik tysiąc dziewięćset dziewięćdziesiąty oraz

* Z ang. – organizator imprez, przyjęć.

** Jamajska piosenkarka i aktorka, była modelka, światowa ikona popkultury, kojarzona z oryginalnym stylem i wyrafinowanym smakiem.

niezwykle rzadkiej brandy Samalens Vieille Relique Vintage Bas Armagnac, wykończony odrobiną ekskluzywnego toniku Angostura Bitters i płatkami złota.

– Lampka tego napoju bogów kosztuje blisko piętnaście tysięcy dolarów – poinformował mnie Jean-Pierre.

Informacja ta mogła mieć znaczenie tylko dla tak skrajnego pozera. W moim mniemaniu, choć wyborny, alkohol wart był co najwyżej dwa zera mniej, ale nie ja tu ustalam ceny. Byłem niezwykle ciekawy, na czym będzie polegała nasza zabawa w kasyno. Jean-Pierre przyjął podwójną rolę – krupiera i gracza. W bardzo profesjonalny sposób, świadczący o latach praktyki w hazardzie, kazał nam obstawiać. Ja postawiłem na czerwone. Rob, Alan i Jean-Pierre jak jeden mąż – na czarne. Wypadło czarne. A to, co nastąpiło chwilę po zakręceniu ruletką, przekonało mnie, że aby uniknąć krępujących sytuacji, lepiej w tej grze obstawiać tak jak większość. Gdy tylko okazało się, że padło na czarne, do salonu wkroczyła ciemnowłosa dziewczyna o latynoskiej urodzie, ubrana jedynie w czarne majtki. Na nogach miała wysokie, również czarne szpilki. Moją uwagę przykuł jej zniewalający biust. Idealnie kształtny, okrągły i niemal nieruchomy. Dziewczyna podeszła do stołu i oparła się o niego tyłem. Rob natychmiast do niej podszedł, podniósł ją, tak by mogła usiąść na wyłożonym zieloną tkaniną blacie, ale ona od razu się położyła, rozchylając nogi, między które bez chwili namysłu wjechał. Dziewczyna jęczała jak rasowa aktorka porno. Wykazywała się równie profesjonalną cierpliwością, gdy kolejno posuwali ją Alan i Jean-Pierre. Ja musiałem się temu przyglądać, choć nie powiem, że akurat ten typ wykluczenia w jakikolwiek sposób mi doskwierał. To było nieprawdopodobnie ekscytujące. Po kilku minutach przyszedł czas na ponowne obstawianie. Przez kilka kolejek byliśmy zgodni w zakładach i posuwaliśmy laski we czterech. Gdy wygrywał kolor czerwony, na stole pojawiały się blond piękności w czerwonych koronkach; gdy zwycięsko obstawialiśmy czarny, przed nami kładły się Latynoski podobne do tej pierwszej. Byłem pod olbrzymim wrażeniem, bo mimo że dziewczyny były do siebie podobne, przy każdej kolejce na stół wjeżdżała inna. Organizacyjny majstersztyk! Pierwszy z gry odpadł Jean-Pierre, któremu alkohol i kilka orgazmów odebrały męskie moce. Nie narzekałem z tego powodu, zwłaszcza że gdy on opadał z sił, ja byłem w fazie olbrzymiego podniecenia, chciałem więcej i więcej. W końcu jednak kręcenie ruletką nam się znudziło i postanowiliśmy obstawiać kolory pojedynczo, tak by każdy z nas ogarnął tylko jedną laskę. Zafascynowany pierwszą Latynoską, która weszła do salonu, wciąż byłem pod wrażeniem tego typu urody, więc obstawiałem czarne dopóty, dopóki nie przypadła mi w udziale latynoska piękność. Byłoby sporym nadużyciem powiedzieć, że ją przeleciałem. To raczej ona mnie przeleciała. Bez pardonu. Kilka razy. Wykorzystała mnie do cna, wycisnęła do ostatniej kropelki, a ja byłem tym absolutnie zachwycony. To było tak ekscytujące i wyczerpujące zarazem, że nawet nie pamiętam, kiedy zasnąłem. Obudziłem się dopiero następnego dnia – zupełnie nagi na dywanie w salonie. W dłoni nadal kurczowo ściskałem żeton, ale niestety nie miałem go już na co wymienić – dziewczyny opuściły nasz apartament.

Listopad 2010, hotel Marina Bay Sands, Singapur

Kodeks karny Singapuru mówi: „Kto importuje, eksportuje, przesyła drogą elektroniczną lub przekazuje obsceniczne przedmioty (...) lub ma powód, by sądzić, że przedmiot ten zostanie sprzedany, wypożyczony, rozprowadzony lub publicznie wystawiony, lub w jakikolwiek sposób wprowadzony do obiegu, podlega karze pozbawienia wolności na okres do trzech miesięcy lub grzywny, lub obu tym karom"*. Tyle znajomości singapurskiego prawa wystarczy, by zrozumieć dokładnie, jak wątpliwym geniuszem wykazał się Rob, organizując nasz wypad do Singapuru.

Zaczęło się niewinnie. To jak zwykle miał być niezapomniany wyjazd. I był. Polecieliśmy osobno. Ja musiałem jeszcze zahaczyć o Emiraty. Alan i Rob lecieli rejsowym samolotem z Londynu.

– Mamy dla ciebie świetną niespodziankę! – ekscytował się Rob.

– Już się boję.

– Nie ma czego. Będzie świetna zabawa. I to dosłownie.

– Wcale mnie nie uspokoiłeś, Rob.

– Solo, nie bój nic! Będzie odjazd.

Nie miałem innego wyjścia, jak tylko ufać, że erotyczna fantazja mojego przyjaciela spotka się z rozsądkiem. Gdy jednak okazało się, że Rob i Alan nie dotarli do hotelu, choć mieli w nim być kilka godzin przed moim przyjazdem, dość poważnie się zaniepokoiłem. Ich samolot wylądował planowo, ale telefony nie odpowiadały. Chciałem natychmiast zgłosić sprawę na policję, ale Namib doradził mi, by chwilę odczekać. W międzyczasie to policja zgłosiła się do mnie. Dwóch bardzo uprzejmych policjantów poprosiło mnie o odpowiedź na kilka pytań. Nie chcieli jednak powiedzieć, o co chodzi. Wypytywali o to, kiedy i jak przyleciałem do Singapuru, jaki jest cel mojej wizyty. Gdy jednak spytali, czy znam Roba i Alana, wiedziałem już, że chłopaki wpadli w kłopoty.

– Czy mogę się dowiedzieć, o co chodzi? Gdzie są Rob i Alan? Czy wszystko z nimi okej? – drążyłem.

– Mogę tylko powiedzieć, że pan Rob Chiswick i pan Alan McAlister zostali zatrzymani na lotnisku do wyjaśnienia.

* Kodeks karny Singapuru, §292.

Co oni odstawili? Bałem się dociekać. I w jaki sposób policja do mnie dotarła?

– Czy jest szansa, żebym się z nimi spotkał? To musi być jakieś nieporozumienie – przekonywałem.

– O nieporozumieniu na pewno nie ma mowy. Ale jesteśmy w stanie wypuścić pańskich przyjaciół za poręczeniem. Sąd jeszcze dziś ustali wysokość kaucji.

Sprawą zajął się Namib. Jak zawsze niezwykle skutecznie. Około północy Rob i Alan dotarli do hotelu. Byli przerażeni tym, co ich spotkało, ale chyba jeszcze bardziej tym, jak grubo będą się musieli tłumaczyć.

– Co wyście odstawili? – spytałem od razu.

– Nic – odparł krótko Rob.

– Za nic nie trafia się za kratki.

– Tutaj się trafia. To jakieś kompletne pojeby! Tu możesz trafić do paki nawet za splunięcie na ulicę, za niespłukanie wody w kiblu, za żucie gumy... kurwa! Nawet za łażenie po własnym mieszkaniu na golasa, jak cię ktoś podpierdoli. To debile! – Alanowi ewidentnie puściły nerwy.

– Więc które z tych przestępstw popełniliście?

– Żadne. Skonfiskowali nam bagaż.

– Chłopaki, do cholery, nie każcie mi się ciągnąć za język. – Zaczynałem się niecierpliwić. – Czym się naraziliście?

– No dobra... Chcieliśmy, żeby jutrzejsza impreza była inna niż wszystkie, i zamówiliśmy sporo erotycznych zabawek. Wiesz, wibratory, smycze, dilda... Wszystkie superjakości i spersonalizowane.

– Spersonalizowane?

– No... to była taka ekskluzywna firma i oferowała grawerowanie produktów. Pomyśleliśmy, że to dobry pomysł, żeby gadżety się nie myliły, więc je wygrawerowaliśmy. Ty też miałeś swoje z napisem „Szejk Abed".

– Ja pierdolę, chcesz mi powiedzieć, że singapurska policja jest w tej chwili w posiadaniu sztucznego członka podpisanego „Szejk Abed"? – Nie mogłem w to uwierzyć. – Kretyni!

– Faktycznie trochę głupio wyszło, ale nie wiedzieliśmy, że te wibratory się włączą... To dlatego przeszukali nam bagaże. Skąd mogliśmy wiedzieć, że w tym idiotycznym kraju nie wolno się bawić takimi zabawkami? Nie jesteśmy prawnikami...

– Nie trzeba być prawnikiem, żeby mieć trochę rozumu.

Byłem na nich wściekły. Rozumiem, że to miała być zabawa, ale grawerowanie wibratorów jest zbytkiem, nawet dla najbardziej perwersyjnych w wydawaniu pieniędzy szejków. Nigdy nie zobaczyłem tych zabawek na własne oczy. Zostały zarekwirowane jako dowody w sprawie i podobno komisyjnie zniszczone. Rob i Alan po swojej przygodzie nie mieli już ochoty na zabawy tego typu gadżetami. W ogóle odeszła im ochota na wszelkie zabawy. Proces odbył się sprawnie i szczęśliwie zakończył wyłącznie grzywną. Po dwóch dniach wylecieliśmy z Singapuru, przysięgając, że nigdy więcej tam nie wrócimy.

Październik 2011, hotel Shangri-La, Paryż

W paryskim hotelu Shangri-La przy Avenue d'Iéna zajmowaliśmy kilka apartamentów. W jednym z nich mieszkaliśmy we trójkę. Każdy miał do dyspozycji jedną sypialnię. Jeden z pokoi przeznaczony był dla służby; w jego głównej sypialni mieszkał Namib. Był też apartament wykorzystywany wyłącznie w celach biznesowych, czyli w naszym przypadku do spotkań z dziewczynami, zanim jeszcze trafiały na imprezy. Oglądał je głównie Rob, czasami w towarzystwie Alana, ale głównie sam. Doskonale się w tym sprawdzał i trzeba przyznać, że nigdy nie sprowadził na imprezę laski, która nie trafiałaby w mój gust. Alan, zważywszy na swoje przygody z ladyboyem czy dziewczyną z aparatem, pewnie nie był aż tak zachwycony wyborami Roba, ale ja nie mogłem narzekać. Rob stosował różne metody. Najczęściej po prostu oglądał dziewczyny, rozmawiał z nimi, opowiadał o swojej reżyserskiej wizji, według której miał się potoczyć wieczór, ale zdarzało się, że już podczas castingu chciał je wypróbować. Najczęściej nie było z tym problemu. Nie oszukujmy się, większość lasek, które przyjmują propozycję wzięcia udziału w przyjęciu sponsorowanym przez jakiegoś szejka, doskonale wie, że nie idą tam dla ozdoby. Reszta jest po prostu naiwna. Rob miał wtedy fazę na dominację. Naoglądał się pornoli, w których władczy mężczyźni klapsami i przymuszaniem do seksu wymierzali kary kobietom, i uznał to za doskonały temat do zabawy na żywo. Twierdził, że jego fascynacja sado-maso nie miała nic wspólnego z gigantyczną histerią spowodowaną wydaną kilka miesięcy wcześniej książką *Pięćdziesiąt twarzy Greya*[*], która ujawniła skryte marzenia o męskiej dominacji u tysięcy kobiet zakochanych w bogatym, władczym i przystojnym Christianie Greyu, ale nikt mu w to nie wierzył.

– To książka dla bab. Nawet jej nie miałem w ręku – zarzekał się Rob.

– No pewnie, bo rękę miałeś zajętą czymś innym – żartował z niego Alan.

Niezależnie od tego, skąd się wziął ów pomysł, Rob poczuł zew męskości i postanowił w kontrolowany sposób dominować laski. Okazało się jednak, że nie wszystkie były fankami metod stosowanych przez Greya. Nie spodobały się one zwłaszcza Amelie, młodziutkiej modelce, która przyszła na casting do Roba za namową jednej z koleżanek. Amelie była francusko-algierską

[*] Wydana w 2011 r. angielska powieść erotyczna napisana przez E.L. James, opisująca romans między młodą dziennikarką Anastasią Steele a biznesmenem Christianem Greyem, który gustuje w seksie sadomasochistycznym.

mieszanką tego, co w urodzie ludzi pochodzących z obu krajów najpiękniejsze. Figura godna klasycznej paryżanki, algierska, oliwkowa cera, ciemna oprawa oczu i piękne, pełne usta. Twarz oprawiona burzą kasztanowych loków. Zrobiła na Robie tak piorunujące wrażenie, że natychmiast postanowił ją ukarać. Okazało się jednak, że Amelie oprócz zniewalającej urody ma też powalający temperament. Pierwszy klaps Roba spotkał się z jej gwałtowną reakcją, co mój rozochocony przyjaciel uznał za zaproszenie do zabawy. Przycisnął do siebie Amelie i zdołał powalić na sofę. Dziewczyna szamotała się, zaczęła krzyczeć i się wyrywać. Dopiero gdy ugryzła Roba w ucho, dotarło do niego, że dziewczyna nie przyszła się tu bawić. Odpuścił, ale ona nie. Po wyjściu z apartamentu natychmiast poszła na policję złożyć doniesienie o gwałcie.

– Stary, co ty sobie, kurwa, wyobrażałeś? Przecież jak to wycieknie do prasy, ugotują nas żywcem. Nikt nie uwierzy, że to niewinne zabawy. Od razu powiążą nas ze sprawą Wasima. Kurwa! – wściekałem się.

– Sorry, Solo... Nie myślałem, że ona taka jest. Przecież laski z reguły wiedzą, po co tu przychodzą...

– Widocznie ta nie wiedziała.

Obarczanie Roba całą winą byłoby jednak niesprawiedliwe. Od lat organizował nam genialne imprezy. Nie żeby to była najcięższa robota na świecie, ale nigdy nie zawodził. Musieliśmy działać. Jak zwykle w takich sprawach nieoceniony okazał się Namib. Jeszcze tego samego dnia spotkał się z adwokatem Amelie. Łatwo nie było. Amelie nie zgadzała się na żadną ugodę. Stwierdziła, że jeśli przyjmie kasę, okaże się zwykłą dziwką, za jaką wziął ją Rob. Negocjacje trwały dwa dni. Ugoda finalnie kosztowała nas milion euro. Amelie nie okazała się zwykłą dziwką. Dziwki tak dobrze nie negocjują.

We współczesnym świecie islam często przedstawiany jest jako religia dławiąca seksualność, ale tak naprawdę nic bardziej mylnego. Oczywiście jest wiele interpretacji koranicznych zapisów, jednak historycznym faktem jest, że prorok Mahomet, który słynął z dość frywolnego podejścia do seksu, choć zawsze małżeńskiego, zdobywał sobie zwolenników właśnie przyzwoleniem na przyjemność seksualną. Katolicyzm zawsze tłamsił tę sferę życia, uważając ją za grzeszną, brudną i godną pokuty. Judaizm sprowadza ją wyłącznie do funkcji prokreacyjnej. Islam natomiast pochyla się nad seksualnością człowieka, zezwalając na jej eksplorowanie. Nawet obietnica życia wiecznego po śmierci jest tu mocno związana z seksem. Do *dżannah** dostają się tylko wierni w nagrodę za wiarę, modlitwę i dobre uczynki. Nie jest to wbrew dzisiejszym przekłamanym przekazom wyłącznie nagroda dla męczenników, których zarówno cyniczni ekstremiści islamscy, jak i niedouczeni wrogowie tej religii chcą widzieć w terrorystach. W raju na wiernych czeka życie pełne uciech cielesnych zapewnianych przez hurysy „o wielkich oczach, podobne do perły ukrytej – w nagrodę za to, co czynili"**. Według Koranu „nie dotknął ich przed nimi ani żaden człowiek, ani dżin"***. Koran nie jest jednak źródłem pełnej wiedzy na temat hurys. Dużo więcej można o nich wyczytać w hadisach. To zapisy tradycji muzułmańskiej dotyczącej słów i przekazów Mahometa. Hadisy tworzą sunnę, najważniejsze po Koranie źródło islamskiego prawa i moralności. Dowiadujemy się z niego, że te idealne kobiety wcale nie są zupełnie młode – mają po trzydzieści trzy lata. Są kwintesencją cnót z imieniem Allaha

* W Koranie – raj.

** Koran 56:22-24.

*** Koran 55:72-74.

wypisanym na piersiach. Zniewalająco piękne, nie muszą się martwić o przemijanie urody, tę mają zagwarantowaną na wieczność. Podobnie zresztą jak samą cnotę, bo choć trudno sobie to wyobrazić, ta – odebrana im przez mężczyznę – wraca natychmiast. Żyjący w piętnastym wieku znawca Koranu Al-Suyuti pisał: „Za każdym razem, śpiąc z hurysą, odnajdujemy jej dziewictwo. Poza tym penis Wybranego nigdy nie mięknie. Erekcja jest wieczna. Uczucie, kiedy za każdym razem się kochasz, jest absolutnie wyśmienite i spoza tego świata. I nawet gdybyś chciał zrobić to samo na ziemi, to byłbyś na to za słaby. Każdy Wybrany ożeni się z siedemdziesięcioma hurysami, poza kobietami ożenionymi na ziemi, i wszystkie będą miały smakowite waginy". Wprawdzie Al-Suyuti, w porównaniu do autorów innych przekazów, zmniejszył liczbę dziewic o dwie, ale trudno na ten uszczerbek narzekać, zwłaszcza że hurysy były zupełnie oddane woli swego męża. Oprócz zaspakajania jego „wiecznej erekcji" mogły też na jego życzenie rodzić mu dzieci, które pełną dojrzałość osiągały zaledwie w ciągu godziny. O samotności w muzułmańskim raju nie mogło być mowy, a pobyt w nim wydaje się opisem jednej wielkiej, pozbawionej granic orgii. Opowieści księcia Abeda sprawiały podobne wrażenie, jakby kawałek tego *dżannah* był dostępny również na ziemi. Wystarczyło tylko urodzić się w odpowiednio bogatej rodzinie. Opisy nagród czekających na mężczyzn po śmierci tłumaczą rozwiązłość, która kłóci się z obrazem pobożnego, bogobojnego i bijącego pokłony pięć razy dziennie muzułmanina, ale tylko pozornie. Większość z nich przekonana jest, że skoro sam Allah stworzył im po śmierci tak fantastyczne warunki do spełniania się w roli mężczyzny, to z pewnością nie ma nic przeciwko temu, żeby i za życia trochę sobie poużywali.

Tutaj jednak pojawia się pewien problem – islam w kwestii seksu pozwala na wiele, ale pod warunkiem że odbywa się to w ramach małżeństwa. Powinnością żony jest być posłuszną mężowi, a nakaz ten dotyczy również sfery seksualnej. Hadisy mówią też o obowiązkach męża wobec żony. Przede wszystkim chodzi o konieczność zadowolenia seksualnego kobiety, zanim spełnienie osiągnie mężczyzna. Z tym bywa różnie, bo kobiety potrzebują z reguły dużo więcej czasu niż mężczyźni, ale wyznający islam panowie o luźnym stosunku do seksu interpretują ten zapis jak wiele innych, czyli na swoją korzyść. Skoro hadisy mówią o konieczności zaspokojenia żony, to dotyczą... zaspokajania żony. Przyjemnością prostytutek nie muszą się przejmować. Wynajmując je, mogą się skupić wyłącznie na własnej rozkoszy.

ROZDZIAŁ 16
Asif

Słuchałem erotycznych wspomnień Abeda z wypiekami na twarzy. Książę ewidentnie do grzecznych nie należał i zgodnie ze zwyczajem obowiązującym wśród młodych Arabów o jego statusie korzystał z życia w wielkim stylu. Nie był to oczywiście Wasim Style, bo na takie szaleństwo nigdy się nie zdobył, ale odniosłem wrażenie, że z biegiem lat zaakceptował to, kim jest, i zaczął dostrzegać jasne strony swojej pozycji. Od momentu, gdy zdobył się na niezależność, minęło sporo czasu. Kiedy jednak zrozumiał, że pieniądze nie są jedynym wyznacznikiem jego wartości, nauczył się z nich korzystać. Zdaję sobie sprawę, że brzmi to abstrakcyjnie, bo wydawanie setek tysięcy euro, funtów czy dolarów na przyjemności przez większość z nas nie jest postrzegane jak brzemię, ale gdy wszystko jest podane na tacy, może dojść do poważnego zachwiania poczucia własnej wartości. Abed we wczesnej młodości ewidentnie stał się ofiarą tej sytuacji, ale sądząc po tym, jak się rozhulał, stan ten można uznać za niebyły.

Nasz pierwszy dzień w Ras Al Khaimah zakończył się wystawną kolacją. Nie rozmawialiśmy w jej trakcie zbyt wiele. Starałem się nie nadużywać cierpliwości księcia. Poza tym czułem się zmęczony tym pełnym wrażeń dniem, a i Abed sprawiał wrażenie wyczerpanego. Zupełnie jakby wspomnienia kosztowały go wiele wysiłku. A może po prostu zdawał sobie sprawę, że zbliżamy się do okresu, w którym beztroska znów zmieni się w smutek i żal.

Wkrótce po kolacji pożegnaliśmy się serdecznie, ustalając szybko szczegóły naszego kolejnego spotkania. Wróciłem do pokoju. Mimo zmęczenia nie mogłem opanować gonitwy myśli, która wystartowała dokładnie w chwili, gdy moja głowa opadła na przyjemnie chłodną poduszkę.

Jadąc na pierwsze spotkanie z księciem, nie spodziewałem się aż takiej szczerości z jego strony. Liczyłem na kilka pikantnych historyjek. Chciałem się dowiedzieć, jak podrywają arabscy szejkowie, czy w ich kontaktach damsko-męskich istnieje coś więcej poza magią wielomiliardowych kont. Czy mają szansę na prawdziwą miłość.

Czego się dowiedziałem? Przede wszystkim tego, co podejrzewałem od dawna. Tego, co powtarza wielu i w co nikt, kto nie zdobył fortuny, wierzyć nie chce. Pieniądze naprawdę szczęścia nie dają. Dają namiastkę raju, chwile zapomnienia, czasami święty spokój, ale absolutnie nie są gwarantem szczęścia. Dzięki Abedowi mogłem się przyjrzeć życiu nie jednego, a dwóch młodych książąt. Poznałem też historię ich przyjaciół. Obraz tego elitarnego, opływającego w luksusy towarzystwa wcale nie pokazuje szczęścia. Oto Abed, wrażliwy i spokojny chłopak, przez większość swojego dorosłego życia walczy ze swoistym autyzmem społecznym, w jaki wepchnęło go nadopiekuńcze wychowanie. By zawalczyć o siebie, musi udawać, że jest zwykłym chłopakiem. Mimo trzydziestu kilku lat na karku, nie udało mu się szczęśliwie zakochać, choć wiem, że bardzo tego pragnął. Darmowy seks uprawiał tylko anonimowo. Jako szejk zawsze musiał za niego płacić. Jego kuzyn Wasim niejako na starcie zrezygnował z prawdziwej miłości. Rekompensował jej brak wynajmowaniem prostytutek na całym świecie, a jego szaleńczy tryb życia doprowadził do tragedii. Jako mąż wprawdzie za seks płacić nie musiał, ale tak naprawdę zmieniła się tylko waluta. Aranżowane małżeństwa to kontrakty, a kontrakty zawsze są elementem biznesu. Uczuć nie da się tak po prostu zakontraktować.

Ta smutna w konkluzjach analiza pokazuje, że szejkowie w zasadzie nie podrywają, tylko kupują. I to nie dlatego, że ich na to stać, ale dlatego, że wszyscy po prostu widzą w nich interes. Czasami jest to doraźny zarobek dla podreperowania budżetu, czasem dostatnie życie w małżeństwie, a jeśli nawet nie chodzi bezpośrednio o pieniądze, w grę wchodzą polityka i unie między krajami. Nagle ci, którzy słyną z wykorzystywania, jawią się jako wykorzystywani i podporządkowani bezdusznemu systemowi. To mało popularne, ale bardzo prawdziwe wnioski. Ciąg dalszy historii Abeda zdawał się jedynie je potwierdzać, choć na szczęście, jak bywa w przypadku każdej reguły, pojawiają się od niej wyjątki.

Książę wrócił do opowiadania swojej niezwykłej historii następnego dnia punktualnie w południe.

***

Narodziny pierworodnego syna Wasima były dla mnie szczególnym wydarzeniem, więc gdy tylko dostałem wiadomość o pierwszych bólach porodowych Almas, ruszyłem w drogę do domu. Pamiętam ten dzień dokładnie. Do pałacu wuja Ahmeda, gdzie miałem się spotkać z Wasimem, udałem się prosto z lotniska. Stamtąd razem pojechaliśmy do pałacu rodziców Almas. Zgodnie z tradycją Almas od chwili porodu przez czterdzieści dni pozostawała pod opieką swojej matki, by wrócić do pełni sił. Wasim mógł ją odwiedzać, ale nie mógł zostawać na noc. Wasim i Almas bez zająknięcia poddawali się wszelkim tradycjom i zwyczajom. To pewnie dlatego, że o potomka starali się przez blisko siedem lat. Wszyscy w rodzinie, włączając mnie, podejrzewali, że Wasim i Almas wcale go nie planują. Biorąc pod uwagę przeszłość Wasima, była to wersja bardzo prawdopodobna. Jako pierwszy podejrzenia rzucił ojciec Wasima, mniej więcej dwa lata po ślubie. Wuj uważał, że ten czas powinien wystarczyć na spłodzenie potomka. Tłumaczenia Wasima nie przekonywały go, ale mam wrażenie, że chęć spełnienia życzenia ojca paradoksalnie sprawiła, że Wasim i Almas bardzo się do siebie zbliżyli. Po kilku latach prób stało się jasne, że nie obejdzie się bez interwencji lekarzy. Kiedy okazało się, że jedynym sposobem będzie metoda in vitro, podejrzliwi do tej pory członkowie rodziny stali się wielkimi kibicami. Pierwsze próby zapłodnienia skończyły się porażką. Wtedy po raz kolejny powrócił temat klątwy Jade. Anwar, która trzymała kciuki za Wasima i Almas, była jednocześnie przekonana, że nic z tego nie będzie. Tłumaczyła, że to sprawiedliwość, której jako ludzie nie jesteśmy w stanie ani zrozumieć, ani wytłumaczyć. Możemy ją tylko zaakceptować. Takie twierdzenia w islamie są absolutnie zakazane, ale Anwar zdawała się nie zważać na religijne sankcje. Była przekonana, że Wasim zasłużył na karę i właśnie teraz ją ponosi. Muszę przyznać, że teorie mojej siostry, choć brzmiały nieprawdopodobnie, dawały do myślenia. Zastanawiałem się, czy to możliwe, że Wasim ponosi karę za to, że kiedyś wyrzekł się dziecka, kazał je usunąć, a w wyniku wypadku, do którego doszło nie bez jego winy, dziecko zmarło w łonie matki. Czy ten nieszczęśliwy wypadek mógł mieć cokolwiek wspólnego z problemami z poczęciem potomka? A może to zwyczajny zbieg okoliczności? Może Almas po prostu nie mogła mieć dzieci? Na szczęście wszystkie te rozterki rozwiały się, gdy Almas wreszcie zaszła w ciążę. I choć była ona wynikiem osiągnięć nowoczesnej medycyny, jej szczęśliwy przebieg mogło zagwarantować wyłącznie zawierzenie Bogu. Zgodnie z surą nad rozwojem ludzkiego embrionu czuwa anioł, oczywiście pod warunkiem że kobieta modli się i nosi specjalne amulety chroniące przed działaniem „złego oka". Almas w zawieszonym na szyi woreczku nosiła zaszyte fragmenty Koranu przygotowane przez jej matkę. Przez większą część ciąży nie mówiła zbyt wiele, by złe języki nie zrobiły dziecku krzywdy. I nie zrobiły. Almas urodziła zdrowego chłopca. Jeśli nawet klątwa była prawdziwa, to tego dnia została złamana, a imię, jakie otrzymał pierworodny Wasima, zdawało się to przypieczętowywać. Asif ibn Wasim ibn Ahmed ibn Jabal* zwiastował szczęście i radość dla młodych, zdeterminowanych rodziców.

Pierwszy krzyk Asifa przyniósł wielką radość całej rodzinie. Zgodnie z wierzeniami krzyk ten spowodowany jest dotykiem szatana, którego przepędza się, szeptając pierwszą część *adhan*** do prawego ucha niemowlęcia, a drugą do ucha lewego. Do wypędzania szatana zabrała się również matka Almas, ona też w celu zabezpieczenia Asifa przed złymi mocami i kolką obwiesiła jego łóżeczko karteczkami z odręcznie wykaligrafowanymi fragmentami Koranu. Siedem lat oczekiwania na wnuka odcisnęło na tej kobiecie spore piętno. W obawie przed jego opętaniem sama zachowywała się jak opętana.

Tamten pobyt w Emiratach bardzo wiele we mnie zmienił. Wtedy jeszcze nie potrafiłem tego dostrzec, ale potrzeba zmian coraz bardziej mi doskwierała. Zabawne, że życiowe decyzje są czasami wynikiem z pozoru nieznaczących momentów. Spotkanie Jeana-Pierre'a, człowieka, którego zachowanie nie było znowu tak bardzo szokujące, skłoniło mnie do nieco irracjonalnej refleksji,

* Imię w języku arabskim oznacza „przebaczenie".
** Wezwanie do modlitwy.

że muszę zrobić wszystko, by nie utknąć w bezproduktywnym hedonizmie, bo inaczej spędzę resztę życia jako wiecznie pijana karykatura o nieokrzesanych potrzebach seksualnych. To był doskonały moment. Asif symbolizował czystość, niewinność i był efektem wielu lat starań, dziełem dwojga kochających się ludzi. Kiedy zobaczyłem go po raz pierwszy, wiedziałem już, co muszę zrobić. Nadchodził czas poważnych zmian.

Pamiętam ten moment bardzo dokładnie. Zadzwoniłem do mojego taty, jadąc samochodem, w czym od razu się zorientował.

– Synu, prowadzisz! Zwolnij! – upomniał mnie.

– Spokojnie, tato, nie jadę szybko.

– Mam nadzieję, mam nadzieję... Cieszę się, że znowu jesteś w domu.

– Ja też, tato, ja też! Wiesz, chyba przyszedł czas, byśmy porozmawiali... Chyba jestem gotowy...

– Mówisz serio?

– Tak. Nie wiem tego jeszcze na pewno, ale mam wrażenie, że to najwyższy czas.

– Nawet nie wiesz, jak bardzo mnie to cieszy. Twoja mama byłaby szczęśliwa.

Do rozmowy, na którą się wtedy umówiliśmy, nie doszło przez kilka kolejnych miesięcy. Cała rodzina była zaaferowana małym Asifem. Nie mieliśmy okazji, by usiąść i spokojnie pogadać. Wciąż nie byłem jeszcze pewien tego, co powinienem zrobić. Pozostawiłem sprawy własnemu biegowi.

Tymczasem wuj Ahmed zarządził organizację *tasmijja**. Osobiście akceptował wszystkie elementy przyjęcia, co świadczyło jedynie o tym, jak bardzo się cieszy z narodzin Asifa. Mimo że malec nie był jego pierwszym wnukiem, lata, przez które kazał

* Przyjęcie z okazji nadania imienia dziecku organizowane siedem dni po jego narodzinach.

na siebie czekać, spowodowały, że stał się dla dziadka absolutnym priorytetem. Tak wyczekiwany wnuk musiał mieć wszystko, co najlepsze. Tego dnia pałac dosłownie tonął w kwiatach, a na przyjęcie została zaproszona cała bliska i dalsza rodzina. Były ciotki i wujowie, których nigdy nie widziałem, oraz tacy, których pamiętałem jak przez mgłę. Wszyscy chcieli zobaczyć malca i uczcić moment, gdy oficjalnie stał się Asifem ibn Wasimem ibn Ahmedem ibn Jabalem. Malec był niezwykle uroczy, przez cały czas uśmiechnięty i spokojny. Jakby rozumiał powagę sytuacji. Prawie w ogóle nie płakał. Spokoju ducha z pewnością nie odziedziczył po swoim ojcu.

Niemal codziennie jeździłem go odwiedzać. Szczerze mówiąc, zupełnie oszalałem na jego punkcie. Licząc wszystkich moich siostrzeńców i bratanków – synów moich kuzynów, Asif był dziewiąty w kolejności, ale prawdopodobnie przez moją relację z Wasimem stał mi się najbliższy. A może dopiero wtedy dojrzałem na tyle, by docenić, jakim cudem są narodziny dziecka. Nawet sam zacząłem myśleć o ojcostwie, do tego jednak trzeba dwojga, a ja w dalszym ciągu nie spotkałem odpowiedniej kandydatki. Jedyną osobą, jaka przychodziła mi do głowy, gdy myślałem o potencjalnej matce mojego dziecka, była Kate. Mimo wielu lat i mnóstwa rozmaitych wydarzeń wciąż o niej nie zapomniałem. Jednak Kate zniknęła z mojego życia. Była tylko pełnym miłości wspomnieniem.

Jeśli chodzi o zaskakujące zmiany, największą przeszedł sam Wasim. Miałem wrażenie, że niezwykle wydoroślał. Może to dziwnie brzmi, był przecież ode mnie starszy, ale zawsze zachowywał się jak dzieciak. Teraz jednak złagodniał, spoważniał, widać też było, że jest szczęśliwy. Nigdy bym nie przypuszczał, że właśnie on, król chaosu i kipiącego alkoholem zamieszania, znajdzie szczęście u boku jednej kobiety i będzie się realizował jako przykładny ojciec.

– Jesteś szczęśliwy, bracie? – zapytałem wprost.

– Najszczęśliwszy pod słońcem.

– Naprawdę nie brakuje ci dawnego życia?

– Ani trochę! Życie w ciągu bez ciągu dalszego nie ma sensu.

– Bez ciągu dalszego?

– Tak, moje życie właśnie takie było. Po jednej szaleńczej imprezie następowała kolejna, a po tej jeszcze jedna... Wszystko było takie samo. Tak jakbyś słuchał tej samej piosenki na okrągło. Na początku słuchasz jej ciągle, bo ci się podoba, potem nie możesz bez niej żyć, aż przychodzi taki moment, że nią rzygasz. Potrzebujesz zmiany, ciągu dalszego...

– A ta piosenka ci się nie znudzi?

– Ta piosenka jest zawsze inna. Almas jest cudowna. Starania o Asifa bardzo nas do siebie zbliżyły. Minęło siedem lat, a każdy rok był zupełne inny, nowy. Po raz pierwszy w moim życiu mam poczucie, że coś w tym czasie stworzyłem, że to nie był stracony czas.

– Myślisz czasami o Londynie? – spytałem nieśmiało.

– Masz na myśli Jade? – Wasim zamilkł na dłuższą chwilę. – Niemal każdego dnia. Zachowałem się wtedy jak ostatni cham. To było nieludzkie i nigdy sobie tego nie wybaczę, ale myślę, że Asif jest znakiem od Boga, że On mi wybaczył. Naprawdę zacząłem wierzyć w tę klątwę i jeśli to była prawda, mój mały synek ją pokonał.

Kilka dni później wyjechałem do Londynu, ale spotkania z Robem i Alanem nie były już takie jak zwykle. Okazało się, że nie tylko ja mam potrzebę zmian. Któregoś dnia zupełnie bez zapowiedzi Alan wypalił:

– Żenię się, chłopaki!

Nasze zaskoczenie można było porównać do wyników referendum nad brexitem! Wszyscy wiedzieli, że może się wydarzyć, ale nikt w to nie wierzył, zwłaszcza że Alan nie ujawniał się z tym, że w jego życiu pojawiła się jakaś kobieta. Okazało się, że miesiąc wcześniej spotkał Claire, dziewczynę z sąsiedztwa, w której kochał się jako mały chłopiec. Uczucie odżyło i tym razem Alan nie zwlekał z oświadczynami. Claire była bardzo ładna, wykształcona, pochodziła z profesorskiej rodziny i nie nosiła aparatu. Alan odhaczył wszystkie punkty na liście i włożył na jej palec pierścionek zaręczynowy.

– *Dude*, dlaczego nic nie powiedziałeś? – spytał zaskoczony Rob. – Uchronilibyśmy cię przed tym błędem!

– No właśnie dlatego nie powiedziałem – odparł Alan. – Claire nie jest błędem.

Wciąż będąc pod wrażeniem szczęścia Almas i Wasima, stanąłem po stronie Alana.

– Stary, gratulacje! Bardzo się cieszę.

– Solo, tylko mi nie mów, że ty też… – zaniepokoił się Rob.

– Nie, ja niestety nie. Ale wiesz, chyba czas zacząć się rozglądać.

– Kurwa, pojebało was kompletnie! Ale wasza sprawa… Kto chce piwo?

Rob panicznie bał się chwili, gdy będzie trzeba dorosnąć. Dla niego oznaczało to jedno: zgodę na wejście w przynoszącą olbrzymie pieniądze, ale potwornie nudną branżę pośrednictwa nieruchomościami, czego szczerze nienawidził. Jego rodzice nie wywierali na nim dużej presji, była to swego rodzaju transakcja wiązana. Rob dostał czas, by się wyszaleć, a oni zapewnienie, że w przyszłości zajmie się firmą. Decyzja Alana nieuchronnie przybliżyła ten moment, co wprawiło Roba w stan bliski paniki. Jego determinacja w organizowaniu nam dobrej zabawy wzrosła, ale niestety powodowało to sporo napięć. Alan nie chciał już się zabawiać z laskami, a ja coraz częściej odczuwałem przesyt.

Może po prostu potrzebowałem przerwy. Choć wydaje się to dziwne, beztroskie, hedonistyczne życie również potrafi zmęczyć. Narodziny Asifa sprawiły, że coś się we mnie zmieniło. To nie był jakiś wielki przełom, ale widząc tego malucha, poczułem, że życie ma wiele innych barw niż te, które widziałem do tej pory. Każda ze wspaniałych nocy spędzonych na zabawie w towarzystwie Alana i Roba pozostała miłym wspomnieniem, ale nie zostawiła we mnie nic trwałego, nic prawdziwie ważnego. Gdyby nie wiadomość, którą przekazał mi kolejnego dnia Namib, pewnie i tak po jakimś czasie wróciłbym do Emiratów, ale teraz okazało się to konieczne.

– To bardzo ważne, byś poleciał jeszcze dzisiaj. Samolot jest już w drodze.

– Co się stało, Namib?

– Nie wiem, książę. Wiem tylko, że jesteś tam teraz bardzo potrzebny.

Po jakimś czasie dowiedziałem się, że Namib jednak wiedział, co się stało, ale był bardzo przekonujący. Uwierzyłem mu, zwłaszcza że wezwanie było mi bardzo na rękę. Nie musiałem tłumaczyć Robowi, że powinniśmy zmienić nasz dotychczasowy styl życia. Przynajmniej na jakiś czas. Być może na zawsze.

Przylot do domu przypomniał mi ten sprzed kilkunastu lat. Wtedy wracałem do kraju w bardzo podobnych okolicznościach, choć miałem wielką nadzieję, że tym razem powód wezwania nie jest równie smutny. Pamiętam, że jadąc z lotniska, wypatrywałem flag na budynkach. Odetchnąłem z ulgą, widząc, że nie są opuszczone. Ulga jednak nie trwała długo.

ROZDZIAŁ 17
Klątwa

W nordyckiej mitologii istnieje legenda o nieszczęśliwej miłości nimfy wodnej Ondyny do przystojnego Palemona. Oszałamiająco piękna Ondyna jak większość nimf stroniła od mężczyzn, ale Palemonowi nie potrafiła się oprzeć. Zakochała się w nim bez pamięci. Obserwowała go codziennie z ukrycia, aż pewnego dnia odważyła się ujawnić. Gdy mężczyzna ją zobaczył, natychmiast odwzajemnił jej uczucie. Zakochał się do tego stopnia, że postanowił zerwać zaręczyny z dotychczasową narzeczoną i poprosić Ondynę o rękę. Ondyna, jako nimfa, pozbawiona była duszy, mogła się za to cieszyć nieśmiertelnością i wieczną młodością. Wiążąc się ze śmiertelnikiem, zyskiwała duszę, mogła ją teraz dzielić z ukochanym, ale miało to wysoką cenę. Od tej pory nie była już nieśmiertelna i zaczęła się starzeć. Gdy Palemon ślubował jej, że każdy jego oddech będzie przysięgą wierności i miłości, zawiązali pakt, który okazał się zgubny dla obojga. Ondyna zaczęła tracić swoje boskie przymioty, ale początkowo to, co traciła, rekompensowała jej miłość ukochanego. Okazało się jednak, że młodzieniec ma kłopoty z wiernością. Któregoś wieczoru Ondyna przyłapała go na schadzce z dawną narzeczoną.

Zrozpaczona rzuciła na niego klątwę, wykorzystując słowa jego przysięgi. Każdy jego oddech miał być przysięgą wierności. Teraz, gdy wierność została złamana, każdy jego oddech miał być przekleństwem. Zaklęty przez Ondynę, Palemon musiał cały czas pamiętać, by oddychać, świadomie wdychać i wydychać powietrze. Jeśli zapomni o tym choć na chwilę, jego oddech ustanie, a on sam umrze.

– Nazywają to klątwą Ondyny. To choroba genetyczna, rzadka, ale zdarza się. Niewykryta zabija znienacka – wyjaśniła mi Anwar. To z nią pierwszą spotkałem się po przylocie do Emiratów.

– Nie do wiary! – zawołałem. – Nie mieści mi się to w głowie. I nikt tego nie zauważył?

– Nie. Kompletnie. Może to i klątwa Ondyny, dla mnie to klątwa Jade. Mówiłam o tym już dawno. Żadna zbrodnia nie uniknie kary.

Słowa mojej siostry brzmiały kategorycznie, ale sam coraz bardziej skłaniałem się do tego, by uwierzyć w jej wersję. Po prostu nie chciałem dopuścić do siebie myśli, że los może być aż tak okrutny.

Służąca zajmująca się małym Asifem trzęsła się, jakby zobaczyła ducha. Płakała bezgłośnie, od czasu do czasu wydając jedynie cichy jęk. Była przerażona. Druga służąca – zapłakana, ale ewidentnie bardziej przytomna – prowadziła ją pod rękę. Tak doczołgały się do sypialni Almas. Młoda mama już nie spała. Widząc zrozpaczone kobiety, wybiegła z pokoju i natychmiast pobiegła do komnaty Asifa. W łóżeczku znalazła małego synka. Spokojnego. Bez ruchu. Bez oddechu. Wzięła go na ręce, próbując obudzić, ale wiedziała już, że nie pomogą jej łzy, pocałunki, błagania... Asif odszedł po zaledwie trzech tygodniach od narodzin. Lekarz, który badał go pośmiertnie, jako przyczynę zgonu orzekł wrodzoną hiperwentylację, genetyczną chorobę, która powoduje bezdech senny. Malec zasnął i po prostu przestał oddychać.

– Zapłacił za grzechy ojca – orzekła Anwar.

– Przestań! Nie teraz! – zirytowałem się.

– Wiem, że prawda jest niewygodna, ale to oczywiste. Miał przynieść przebaczenie, a okazał się pokutą.

Nie mogłem w to uwierzyć. Szczęście Almas i Wasima wydawało mi się bez skazy. Pojawienie się Asifa mogło tylko przypieczętować ich miłość. Jeśli nawet Wasim musiał odpokutować swoje dawne grzechy, miałem wrażenie, że zrobił to z nawiązką. Nie chciałem dać wiary, że taka była wola boska, bo czułem się w tym momencie bluźniercą. Jeśli jednak Bóg miał z tym cokolwiek wspólnego, musiałbym być na niego wściekły. Klątwa Jade była wytłumaczeniem znacznie bardziej wygodnym, ale i tak żadne wytłumaczenie nie mogło przynieść ukojenia. Almas tuliła bezwładne ciałko Asifa. Nie pozwoliła go sobie odebrać, a służba i członkowie rodziny nie podejmowali kolejnych prób. Dopiero gdy kilka godzin później do pałacu dotarł roztrzęsiony Wasim, oddała mu synka. Oboje siedzieli w milczeniu, przełykając płynące wartkim strumieniem łzy. Cisza, jaka nastała po tym, jak z tego świata zniknął Asif, od tej pory miała im towarzyszyć codziennie. Nie potrafili ze sobą rozmawiać. Wymieniali nieliczne, tylko te konieczne słowa.

Po fazie bezbrzeżnego smutku Wasima zalała fala agresji. Nie chciał się zgodzić na śmierć swojego syna. Wiedział, że nie ma na to najmniejszego wpływu, ale postanowił znaleźć i ukarać winnych.

– Jak to się mogło stać? Jak mogłyście do tego dopuścić? – wrzeszczał na dwie przerażone Filipinki.

– Ale my nie... Książę spał...

– Spał i się nie obudził! Miałyście się nim opiekować!

– Opiekowałyśmy się...

– A teraz on nie żyje! Umarł, gdy był pod waszą opieką! To wasza wina!

– Nie, my nigdy...

– Już ja dopilnuję, żebyście już nigdy! Zejść mi z oczu!

Obie kobiety, spłakane i ledwo trzymające się na nogach, zniknęły za drzwiami apartamentu. Wasim walczył z emocjami. Rozpacz, której nie mógł uciszyć, wściekłość, która rozpalała go do granic. Nie był w stanie sobie z tym wszystkim poradzić. Wezwał sekretarza, któremu nakazał natychmiast załatwić deportację obu opiekunek Asifa.

– Zabierz je stąd, zanim zmienię zdanie...

Żądanie Wasima zostało spełnione. Kobiety dostały kilka godzin na spakowanie się. Ale tylko jedna z nich wyjechała do domu. Druga zaraz po wiadomości o deportacji wypiła kuchenny detergent; zmarła kilka godzin później w swoim pokoju. W jej dłoni znaleziono kartkę z nakreślonym rozedrganym pismem słowem: „Forgive”*. Kobieta czuła się winna śmierci małego Asifa, którego imię paradoksalnie w języku arabskim oznaczało właśnie przebaczenie. Klątwa Jade, w którą coraz bardziej wierzyłem, pochłonęła kolejną ofiarę. Z czasem okazało się, że niestety nie ostatnią.

Cały kraj pogrążył się w żałobie na kilka kolejnych dni. W pałacach należących do naszej rodziny panowała świdrująca cisza. Po okresie wielkiego szczęścia nastał czas nieopisanego smutku, i to w najboleśniejszej postaci. Los zakpił z Almas i Wasima w sposób niezwykle okrutny. Najpierw kazał im walczyć o szczęście, wieloletnie wysiłki i determinację nagrodził tylko po to, by chwilę później odebrać im wszystko. To niesamowite, jak takie

* Z ang. – Wybaczcie.

doświadczenia zmieniają postrzeganie świata. Życie Almas i Wasima zawsze opływało w luksusy, nie brakowało w nim niczego, ale gdy pojawił się Asif – i chwilę później zniknął – okazało się, że wcześniej nie mieli nic równie cennego. Całe bogactwo, cała radość nie miała najmniejszego znaczenia, nic się już nie liczyło. Gdyby tylko jakiekolwiek pieniądze mogły przywrócić do życia ich synka, oboje byliby gotowi wyrzec się wszystkiego. Niestety, nawet bogaci szejkowie wobec prawa boskiego są równi zwykłym śmiertelnikom. Okrutna, ale jedyna gwarantowana sprawiedliwość tego świata.

Od czasu śmierci Asifa Almas i Wasim zaczęli żyć obok siebie. Prawie się nie widywali. Almas została w domu swoich rodziców. Wasim przestał do niej przyjeżdżać. Nie mieli o czym rozmawiać. Ranili się nawzajem samym swoim widokiem. Ich wspólne, pełne ciepła i uczuć życie zorientowane było na jedno – chcieli mieć dziecko. Dopóki o nie walczyli, mieli płaszczyznę porozumienia, i pewnie gdyby Asif żył, nadal byliby szczęśliwą parą. Ale od kiedy feralnej nocy ich synek zapomniał o oddechu, tlenu zabrakło również jego rodzicom. Nie potrafili już żyć razem. Każda próba rozmowy prowadziła do jednego tematu, a ten był dla nich zbyt bolesny. Pozostali małżeństwem, ale każdego dnia stawali się sobie bardziej obcy. Wasim nie radził sobie z żałobą. Nigdy bym nie przypuszczał, że właśnie tak zareaguje. Jeszcze kilka lat temu wcale nie chciał być ojcem – teraz odchodził od zmysłów. Kilka tygodni potem wyjechał z kraju, a kontakty z rodziną ograniczył do sporadycznych znaków życia.

Ja dla odmiany zostałem w Emiratach. To niesamowite, że ja i Wasim, choć zawsze sobie bliscy, z reguły się mijaliśmy. Kiedy on był królem imprezowego świata, ja spędzałem życie w stajni. Gdy ja zacząłem się bawić, udając kogoś, kim nie byłem, on korzystał w pełni z przywilejów, jakie daje bycie szejkiem. Kiedy znów ja ruszyłem po szalone, drogo sponsorowane przygody, on poświęcił się budowaniu rodziny. Teraz znowu nasze drogi się rozeszły. Wasim nigdy nie dbał o anonimowość, więc mimo że nie zdawał mi relacji ze swoich poczynań, od czasu do czasu trafiały do mnie informacje o imprezach, w jakich brał udział. Rozumiałem to. Musiał odreagować. Ja tymczasem podjąłem jedną z najważniejszych decyzji w moim życiu.

– Jesteś tego pewien, synu? – zapytał ojciec, kiedy mu ją obwieściłem. – Wiesz, że to ogromna odpowiedzialność, a przy tym spore poświęcenie. Nie będziesz już mógł liczyć na anonimowość. Nikt nie wybaczy ci żadnego błędu ani słabości.

– Wiem, tato. Ale chyba już czas. Mam trzydzieści jeden lat... To i tak kiedyś nastąpi, a mając u boku tak mądrego władcę jak ty, będzie mi łatwiej.

– Nawet nie wiesz, jak bardzo mnie cieszy twoja decyzja. Niech zatem się stanie.

Zdecydowaliśmy, że moja koronacja nie będzie celebrowana. To byłoby nietaktowne. Ojciec wydał jedynie stosowne oświadczenie – i tak zostałem koronowanym księciem, obejmując rządy nad Ministerstwem Finansów i fundacją wspierającą młodych przedsiębiorców.

O wadze tego aktu przekonałem się już kolejnego dnia, gdy zasypały mnie gratulacje od głów państw z niemal całego świata, od króla Tajlandii po prezydenta Stanów Zjednoczonych. Zaskoczony, onieśmielony, ale jednocześnie dość podekscytowany przystąpiłem do realizacji swoich obowiązków. Wiedziałem, że numer z udawaniem anonimowego turysty, podrywanie lasek na sam uśmiech, ukrywanie prawdziwego pochodzenia – wszystko to już nigdy mi się nie uda. Zamiast tego czekały mnie jednak inne, ekscytujące przygody. I tak postanowiłem na to patrzeć.

Z gratulacjami zadzwonił też Wasim. Z tych ucieszyłem się najbardziej. Jako piąty w kolejce do tronu, nigdy nie był obarczony widmem porzucenia wolności, więc jego gratulacje były naprawdę szczere. Wasima nie interesowały zaszczyty związane z polityką, zdecydowanie bardziej wolał te, które zapewnia wydawanie pieniędzy. W tym odnajdował się jak mało kto. Jednak zapamiętałem tę rozmowę nie dlatego, że gratulował mi koronacji. Powiedział coś bardzo dziwnego. Coś, czego wtedy nie mogłem zrozumieć.

– Bracie, mam do ciebie jeszcze jedną sprawę. Ale musisz mi obiecać, że utrzymasz to w tajemnicy.

– W coś ty się znów wpakował?

– W nic, spokojnie...

– W takim razie obiecuję. Cokolwiek to jest, pewnie nie przebije wszystkich tych rzeczy, które mógłbym powiedzieć o tobie, gdybym zdecydował się sypać.

Wasim się zaśmiał.

– No tak, ty wiesz o mnie prawie wszystko.

Jak miałem się przekonać, słowo „prawie" miało w tym kontekście bardzo duże znaczenie.

– Jeszcze dziś na twoją skrzynkę mailową przyślę wiadomość. Proszę, nie otwieraj jej...

– To po co ją wyślesz?

– Nie otwieraj jej teraz.

– A kiedy?

– Będziesz wiedział kiedy.

To była bardzo dziwna rozmowa, ale oczywiście obiecałem spełnić jego prośbę. Na początku otwarcie maila bardzo mnie kusiło, ale wiadomość spadała coraz niżej na piętrzącej się liście i z czasem zupełnie o niej zapomniałem.

ROZDZIAŁ 18
Gwałt

Wasim na dobre zadomowił się w Londynie. Co było do przewidzenia, skumplował się z osieroconym przeze mnie i Alana Robem. Spotkali się przypadkiem w Mahiki. Rob od razu go rozpoznał. Po raz kolejny wpadli na siebie, gdy Wasim w jedyny znany sobie sposób próbował zagłuszyć ból po stracie syna, a Rob czuł się porzucony i za wszelką cenę starał się kontynuować życie, jakie wiedliśmy w czasach naszych szaleńczych podróży. Wydawało się, że to idealne rozwiązanie. Tych dwóch mogło sobie nawzajem pomóc. Mieli wspólny cel – uciec od rzeczywistości. I obaj chcieli to zrobić w ten sam sposób, bawiąc się do upadłego. To była końcówka dwa tysiące trzynastego roku. Przez kolejne dwa lata Wasim i Rob rozkręcali imprezy na całym globie i udawali, że czas się dla nich zatrzymał.

Niekiedy na wybrykach przyłapywały ich media, a ja – trochę z zazdrości, a trochę z tęsknoty – śledziłem te publikacje dzięki Namibowi, który skrzętnie je dla mnie zbierał. Najczęściej były to wycinki z prasy plotkarskiej. Wasim był w końcu znany jako potomek jednej z najbogatszych rodzin na świecie, a sam, choć raczej negatywnie, również zapracował na swoje nazwisko. Sława niestety ma swoje ciemne strony.

Jednym z mniej chlubnych rozdziałów w życiu mojego brata w tamtym okresie był skandal związany z doszczętnie zrujnowanym apartamentem. Szkody materialne oszacowano na trzy miliony euro, tych wizerunkowych nikt nie wycenił, bo Wasim i tak nie miał dobrej opinii. Ofiarą mojego brata i jego nieokrzesanych gości padł apartament w hotelu Waldorf Astoria w Paryżu. Prasa opisywała tę sytuację na wiele różnych sposobów, często ubarwiając to, co dziennikarze usłyszeli od policji i dyrekcji hotelu. Żaden artykuł nie był jednak w stanie oddać prawdy. Wasim za to nie bez dumy zrelacjonował i tamte wydarzenia. Zupełnie nie pamiętał samej imprezy, do czego przyczyniła się znaczna ilość alkoholu i białego proszku, który wciągnęli w nozdrza on i jego goście, ale gdy następnego dnia koło południa wrócił do żywych i jego oczom ukazał się krajobraz jak po bitwie, sam nie był w stanie w to uwierzyć. Któremuś z gości ewidentnie nie przypadła do gustu wyłożona w apartamencie wykładzina, bo postanowił ją podpalić, uprzednio całkiem świadomie rozwalając czujniki dymu. Ognisko próbowano też wzniecić na palenisku z materacy i tylko cudem żadna z tych prób nie skończyła się pożarem. To, co nie spłonęło, zostało zarzygane. Komuś musiało się nie podobać własne odbicie w lustrze, bo wszystkie kryształowe zwierciadła zostały rozbite w drobny mak. Na oknach nie została ani jedna zasłona, a i zdzieranie tapet musiało się komuś wydawać doskonałą zabawą, bo żadna ze ścian nie oparła się wandalom. Na środku salonu leżał wrak wyrwanego z sufitu kryształowego żyrandola, który musiał służyć za huśtawkę, dopóki jego mocowania nie poddały się ciężarowi któregoś z pijanych gości. To na co dzień dość leniwe towarzystwo zadało sobie nieprawdopodobnie dużo wysiłku, by doprowadzić piękne, wysmakowane wnętrze tego luksusowego hotelu do stanu jak po wybuchu bomby. Kto by pomyślał, że szejkowie po zażyciu kokainy są tacy pracowici!

Spór z hotelem oczywiście załatwiły pieniądze, ale sprawa odbiła się szerokim echem w prasie. Podobnie jak kolejny skandal z udziałem mojego niesfornego kuzyna…

– Jesteś pewien, że chcesz czytać dzisiejszą prasę, książę? – spytał Namib któregoś ranka.

– Po takim wstępie jestem tego więcej niż pewien – orzekłem.

– Podwójnie odradzam.

– Podwójnie?

– Z dwóch powodów.

Namib położył gazety na stole, najdalej, jak się dało, jakby to miało mnie powstrzymać przed ich przeczytaniem. Złapałem za „The Guardian"*. Na okładce przeczytałem:

„Książę Wasim oskarżony o gwałt na trzech modelkach. Do aktu seksualnej przemocy miało dojść w ubiegłą sobotę. Śledztwo trwa".

Nie! Co on znowu wyprawia?! Rozumiem, że cierpi, ale bez przesady. Myślałem, że sytuacja z Jade nauczyła go rozsądku.

„Candy i Jessica, dwudziestojednoletnie mieszkanki Londynu, oraz ich pochodząca z Ukrainy rówieśniczka Olena gościły na wydawanym przez księcia przyjęciu w prywatnym apartamencie w Chelsea. – Książę na początku był miły, a potem chciał uprawiać z nami seks – mówi Olena".

Okej, czyli mamy do czynienia z tymi niewinnymi laskami, które przyszły tam, nie wiedząc, o co chodzi na imprezach

* Prestiżowy dziennik wydawany od 1821 r. pod tytułem „The Manchester Guardian", a pod obecnym od 1959 r.

organizowanych przez bogatych kolesi. Ale co mu przyszło do głowy, żeby gwałcić dziwki!

„– Nie zgodziłyśmy się, więc wziął nas siłą – dodaje Jessica".

Wszystkie trzy? Pijany Wasim ledwo radzi sobie z jedną!

„Książę Wasim ibn Ahmed złożył już wyjaśnienia na policji. Funkcjonariusze przesłuchali też dwóch jego towarzyszy, których poszkodowane wymieniły jako współorganizatorów imprezy – Roba Chiswicka i Jeana-Pierre'a Autry'ego. Wszyscy zgodnie zaprzeczają, jakoby doszło do gwałtu. Modelki miały zostać wynajęte jako osoby do towarzystwa. Książę Wasim przyznał, że odbył stosunek z dwiema z nich, ale jak twierdzi, doszło do niego za zgodą obu kobiet".

Biedny Wasim... Nawet jeśli to prawda, nikt mu nie uwierzy. Opinię bezwzględnego brutala przypieczętował artykuł sprzed lat, na który teraz media chętnie się powoływały.

„Książę Wasim ma za sobą niezbyt chlubną przeszłość. Choć do tej pory nie wniesiono przeciwko niemu żadnego oficjalnego oskarżenia, wiele kobiet, które miały z nim do czynienia, opisuje go jako bardzo brutalnego. W dwa tysiące piątym roku pod kołami należącego do niego samochodu zginęła jedna z nich, Jade Godall. Kobieta była w piątym miesiącu ciąży, a ojcem dziecka był książę Wasim. Podejrzewanego początkowo o spowodowanie wypadku szejka oczyszczono z zarzutów, gdy okazało się, że samochód prowadził jego bliski przyjaciel".

Nie znoszę, gdy dziennikarze przypominają takie rzeczy. Zupełnie jakby jeden występek przesądzał o tym, że każdy kolejny czyn będzie przestępstwem. Nie chcę wybielać Wasima, ale sprawa z Jade ma się nijak do tego, co wydarzyło się teraz. Tam był ewidentnie winny, ale tym razem... Mam wątpliwości. Nie po tym, co przeszedł!

„Rok temu książę przeżył osobistą tragedię. Jego niespełna trzytygodniowy syn zmarł we śnie".

I to też muszą przypominać! Rozumiem, że dziennikarstwo informacyjne musi informować, ale czytanie tego było dla mnie równie irytujące, co bolesne. A może po prostu byłem przewrażliwiony. Myślałem, że okres niekontrolowanego szaleństwa jest już za Wasimem. Bałem się, że zrobi jakieś głupstwo.

„Śledztwo w sprawie domniemanego gwałtu trwa".

Ostatnie zdanie brzmiało złowieszczo.

– Mówiłem, że lepiej nie... – odezwał się Namib, widząc, jak rzucam gazetą.

– Nie żałuję – odparłem. – Uważasz, że lepiej o tym nie wiedzieć?

– Nie, o tym i tak byś się dowiedział, książę...

– Więc o co ci chodzi? Mówiłeś, że odradzasz podwójnie...

– Widziałeś, kto napisał ten artykuł?

Ponownie spojrzałem na gazetę. Katherine Warwick-Derry! Nie mogłem w to uwierzyć. Kate! Moja Kate... Nie, już nie moja. Warwick-Derry... Kate wyszła za mąż! Za jakiegoś pana Derry'ego. Poczułem zmieszanie. Po raz kolejny obawa o Wasima łączyła się z myślami o Kate. Ta dwójka była połączona ze sobą w jakiś zupełnie niezrozumiały dla mnie sposób. Wasim rozrabiał, Kate to opisywała, a ja balansowałem na linie uczuć do obojga. Myślałem, że Kate zrezygnowała z dziennikarstwa po tym, jak „Daily Mail" opublikował zmanipulowany wywiad ze mną, ale ewidentnie wróciła do branży. Nie miałem do niej pretensji o tamtą publikację, raczej żal o to, że zniknęła. Nie dała nam żadnej szansy, a teraz wyszła za mąż i pewnie jest szczęśliwa z jakimś facetem. Gdyby to tylko było możliwe, zamieniłbym się z nim bez chwili namysłu. Postanowiłem jednak nie roztrząsać tej sprawy. Wiedziałem, że muszę się z nią skontaktować, ale najpierw zadzwoniłem do Wasima.

– Stary, co ty znowu odwalasz?

– Ciebie też miło słyszeć, braciszku. – Nie brzmiał na załamanego. W jego głosie słyszałem dawny, dobrze mi znany hedonizm z domieszką cynizmu.

– Jak na faceta oskarżanego o gwałt przez trzy kobiety nieszczególnie się martwisz.

– Te dziwki zmyślają. Ukartowały to, żeby się dorobić. Ale chuja dostaną! Nie, nawet chuja nie dostaną... Ani centa!

– Fakty z przeszłości za bardzo ci nie sprzyjają, Wasim. Może powinni się tym zająć prawnicy?

– Nic się nie martw, braciszku, wszystko będzie dobrze. Lepiej mi powiedz, jak się ma koronowany książę naszego wspaniałego kraju?

Opanowanie Wasima wcale mnie nie uspokajało. Zważywszy na jego przeszłość, widziałem, że ma marne szanse, by media stanęły po jego stronie. A w takich sytuacjach opinia publiczna ma olbrzymie znaczenie. Nawet jeśli laski zmyślają, trudno to będzie udowodnić. Uczestnicy imprez, na których leją się litry alkoholu, nie są wiarygodnymi świadkami, a jeśli Wasim uprawiał z dziewczynami seks, badania dowiodą, że do stosunku doszło.

W takiej sytuacji pozostanie słowo przeciwko słowu, a zeznania trzech poszkodowanych kobiet będą bardziej wiarygodne niż wyjaśnienia rozpieszczonego księcia o wątpliwej reputacji, w przeszłości podejrzewanego o zabicie po pijanemu swojej ciężarnej kochanki.

– Prawnicy już nad tym pracują – zapewnił mnie Wasim. – Mówię ci, one kłamią. Nic z tego nie będzie.

– Chciałbym być takim optymistą – mruknąłem.

– Naprawdę nie masz się o co martwić. Obiecuję.

Mogłem tylko zostawić tę sprawę własnemu biegowi. Wciąż jednak spokoju nie dawała mi Kate. Pod artykułem był jej adres mailowy. Bardzo chciałem się z nią skontaktować, ale nie wiedziałem, co mam napisać. Hej, Kate, to ja Abed. Pamiętasz mnie? Bardziej banalnie chyba się nie da. Chciałem jej napisać tak wiele. O wszystkim, co się zdarzyło, od kiedy urwał się nam kontakt. O pustce, jaką po sobie zostawiła, i o tym, ile wciąż dla mnie znaczy. Ale to nie byłoby na miejscu. Katherine jest mężatką. Nie chciałem wprawiać jej w zakłopotanie. To nie byłoby fair. Poza tym to ona zniknęła z mojego życia. Może wcale nie czuła do mnie tego, co ja do niej. Postanowiłem napisać w stylu, jaki wcześniej towarzyszył naszym rozmowom:

„Redaktor Warwick, jakże miło znów czytać Pani artykuły!

Pozdrawiam

Abed".

Na odpowiedź nie musiałem długo czekać. Kate odpisała niemal natychmiast, jakby przez te wszystkie lata czekała przy komputerze na moją wiadomość. Takie wyobrażenie było równie romantyczne, co niedorzeczne. Oczywiście, że nie czekała na mojego maila. Zapewne po prostu właśnie pracowała, gdy mój list pojawił się w jej skrzynce. Odpisała od razu, żeby nie zostawiać tego na później. A jednak treść maila nie była zwykłą odpowiedzią:

„Abed, witaj, kochany książę! Co za miła wiadomość! Chyba ściągnęłam Cię myślami. Często Cię wspominam...

Kate".

Tego kompletnie się nie spodziewałem. Miałem nadzieję, że będzie miło, ale w słowach Kate wyczuwałem prawdziwą tęsknotę. Ja też zatęskniłem jeszcze bardziej. Zaproponowałem jej spotkanie. Umówiliśmy się kilka dni później w naszym Nero. Byłem tak podekscytowany, że zupełnie nie przemyślałem sprawy. To, co przed koronacją było całkiem prostą sprawą, dziś wydawało się niemal niemożliwe. Nie mogłem tak po prostu lecieć należącym do ojca samolotem. Teraz nie byłem już tylko synem głowy państwa – byłem jego koronowanym następcą, a do tego ministrem. Każda moja wizyta w innym kraju była wydarzeniem o randze politycznej. Mój entuzjazm uleciał jak powietrze z walentynkowego balonika.

– Sam rozumiesz, że muszę się z nią spotkać – powiedziałem do Namiba.

– Wiem. Wiedziałem, że będziesz tego chciał, jak tylko zobaczyłem jej nazwisko w gazecie.

– Muszę polecieć do Londynu. Jesteśmy umówieni za trzy dni.

– Książę, nie możesz. Nie w taki sposób. To wymaga organizacji. Taka wizyta nie umknie uwagi mediów. Gdyby nie była związana ze spotkaniem z jakimś politykiem lub dyplomatą, mogłaby zostać uznana za afront.

– Muszę, Namib.

Namib doskonale wiedział, że decyzja została już podjęta. Jest moim najbliższym przyjacielem i doskonale wyczuwa moje nastroje. Dlatego zamiast myśleć, jak przekonać mnie do zmiany zdania, zaczął się zastanawiać, jak zorganizować nasze spotkanie. Pomysł ze ściągnięciem Kate do Emiratów nie byłby najlepszy. Oczywiście bardzo chciałbym ją tu widzieć, ale obawiałem się, że po tak długim czasie taka propozycja mogłaby ją spłoszyć. Poza tym ona jest mężatką, to mogłoby być nietaktem. Do tego miejsce, w którym się umówiliśmy, było dla nas symboliczne, bardzo ważne. I bardzo chciałem właśnie tam zobaczyć ją ponownie.

Do Londynu poleciałem następnego wieczoru. Skorzystałem z wybiegu, do jakiego kiedyś uciekał się Wasim. Namib zajął się wyrobieniem dla mnie nowego paszportu. Prawdziwego, zupełnie legalnego, ale nie dyplomatycznego. Nazywałem się w nim zwyczajnie, z pominięciem tytułów. Poleciałem zwykłym rejsowym samolotem najpierw do Kuala Lumpur, a stamtąd nocnym lotem do Londynu. W klasie ekonomicznej, ubrany jak zwykły turysta, starałem się wtopić w tłum. Mój ojciec nie wiedział o mojej podróży, bo z pewnością miałby spore obiekcje, a bardzo prawdopodobne, że po prostu by mi jej zakazał. Wtedy jakiekolwiek manewry nie miałyby szansy, po prostu nie byłbym w stanie wylecieć z kraju.

Na szczęście utrzymanie wszystkiego w tajemnicy się udało i wkrótce znów znalazłem się w Londynie zupełnie anonimowo, jak przed laty. Ruszyłem wąskimi uliczkami miasta, wspominając dawne czasy. To była bardzo sentymentalna podróż, której kulminacja dopiero miała nastąpić.

Tym razem to Kate czekała na mnie. Była równie piękna jak wcześniej. Czas nie odebrał jej urody, więcej – dodał szlachetności. Swój sportowy, raczej eklektyczny styl zmieniła na pełną elegancję, która idealnie do niej pasowała. Gdy tylko na mnie spojrzała, nie miałem wątpliwości, że w moim sercu nie zmieniło się absolutnie nic. Ta kobieta wciąż zajmowała w nim bardzo ważne miejsce. Ale robiłem wszystko, by nie dać się ponieść emocjom. Kate podbiegła do mnie, zanim zdołałem podejść do jej stolika, i rzuciła mi się na szyję.

– Bardzo się za tobą stęskniłam! – powiedziała, jakbyśmy kilka lat temu nie zakończyli naszej znajomości, tylko po prostu rozstali się na chwilę.

– Ja też za tobą tęskniłem – odparłem. – Nie rozumiałem, dlaczego zniknęłaś. Chciałem cię szukać i pewnie bym cię znalazł, ale postanowiłem uszanować twoją decyzję.

– To był bardzo trudny moment w moim życiu. W jednej chwili zawaliło się w nim tak wiele rzeczy, że nie chciałam wierzyć w to, że ty mógłbyś być jedynym szczęśliwym elementem. Uznałam, że to wprost niemożliwe. Przez historię z Jade wrzuciłam cię do jednego worka z Wasimem. Moje serce chciało zostać z tobą, ale głowa mówiła mi, żeby odejść. Nie przeżyłabym, gdybyś mnie wtedy zranił.

– Ale ja nie miałem zamiaru cię ranić…

– Teraz to wiem, ale czasu nie cofniemy. To był wielki błąd. Wierz mi, los udowodnił mi to już wiele razy. Często o tobie myślałam, ale nie miałam odwagi się odezwać.

– Nieustraszona Katherine Warwick bała się odezwać do skromnego księcia – próbowałem zażartować.

– Bałam się kolejnej porażki, a z czasem się z tym pogodziłam i zaakceptowałam swój los.

– I teraz jesteś szczęśliwą żoną pana Derry'ego…

– Nie jestem.

Kate przyjechała do Londynu jako osiemnastolatka. Jak wiele innych dziewczyn z małych miasteczek miała plecak wypchany książkami i ubraniami oraz głowę pełną marzeń. Zamieszkała w wynajmowanym pokoju niedaleko Finchley Park i zaczęła studiować dziennikarstwo na King's College*, wieczorami dorabiając w barze. Przez pierwszy rok wiodła zupełnie zwyczajne studenckie życie. Nic nie zapowiadało, że spełnią się jej marzenia o byciu dziennikarką. Wielu londyńskich studentów wpada w swoistą pułapkę – dorabiają na studiach, na przykład w sklepie, a gdy kończą naukę, nie widzą szansy na posadę w wyuczonym zawodzie. Wyjściem często okazuje się zatrzymanie dotychczasowej pracy, w której zdążyli już zbudować sobie pozycję, a nawet wspiąć się po szczeblach bynajmniej niewymarzonej kariery. Kate wiedziała, że jeśli nie zacznie działać, stanie się tak również w jej przypadku. Nie miała na to ochoty. Drugi rok studiów zaczęła od wycieczki po głównych redakcjach gazet działających w Londynie. W „Daily Mail" dostała bezpłatny staż. Mimo że wymagało to od niej zaciśnięcia pasa, mimo że musiała pracować w barze w każdy weekend, postanowiła, że będzie spędzać w redakcji możliwie jak najwięcej czasu. Opłacało się. Już po pół roku dostała płatny staż, a po dwóch latach została reporterką. Wtedy właśnie doszło do jej spotkania z Abedem. Szukając swojej dziennikarskiej szansy, z wielkim zaangażowaniem zajęła się tematem, który pewnego dnia przyniosła do redakcji Cheryl. Kate zobaczyła w historii Jade – dziewczyny zmuszanej do aborcji przez jednego z rozwydrzonych arabskich szejków – historię, która nie tylko zainteresuje czytelników, ale też zwróci uwagę na przedmiotowe traktowanie kobiet przez miliarderów stadnie przybywających do Londynu znad Zatoki

* Założona przez króla Jerzego IV oraz księcia Wellington w 1829 r. uczelnia. Obecnie część Uniwersytetu Londyńskiego.

Perskiej. To miał być jej wielki temat. I był. Artykuł o dziewczynach wykorzystywanych przez księcia Wasima oraz relacje z dramatycznej – i niestety przegranej – walki o życie jednej z nich spowodował, że Katherine Warwick dostała się do grona uznanych dziennikarzy. Niestety dokładnie wtedy zrozumiała też, że dziennikarstwo to zawód, w którym teza często jest ważniejsza od prawdy. Gdy ukazał się reportaż z całkowicie zmanipulowanym wywiadem, który przeprowadziła z księciem Abedem, postanowiła zakończyć karierę. Była zrozpaczona, rozgoryczona i... zakochana. Wiedziała, że podpisany jej nazwiskiem artykuł jest nieprawdziwy i krzywdzący dla mężczyzny, który stał się dla niej bardzo ważny. Zawiedziona tym, co przyniosły jej spełnione marzenia, oddała legitymację prasową i wyjechała z Londynu. Wróciła do rodzinnego Northampton. Osobiste porażki zbiegły się z chorobą jej mamy. Nowotwór piersi brzmiał jak wyrok, ale Kate starała się dostrzec w swoim powrocie pozytywne strony – teraz mogła się nią zająć, pomóc jej stawić czoło chorobie i wrócić do zdrowia. Szczęśliwie rokowania dawały sporo nadziei. Któregoś dnia, gdy Kate siedziała na korytarzu szpitala, czekając na mamę, która przyjmowała kolejną dawkę chemioterapii, poznała Jamesa. Były żołnierz również walczył z nowotworem. O tym jednak dowiedziała się dopiero po dłuższym czasie, bo James nie wyglądał na chorego. Kate myślała, że tak młody, dobrze zbudowany chłopak w poczekalni szpitala onkologicznego z pewnością czeka na kogoś bliskiego. Tak jak ona. Na korytarzu widywali się coraz częściej. Rozmawiali dużo, ale tematy tych rozmów wykraczały daleko poza ich rzeczywistość. Nie mówili o szpitalu, chorobach, lekarzach. Woleli dyskusje o filozofii, polityce, książkach. Kate podświadomie zaczęła czekać na kolejną wizytę w szpitalu. Miała wyrzuty sumienia, że obraca cierpienie swojej mamy w rodzący się romans, ale nie potrafiła tego zatrzymać. Z czasem ona i James zaczęli się spotykać poza szpitalem. Była w szoku, gdy powiedział jej o chorobie, ale zapewnił, że z nią wygrywa. Wygrywała też jej mama. Życie Kate, choć nie do końca takie, o jakim marzyła, po raz pierwszy od dawna zaczęło nabierać barw. Odpuściła wielkie ambicje i nauczyła się cieszyć małymi rzeczami. Owszem, czasami czuła się sfrustrowana faktem, że nie wszystko jest tak, jak sobie zaplanowała. Czasami żałowała, że tak pochopnie zrezygnowała z szansy na karierę. Szybko jednak dochodziła do wniosku, że tak, jak jest, jest dobrze. Zaczynała odkrywać w sobie uczucia do Jamesa. On też je żywił. Pewnego dnia oświadczył się Kate, a ona go przyjęła.

Skromny ślub był początkiem nowej, wielkiej nadziei. Choroba mamy Kate i choroba Jamesa okazały się tylko przystankiem. Przeszkodą, po której pokonaniu czekało na nich szczęśliwe i spokojne życie. Los jednak lubi płatać figle. Dwa lata po ślubie okazało się, że James ma nawrót nowotworu. Tym razem jego postęp był dramatycznie szybki. Wesoły, pełen nadziei chłopak zmienił się w zrezygnowanego człowieka, pogodzonego z przemijaniem. Kate znowu spędzała całe godziny w szpitalu onkologicznym. Patrzyła, jak James gaśnie. Dzień przed śmiercią powiedział jej, że gdy odejdzie, powinna wrócić do Londynu – do momentu, w którym miała szansę na szczęście, i ponownie je odnaleźć. Kate oczywiście nie chciała o tym słyszeć. Była przekonana, że to tylko kolejna przeszkoda do pokonania; James zaraz wyzdrowieje i znowu zaświeci słońce. Jednak James odszedł kilka godzin później, a ona po raz kolejny musiała poskładać swój świat. Nie miała na to siły, ale mąż swoją niezwykłą postawą wpoił w nią ducha walki. Pokazał, jak ważne jest to, by cieszyć się dniem dzisiejszym i myśleć tylko o przyszłości. To właśnie postanowiła zrobić.

Tym razem Londyn był dla Kate znacznie łaskawszy. Sława reporterki, która ujawniła aferę związaną z wykorzystywaniem młodych dziewczyn przez szejka Wasima, była trwalsza, niż mogła się tego spodziewać. Rozpoczęła pracę w „The Guardian" i powoli układała swoje życie na nowo. Gdy do redakcji trafiła informacja o kolejnym oskarżeniu, jakie padło pod adresem Wasima, nikt nie miał wątpliwości, kto powinien się zająć tą sprawą. Kate początkowo nie była do tego entuzjastycznie nastawiona. Owszem, była związana z tą sprawą, ale miała poważne wątpliwości, czy chce wracać do dość bolesnej przeszłości. A jednak wróciła. Los chciał, że kilka dni później siedziała naprzeciwko Abeda, wpatrując się w jego ujmujące oczy i nie mogąc powstrzymać uśmiechu. Dawno już się nie uśmiechała.

– A więc Derry…

– To nazwisko mojego męża, tak. James umarł ponad rok temu. To był bardzo szlachetny człowiek.

– Nie wątpię. Tylko taki mógł być ciebie godzien.

– Jesteś dla mnie zdecydowanie zbyt łaskawy.

W mojej głowie od razu pojawił się scenariusz szczęśliwego zakończenia bajki o Kate i Abedzie. Nieudolnie próbowałem je powstrzymać. Uśmiechu jednak nie potrafiłem.

– Teraz już cię nie wypuszczę – powiedziałem, choć może nie powinienem. Nie chciałem jej spłoszyć.

– Brzmi groźnie. Ale na razie nigdzie się nie wybieram – odpowiedziała z uśmiechem, co wywołało we mnie sporą ulgę.

Przegadaliśmy długie godziny, zanim wśród tematów pojawiły się aktualne kłopoty Wasima.

– Znowu o nim piszesz. Mam wyrzuty sumienia, że moja rodzina ciągle dostarcza właśnie takich tematów.

– No coś ty. Przecież z tego żyją dziennikarze. Poza tym bez obaw, tym razem Wasim jest zupełnie niewinny.

– Mam *déjà vu*. Znowu siedzimy w tym samym miejscu, a ty zapewniasz mnie o jego niewinności.

– Tym razem jest inaczej. Po powrocie do zawodu prześledziłam losy księcia Wasima. Mam wrażenie, że bardzo się zmienił. Osiem lat temu nie dałabym złamanego pensa za powodzenie jego małżeństwa z Almas. To miała być kara, a karanie dorosłych, którzy wyrastają z rozwydrzonych dzieciaków, nie bardzo ma sens. A jednak. Wzruszyła mnie ich walka o dziecko i ta okropna strata. Wasim zawsze jawił mi się jako człowiek zupełnie pozbawiony uczuć wyższych, a on po prostu potrzebował drogowskazu.

– Możliwe. Tylko teraz chyba znowu go stracił…

– Jest w żałobie. Każdy radzi sobie z nią tak, jak potrafi. W przypadku Jade nie był bez winy, teraz to on jest ofiarą.

– Jak to? Skąd to wiesz?

– Zaufaj mi. Wygląda na to, że każdy zasługuje na drugą szansę.

– A my… Czy my też na nią zasługujemy?

Do Londynu poleciałem tylko na dwa dni. Nazajutrz po spotkaniu z Kate musiałem wracać do kraju. Jeśli jeszcze kiedykolwiek podobna randka miała się udać, nie mogłem przesadzić. Nasze spotkanie oczywiście nie skończyło się na kawie. Spędziliśmy razem cały dzień i całą noc. Nie kochaliśmy się jednak. Przytuleni, niemal przyklejeni do siebie, całowaliśmy się, rozmawialiśmy… Byliśmy bardzo blisko. Seks nie był nam do niczego potrzebny. Od czasu, gdy zacząłem się spotykać z kobietami, nigdy się tak nie czułem. Ludzie po rozstaniach często próbują zabić w sobie uczucia. Znienawidzić, zohydzić, zapomnieć. Wtedy w sercu zostaje pustka, a w życiu gorycz. Nam udało się uczucia uśpić. Pielęgnować, ułożyć na poduszce, przykryć kołderką. Spały, dopóki ich nie obudziliśmy, a teraz znów były pełne życia i naprawdę gorące. Świadomość, że muszę wyjechać, raniła moje serce, ale wiedziałem, że to dla naszego dobra. To był jedyny sposób, żebym zatrzymał Kate w swoim życiu. Nie rozmawialiśmy o tym, czy będziemy razem. Żadne z nas nie zdobyło się na to, by spoglądać w przyszłość, by choć o niej wspomnieć. Uczucia nie znoszą planowania. Mam wrażenie, że gdy tylko zaczynamy planować, możemy zacząć myśleć o zmianie planów, bo los, jak kapryśne dziecko, zawsze zrobi nam na przekór.

Kilka dni później wszyscy zainteresowani kolejną aferą wywołaną przez niegrzecznego szejka o imieniu Wasim poznali prawdę dotyczącą rzekomego gwałtu. Muszę przyznać, że byłem pod wielkim wrażeniem. Wasim ewidentnie postanowił nigdy więcej nie popełnić błędu, który kiedyś kosztował go tak wiele. I choć jego powrót do dawnego stylu życia nie zdobył mojej pełnej aprobaty, wiedziałem, że w ten sposób mój brat radzi sobie ze stratą dziecka. Robił to tak, jak potrafił. Chciał zapomnieć.

Wasim, Rob i Jean-Pierre imprezowali razem od jakiegoś czasu. Gdybym nie znał Roba, mógłbym powiedzieć, że obaj stanowili doskonałe zastępstwo dla przygłupów. Rob jednak był na to zbyt przebiegły, a Jean-Pierre, mimo że nie był, delikatnie mówiąc, beneficjentem mojej sympatii, niewątpliwie grzeszył inteligencją. Reszta odbywała się niemal identycznie. Rob wciąż zajmował się organizowaniem imprez, korzystając ze swoich kontaktów ze wszystkimi alfonsami pracującymi pod przykrywką agentów modelek, a jego porno pomysły spotykały się ze zdecydowaną przychylnością Wasima. Ten oczywiście sponsorował wszystkie przedsięwzięcia hojną ręką. Nie inaczej było w przypadku wieczoru, który znowu zakończył się na łamach prasy.

Na imprezę w apartamencie w Chelsea ściągnęli kilkanaście lasek. Każda oczywiście była długonoga, długowłosa i chętna do łatwego zarabiania kasy. W tamtym czasie Wasim dużo mniejszą wagę przywiązywał do oprawy muzycznej, do tańca – szybciej przechodził do rzeczy. Kiedyś można było odnieść wrażenie, że seks z zaproszonymi dziewczynami jest tylko naturalnym porządkiem rzeczy, efektem rozmów, tańca i wypitych przy okazji drinków. Teraz wszyscy trzej gospodarze już na wstępie byli pijani i zdecydowanie nie stawiali na taniec.

Olena od początku wpadła Wasimowi w oko. Przywitał ją bardzo namiętnym, odwzajemnionym pocałunkiem. Candy wylądowała w łóżku z Robem. Wkrótce dołączyła do nich Jessica. Cała trójka już następnego dnia ponownie pojawiła się w apartamencie. Tym razem bez zaproszenia, ale za to z bardzo określonymi żądaniami.

– Hej! Impreza skończona, wpadłyście po więcej? – zapytał totalnie zaskoczony Rob, widząc dziewczyny w drzwiach apartamentu.

– Dokładnie. Wpadłyśmy po więcej – powiedziała Candy ze złowieszczym uśmiechem.

Dziewczyny rozsiadły się na sofach.

– Sorry, laski, ale nic z tego nie będzie… To my ustalamy, kiedy się bzykamy. Może kiedyś jeszcze was zaprosimy.

– Posłuchaj, dupku. Zawołaj tu tego swojego księcia i nie udawaj playboya, bo obaj gorzko pożałujecie. – Olena nagle zmieniła ton.

– Czego chcecie?

– Zawołaj Wasima.

Rob wolał nie ryzykować dalszej konwersacji bez obecności kumpla. Pobiegł do sypialni księcia. Po jakimś kwadransie obaj siedzieli naprzeciwko dziewczyn.

– Milion funtów odszkodowania dla każdej – zakomunikowała krótko Olena.

Wasim wybuchnął śmiechem.

– Odszkodowania za co?

– Za gwałt.

– Słoneczko, to, co się tu wczoraj działo, nie było gwałtem. Dawno nie widziałem tak chętnych lasek jak wasza trójka. Teraz już wiem dlaczego... Ukartowałyście to.

– Policja będzie innego zdania. Jeśli nie zapłacicie, zeznamy, że nas zgwałciliście – wyjaśniła Candy.

– I lepiej, żeby do transakcji doszło szybko, bo cena zacznie rosnąć – zagroziła Jessica.

– Okej... pozwólcie, że powtórzę: przyszłyście tu wczoraj jako wynajęte dziwki...

– Jesteśmy modelkami! – zaprotestowała Candy.

– Nie, kochanie! – parsknął Wasim. – Praca modelki polega na czymś innym. Wy jesteście dziwkami. Więc przyszłyście tu jako wynajęte dziwki, wykonałyście pracę, za którą każda z was dostała, o ile się nie mylę, dwa tysiące funtów, a teraz chcecie naciąć mnie na trzy miliony, bo twierdzicie, że zostałyście zgwałcone. Czy tak?

– Nieważne, jak było. I tak nikt ci nie uwierzy. Wiemy, co kiedyś robiłeś z dziewczynami. Dlatego każdy uwierzy nam.

– Ale wy, koteczki moje, kłamiecie jak z nut. – Wasim nie dał się zbić z tropu.

– To nie jest istotne. Płacisz czy mamy iść na policję? – Olena próbowała uciąć dyskusję.

– My tylko chcemy tego, co nam się należy – dodała Jessica.

– Kochanie, tak dobre to wy nie jesteście. Ale mogę wam obiecać, że dostaniecie to, co się wam należy... A teraz wypierdalać! – To mówiąc, Wasim wstał i skierował się do swojej sypialni.

– Pożałujesz tego! – zawołała za nim Olena. – Będziesz za to siedzieć...

– Uważaj, skarbie, żeby to się nie przytrafiło tobie. *See ya never!**

Dziewczyny pospiesznie opuściły apartament Wasima, bluzgając i rzucając groźbami. Rob zatrzasnął za nimi drzwi. Przez ostatni kwadrans nie odezwał się ani słowem i choć pewność siebie Wasima uspokajała go nieco, żądania i groźby „modelek" przestraszyły go nie na żarty.

– Co z tym robimy? – zapytał z przejęciem.

– Nic – odparł Wasim. – Czekamy, aż te dziwki zrobią kolejny ruch. Już skopiowałem nagranie. Wiedziałem, że to będzie idealna inwestycja.

Wasim bywał w swoim życiu idiotą, ale nie można było odmówić mu jednego – uczył się na własnych błędach. Swój apartament wyposażył w wysokiej klasy sprzęt szpiegowski, który rejestrował to, co się dzieje w salonie i w sypialniach. Kilka lat wcześniej można byłoby to uznać za kolejną perwersję, ale po sprawie z Jade mój brat ewidentnie zabezpieczał swój tyłek. Wcześniej nie raz był ofiarą szantaży, ale ich koszty po prostu wliczał w ryzyko swojego stylu życia. Gdyby w sprawie z Jade istniało nagranie z ich rozmowy, rzuciłoby inne światło na wydarzenia. Choć to Wasim był tu głównym winowajcą, Jade również dopuściła się szantażu. Bez dowodów nie miał jak się bronić. W przypadku Candy, Jess i Oleny nie było wątpliwości. Nagranie potwierdziło, że za swoje usługi seksualne dostały więcej niż dobrą zapłatę, a kontakty erotyczne z księciem postanowiły wykorzystać do zarobienia fortuny. Wasim skontaktował się z prawnikami, którzy przygotowali stosowne oświadczenie i kazali czekać. Kilka

* Z ang. – Do zobaczenia nigdy!

dni później jedną z kopii zapisaną w pamięci USB zapakował w kopertę i kazał doręczyć do redakcji „The Guardian", do rąk własnych Katherine Warwick. Dołączył do niej własnoręcznie napisany list:

„Droga Redaktor Warwick,

jestem przekonany, że moje imię nie budzi w Pani zbyt pozytywnych skojarzeń, i wcale się temu nie dziwię. Ja z kolei mam o Pani profesjonalizmie opinię najlepszą z możliwych. Mimo że w większości tekstów napisanych przez Panią nie jestem bohaterem pozytywnym, muszę przyznać, że Pani kunszt i bezkompromisowość budzą we mnie wielki szacunek. Dlatego to na Pani ręce składam nagranie, które rzuci nowe światło na sprawę, którą właśnie Pani opisuje.

Z wyrazami najwyższego uznania
Wasim ibn Ahmed ibn Jabal".

List z nagraniem dotarł do Katherine w dniu, w którym spotkaliśmy się w Londynie. To dlatego była spokojna o przyszłość Wasima i tak pewna jego niewinności. Już następnego dnia w „The Guardian" pojawił się jej artykuł opowiadający ciąg dalszy tej historii:

„Trzy kobiety oskarżające księcia Wasima o gwałt zatrzymane za szantaż i składanie fałszywych zeznań. Książę oczyszczony z podejrzeń.

Przedstawiająca się jako Candy, Blair Hockston (21) oraz Jessica Massingham (21) i obywatelka Ukrainy Olena Narovskaja złożyły na policji doniesienie o rzekomym gwałcie, jakiego mieli na nich dokonać książę Wasim ibn Ahmed ibn Jabal (37) z rodziny królewskiej jednego z emiratów w ZEA oraz jego przyjaciel Rob Chiswick (33). Prawnicy księcia dostarczyli jednak na policję nagranie z rozmowy w książęcym apartamencie, w której kobiety przyznają, że do gwałtu nigdy nie doszło. Eksperci potwierdzili już jego autentyczność. Na nagraniu, które jest również w posiadaniu naszej redakcji, słychać wyraźnie, że kobiety pojawiły się na imprezie księcia dobrowolnie i bez przymusu uprawiały z nim seks. Co więcej, otrzymały za tę noc zapłatę w wysokości dwóch tysięcy funtów. Następnego dnia zażądały trzech milionów w zamian za milczenie i odstąpienie od oskarżenia o gwałt.

Dwie z kobiet przyznały się do winy, jedna odmawia złożenia wyjaśnień. Zostały zatrzymane i wypuszczone za kaucją. Dostały zakaz opuszczania kraju i oczekują na proces. Grozi im kara do czternastu lat więzienia".

Wasim wyszedł z opresji obronną ręką. Sprawa z szantażem skutecznie odstraszyła kolejnych chętnych do szybkiego wzbogacenia się, ale jednocześnie stała się publiczna. Mimo że trudno było to po nim poznać, mój brat był zrezygnowany i było mu wszystko jedno. Nie chciał ranić Almas, ale próba ucieczki przed rzeczywistością była silniejsza. Tłumaczył to sobie tym, że przecież nie miał żadnej innej żony poza nią, że i tak nic już ich nie łączy, że Asif zabrał ze sobą ich uczucie. Starał się o tym nie myśleć. Wolał się bawić. Depresja rzadko wygląda tak, jak ją sobie wyobrażamy. Jest uśmiechnięta, szczęśliwa, skora do zabawy. Robi wszystko, by się ukryć, ale dopada w najmniej oczekiwanych momentach, a jej objęcia często bywają śmiertelnie niebezpieczne.

ROZDZIAŁ 19
Wasim

Od czasu, kiedy wróciłem z mojej anonimowej podróży do Londynu, nie mogłem zapomnieć o Kate. Dzwoniliśmy do siebie często, pisaliśmy... Cały czas starałem się trzymać uczucia na wodzy, choć tak naprawdę zaczynałem szaleć z miłości. Bałem się jednak to ujawnić. Chyba nie poradziłbym sobie, gdyby znowu zniknęła z mojego życia. Wolałem, żeby w nim była – nawet w takiej formie, niedostępna i z daleka.

Po kilku miesiącach w końcu udało mi się namówić Kate na przyjazd do Emiratów. Powiedziałem, że wyślę po nią prywatny samolot, ona nalegała jednak, że przyleci rejsowym. Nie chciałem o tym słyszeć. Skarby transportuje się w ekskluzywnych warunkach. Wkrótce odrzutowiec mojego ojca był w drodze. Jednak Kate nigdy do niego nie wsiadła. Okazało się, że trafiłem na dość niereformowalny egzemplarz. Powiedziała, że przyleci sama – i przyleciała. Samolotem rejsowym, klasą ekonomiczną, na własnych warunkach. Pokochałem ją jeszcze bardziej. Nie imponowały jej prywatne odrzutowce, a do tego była taka nieposłuszna. A ja bardzo chciałem mieć nieposłuszną żonę.

W arabskich naukach wiele się mówi o powinnościach żony wobec męża. Jedną z nich jest właśnie posłuszeństwo. W praktyce sprowadza się to do wychowywania dziewczynek w poczuciu, że własne zdanie jest *haram*, a jedyne zdanie, które się liczy, zawsze pochodzi z ust mężczyzny. Gdyby Kate była moją żoną, za nieposłuszeństwo zgodnie z prawem mógłbym ją ukarać. Przyznam, że nawet dla mnie, wychowanego w kulturze islamu, jest to skrajnie głupi koncept. Ewidentnie wynika z poczucia słabości u mężczyzn, którzy, interpretując boską księgę, próbują sobie zagwarantować wyższość wobec kobiet, zamiast traktować je jak równe sobie.

Sam Koran niewiele mówi o statusie kobiet, ale niestety daje pole do niekorzystnych dla nich interpretacji. „Mężczyźni stoją nad kobietami ze względu na to, że Bóg dał wyższość jednym nad drugimi, i ze względu na to, że oni rozdają ze swojego majątku. Przeto cnotliwe kobiety są pokorne i zachowują w skrytości to, co zachował Bóg. I napomnijcie te, których nieposłuszeństwa się boicie, pozostawiajcie je w łożach i bijcie je! A jeśli są wam posłuszne, to starajcie się nie stosować do nich przymusu"*. Zgodnie z naukami nieposłuszeństwo może być uznane za „zwykłe", a za takie „należy ją tylko napomnieć"**, ale w przypadku gdyby żona na przykład odmówiła seksu, dopuszcza się znacznie poważniejszej formy nieposłuszeństwa. Al-Bukhari cytuje rzekome słowa Proroka: „Jeśli mężczyzna zaprasza żonę do swojego łoża, a ona odmawia, anioły przeklinają ją do samego poranka"***. W dalszych interpretacjach przeklina również mąż, bo to wtedy ma prawo ją bić. Niestety same arabskie kobiety

* Koran, sura IV, 34.

** Maulana Muhammad Ali, *The Religion of Islam: A Comprehensive Discussion of the Sources. Principles and Practices of Islam.*

*** Al-Bukhari, *Sahih al-Bukhari.*

mają często dość osobliwe podejście do własnej autonomii w związku. Wychowane w przekonaniu, że są swego rodzaju podgatunkiem, tłumaczą różne, nieakceptowalne w kulturze zachodniej zachowania właśnie wyższością męża. A ten góruje nad żoną nie tylko ciałem czy pozycją w prawodawstwie, ale przede wszystkim intelektem. Godząc się na te nauki, kobiety walkowerem oddają prawo do decydowania o sobie. Zrzekają się też wielu innych praw, które często ranią je na całe życie, choćby prawa do wychowania dzieci w razie rozstania z mężem. W przeciwieństwie do zwyczajów obowiązujących w większości krajów zachodnich, to mężczyzna zachowuje pełnię praw do opieki nad dzieckiem w przypadku rozwodu.

Obserwując swoją mamę, miłość mojego ojca do niej, wiedziałem, że coś w tym prawie jest nie tak. Być może bardzo bluźnię, ale prywatnie twierdzę, że nie może ono pochodzić od Boga. Bóg jest zbyt miłosierny. Mam wrażenie, że przez wieki mężczyźni utrzymujący prawo do edukacji zinterpretowali boskie słowa w sposób korzystny dla siebie. Lata spędzone w Europie potwierdziły moje podejście do kobiet. Nigdy w życiu nie chciałbym skrzywdzić jakiejkolwiek z nich. Mało tego! Do dziś nieprawdopodobnie imponują mi niezależne i przedsiębiorcze kobiety, które w najmniejszym stopniu nie ustępują mężczyznom, a często zdecydowanie ich przewyższają. Weźmy choćby skończonego idiotę Karima, który przez swoją głupotę wylądował na kilkanaście lat w więzieniu, i Kate, która zdemaskowała jego kretyński spisek. Prawo islamu postawiłoby jego intelekt wyżej niż jej, co byłoby niesprawiedliwe i niesłychanie dalekie od prawdy.

W wielu interpretacjach mężczyźni próbują udawać, że ich wyższość wynika z konieczności chronienia kobiet. One same natomiast tak bardzo łakną równości praw, że są gotowe przyjąć bardzo naciągane argumenty, na przykład te na konieczność zakrywania się w obecności mężczyzn. Na szczęście ten obowiązek jest coraz rzadziej egzekwowany. W większości emiratów, a w zasadzie we wszystkich poza Sharjah, kobiety nie mają już takiego obowiązku, choć, oczywiście, jeśli pochodzą z ortodoksyjnych rodzin albo same tego chcą, mogą się zakrywać. Wydaje mi się jednak, że kobiety w dzisiejszych czasach nie wymagają męskiej ochrony i – jakkolwiek by to godziło w samcze ego – doskonale sobie bez nas radzą. Kate była ucieleśnieniem tych idei. Nie potrzebowała mnie, by pojawić się w Emiratach. Choć już wtedy znała moje poglądy, a ja, wysyłając po nią samolot, nie miałem zamiaru demonstrować swojej wyższości, po raz kolejny udowodniła, że jest niezależna i absolutnie wyjątkowa. Z drugiej strony trochę żałowałem, że nie mogę jej traktować tak, jak na to zasługuje.

– Musisz mi pozwolić trochę się porozpieszczać – powiedziałem, gdy tylko odkleiliśmy od siebie usta.

– Rozpieszczasz mnie tym, że jesteś, i tym, jaki jesteś – odparła Kate.

– Wiesz, o czym mówię. Rozumiem, że nie chciałaś przylecieć samolotem, który po ciebie wysłałem, ale pragnąłbym, by ten pobyt był dla ciebie pełen wrażeń i tak niezwykły, żebyś nie chciała wracać.

– Nie będę chciała, i to niezależnie od tego, co będziemy robić i ile pieniędzy na to wydamy.

Cała Kate!

Kolejny tydzień był istnym rollercoasterem. Jeździliśmy na nartach w Dubaju, spacerowaliśmy po Abu Zabi, jeździliśmy konno po plażach w Ajmanie i Ras Al Khaimah. I uprawialiśmy dużo seksu. Tym razem było naprawdę gorąco. Oszaleliśmy zupełnie, jakbyśmy chcieli nadrobić stracony czas z nawiązką.

Tydzień minął niezwykle szybko, a ja wiedziałem już na pewno – przepadłem. Moje serce należało tylko do niej. Modliłem się, by obchodziła się z nim ostrożnie, bo tylko ona mogła je złamać. Okazało się, że myślimy o tym samym…

– Boję się – powiedziała Kate ostatniej nocy przed wyjazdem.

– Czego? – zapytałem, choć mogłem się domyślać.

– Że złamiesz mi serce.

– Od kiedy spotkaliśmy się ostatnio w Londynie, myślę o tym każdego dnia. Boję się, że to ty złamiesz moje – wyznałem.

Nie kontynuowaliśmy tej rozmowy. Zasnęliśmy spleceni ze sobą ciasno, tak by nikt nie był w stanie nas rozdzielić. Dzisiaj już wiem, że oboje postanowiliśmy wtedy walczyć o tę miłość, ale żadne z nas nie miało pojęcia, jak to zrobić. Oczywiście można było to załatwić krótkim cięciem. Kate rezygnuje z pracy, przeprowadza się do Emiratów, bierzemy ślub, żyjemy długo i szczęśliwie. To jednak nie było takie proste. Ja nie chciałem, by Kate rezygnowała z siebie, ze swojej kariery, ze względu na mnie. A jeśli nawet miałaby to zrobić, chciałem, by była to wyłącznie jej decyzja. Ona jednak nie była gotowa jej podjąć. Paradoksalnie już raz właśnie z mojego powodu zrezygnowała z dziennikarstwa. Ale do tej samej wody po raz kolejny w życiu wchodzi się zdecydowanie ostrożniej. Nie śmiałbym jej tego nawet proponować. Wkrótce jednak życie ponownie wystawiło naszą miłość na próbę, i to w sposób, jakiego żadne z nas się nie spodziewało.

Pamiętam dokładnie dzień, kiedy się dowiedziałem. Mimo że wiadomość dotarła do naszej rodziny wcześniej, ja przeczytałem o wszystkim dopiero w prasie. Tym razem nie miałem pretensji, że nikt mnie nie poinformował. Sam nie wiedziałbym, jak to zrobić.

„The Guardian" przylatywał porannym samolotem. Codziennie około godziny jedenastej miałem go w rękach. Oczywiście mogłem czytać internetowe wydanie, ale to nie byłoby to samo. Zawsze czekałem na papierowy egzemplarz gazety, było w nim więcej duszy… i mojej Kate.

Dzień był piękny, słoneczny, a jednak w moich oczach szybko spochmurniał. To był jeden z najgorszych momentów w moim życiu. Po raz kolejny zawalił się cały mój świat. Zastanawiałem się, ile jeszcze razy będę musiał go odbudowywać. Jak długo wytrzyma pod naporem? Czy już zawsze wielkiemu szczęściu będzie towarzyszyła koszmarna tragedia?

Poprzedniego dnia miałem dziwne przeczucie i zrobiłem coś, czego nie robiłem od długiego czasu. Zadzwoniłem do Almas. Choć nie mieliśmy ze sobą częstego kontaktu, zawsze bardzo się lubiliśmy. Znając charakter Wasima, na początku jej współczułem, potem jednak, gdy zobaczyłem, jak bardzo się kochają, zrozumiałem, że są sobie pisani. Po śmierci Asifa, gdy Wasim wrócił do hulaszczego życia, czułem się skrępowany. Wiedziałem, że ona wie, że ja wiem, co robi Wasim – że wiem dużo więcej niż to, co od czasu do czasu donosiła prasa, plotkarskie portale lub „życzliwi" ludzie. Sytuacja była dość niezręczna, choć Almas zachowywała się niezwykle godnie. Myślę, że to, co im się przytrafiło po śmierci dziecka, było dość niespotykane. Ich wielka miłość przeszła w fazę prawdziwej przyjaźni. Almas nie weszła w rolę cierpiętnicy, zdradzanej żony – zaakceptowała zachowanie Wasima, bo wiedziała, że nie wynika ono z niechęci do niej, z braku miłości… że to po prostu swoiście wyrażana głęboka żałoba. Zaakceptować – to najmądrzejsze, co mogła zrobić. Wiedziała, że nie jest w stanie go zatrzymać. Zresztą w niej też wiele się zmieniło. Od kiedy została matką – choć była nią tak krótko – nie była już w stanie być taką samą żoną. Gdyby nie strata Asifa, ona i Wasim pewnie do dziś byliby razem, ale tego nie dało się zmienić. Almas pozwoliła mężowi odejść bez wyrzutów sumienia, wręcz z błogosławieństwem. Mimo jej niezwykłego podejścia czułem się w jej towarzystwie nieco niezręcznie i podczas spotkań to głównie ona podtrzymywała rozmowę. Ale tym razem zadzwoniłem ja.

– Hej, Almas. Jak się masz?

– Bardzo dobrze, dziękuję. A jak się ma nasz koronowany książę?

– Korona nieco ciąży, ale daję radę. Chciałem tylko spytać, co słychać.

– Naprawdę świetnie. Pracuję właśnie nad nowym projektem fundacji dla chorych dzieciaków. Fantastyczna energia i cudowni ludzie!

– Brzmi nieźle.

– Aha, dzwonił Wasim. Mówił, że niedługo wraca.

– Super! Powiedział kiedy?

– Nie, ale wiesz, jaki on jest. Może wrócić za tydzień, a równie dobrze już teraz może być w drodze.

– To fakt, za tym wariatem trudno trafić.

– Spodziewam się jednak, że wróci niedługo. Był jakiś inny. W takim dobrym sensie, jakby stęskniony, bardzo miły, wręcz czuły…

– To wspaniale. Czyżbyście mieli do siebie wrócić? Byłoby rewelacyjnie!

– Nie wiem, nie chcę niczego przesądzać. Wiele się zmieniło, ale chyba nadal go kocham. A jak mówią: jeśli kochasz, puść wolno. Jeśli kocha, to wróci.

– No to niech wraca szybko i szczęśliwie.

Wasim wrócił kilka dni później.

„Książę Wasim, syn szejka Muhammada Ahmeda ibn Jabala, młodszego brata władcy (tu padła nazwa emiratu), tamtejszego ministra spraw zagranicznych i wewnętrznych, został znaleziony martwy w apartamencie hotelu Waldorf Astoria Trianon Palace Versailles.

Ciało martwego księcia znalazła wczoraj około południa obsługa hotelowa. Lekarz, który przyjechał na miejsce, stwierdził, że zgon prawdopodobnie nastąpił kilka godzin wcześniej. Na razie nie jest znana dokładna przyczyna śmierci, ale policja raczej wyklucza działanie osób trzecich. Wśród prawdopodobnych przyczyn wymienia się atak serca lub przedawkowanie narkotyków. W pokoju znaleziono duże ilości kokainy, alkoholu i środków uspokajających, które mogą świadczyć o tym, że książę zmagał się z depresją. Trzy lata temu zmarł jego kilkutygodniowy syn Asif, co mogło mieć bezpośredni wpływ na jego stan. Ostateczne rozstrzygnięcie w tej kwestii przyniesie zaplanowana na jutro sekcja zwłok".

A jednak serce może pęknąć kilka razy. W tamtym momencie moje było w całkowitej rozsypce. Wasim żył szybko. Żył jak młody bóg. Nie mógł tak po prostu umrzeć! Nie byłem w stanie tego pojąć. Nie płakałem. Mój mózg nie chciał przyjąć tego, co się wydarzyło. To nie mogła być prawda! Mój kochany brat... promotor, opiekun... odszedł na zawsze. Nie ma go. Już nigdy nie będzie.

Tymczasem w pałacu mojego ojca na żałobę zareagowano zupełnie inaczej, niż można było się spodziewać. Jeszcze zanim flagi zjechały do połowy masztu, sztab PR-owców dwoił się i troił, by wpłynąć na doniesienia medialne na temat przyczyny śmierci Wasima. Nie czekano na wynik sekcji zwłok. Jedyną oficjalnie obowiązującą przyczyną zgonu miał być atak serca. Nawet jeśli tak było, wywołany był prawdopodobnie przez narkotyki, a w najlepszym przypadku przez antydepresanty. Na taką wersję jednak nie chciano się zgodzić w pałacu. Żadnych narkotyków, leków, alkoholu. W mediach działających na terenie Emiratów bardzo szybko opanowano kryzys. Problemem były media zagraniczne. Kraj, który za narkotyki karze nawet śmiercią, nie mógł sobie pozwolić na to, by jeden z członków koronowanej rodziny umarł z ich powodu. Nawet jeśli miałby wydać miliony na zatajenie prawdy. Wysiłki PR-owców przynosiły niezłe rezultaty. Opierało się tylko kilku dziennikarzy, w tym Katherine Warwick. To w jej sprawie zadzwonił do mnie mój ojciec, osobiście zaangażowany w temat.

– Wiem, że się znacie. Pogadaj z nią, niech nie wypisuje bzdur!

– A co, jeśli to nie są bzdury? Tato, gdy wydawcy zmanipulowali jej wywiad ze mną, rzuciła pracę. Ona jest bezkompromisowa. Kate nigdy się nie zgodzi na napisanie kłamstwa.

– Nikt jej o to nie prosi. Przecież nawet jeśli to były narkotyki, i tak spowodowały atak serca. Wystarczy tylko napisać o bezpośredniej przyczynie bez zagłębiania się w szczegóły.

– Tato, prosisz mnie o zbyt wiele. To zupełnie poza moją mocą…

– To twój obowiązek. Chodzi o reputację twojego kraju. Wiesz, ilu obcokrajowców siedzi w naszych więzieniach za narkotyki? Jeśli się okaże, że Wasim zmarł właśnie z powodu przedawkowania, rozjadą nas!

– I może powinni! Czy ty naprawdę nie słyszysz, jak uparcie bronisz skrajnej hipokryzji, tato? – Traciłem cierpliwość.

– Niczego nie rozumiesz! Zadzwoń do tej dziennikarki. Prezydenci i premierzy czytają „Guardiana".

Byłem wściekły na ojca. Nawet się nie zająknął na temat losu Wasima, a do tego liczyła się dla niego tylko reputacja naszego kraju, i tak mocno nadszarpnięta. Co za hipokryzja! Czy on naprawdę myśli, że świat nadal wierzy w wizerunek bogobojnego arabskiego szejka, który całymi dniami modli się, by podziękować Allahowi za ropę? Czy sądzi, że młodzi szejkowie z Emiratów, Kuwejtu, Kataru, Omanu czy Arabii Saudyjskiej na swoich seks-imprezach piją coca-colę i recytują Koran? Na walkę z kryzysem wizerunkowym było co najmniej o dwie dekady za późno. Postanowiłem zadzwonić do Kate, jednak ubiegła mnie dosłownie o parę sekund.

– Kate, właśnie miałem do ciebie dzwonić...

– Oni mi grożą – wydusiła roztrzęsiona.

– Kto ci grozi? Kochanie, spokojnie... Powiedz mi, co się stało?

– Dzwonili PR-owcy twojego ojca. Dość osobliwy PR! Najpierw zapytali, co mam zamiar napisać w artykule o wynikach sekcji zwłok. Powiedziałam, że napiszę w nim o... wynikach sekcji zwłok. A oni na to, że to oczywiście będzie atak serca. Powiedziałam im, że nie ma jeszcze oficjalnych wyników i że napiszę o nich dokładnie tak, jak zostaną przedstawione. Wtedy zapytali, ile będzie kosztował atak serca. Odrzuciłam propozycję, więc przeszli do gróźb. Powiedzieli, że już nigdy więcej nie będę mogła do ciebie przylecieć... że już nigdy cię nie zobaczę...

– Kochanie, o to się nie martw. Pamiętaj, że to ja jestem tu koronowanym księciem. Ale tak między nami, czy dla świętego spokoju nie mogłabyś po prostu napisać o tym ataku serca?

Kate rozłączyła się bez słowa. Nie wiem, dlaczego to powiedziałem. Co mi strzeliło do głowy? Jeszcze przed chwilą zarzucałem mojemu ojcu hipokryzję, a teraz sam zachowałem się jak skończony hipokryta! Kate nie odbierała telefonów. Byłem absolutnie zdruzgotany. Straciłem Wasima. Teraz traciłem ją. Wściekły zadzwoniłem do ojca.

– Natychmiast odwołaj swoich PR-owych osiłków! – zażądałem. – Co to za metody? Czy naprawdę sądzisz, że szantażem ugrasz cokolwiek z dziennikarzami? Tato, co za naiwność! Jakim prawem straszycie Katherine Warwick?!

– Jest nieugięta – odparł ojciec. – Pozostaje już tylko jedna metoda. Ostatnia. Ahmed nad tym pracuje…

Jego słowa absolutnie mnie przeraziły. Nie poznawałem własnego ojca! Wiedziałem, że reputacja kraju jest dla niego bardzo ważna, ale przecież są jeszcze jakieś zasady. Nie można się uciekać do przestępstwa, by udowodnić swoją cnotliwość. Okazało się jednak, że można. Jeszcze zanim do publicznej wiadomości podano prawdziwe wyniki autopsji Wasima, naszym krajem wstrząsnął kolejny skandal.

„Policja zatrzymała dwóch mężczyzn z paszportami Zjednoczonych Emiratów Arabskich za próbę wręczenia łapówki urzędnikowi państwowemu. Sprawa ma związek z niedawną śmiercią księcia Wasima ibn Ahmeda ibn Jabala.

Mężczyźni, których tożsamość ze względu na międzypaństwowy charakter sprawy pozostaje do wiadomości policji, dotarli do lekarza prowadzącego na zlecenie prokuratury autopsję zmarłego księcia, proponując mu sumę dwóch milionów euro za sfałszowanie jej wyników. Lekarz odmówił i natychmiast poinformował policję o propozycji korupcji. Podejrzani zostali zatrzymani w drodze na lotnisko Charlesa de Gaulle'a w Paryżu, skąd wczoraj odlecieli. Na ich aresztowanie nie pozwolił fakt, że posługiwali się paszportami dyplomatycznymi, ale sprawa rzuca się cieniem na stosunki pomiędzy ZEA a Francją. Jeszcze dziś ma dojść do spotkania ambasadorów obu krajów.

Ostateczne wyniki sekcji zwłok księcia Wasima mają być podane do publicznej wiadomości jutro".

– Tato! To jest ta walka o dobre imię kraju? – Poirytowany zadzwoniłem do ojca. – Łapówka? Czy wy wszyscy kompletnie zwariowaliście?!

Milczał. Słyszałem jego oddech, westchnienie, ale nie odezwał się słowem.

– Co za kompletnie pozbawiony instynktu samozachowawczego pomysł! Idiotyczny! – kontynuowałem. – Czy wy naprawdę myślicie, że wszystko da się kupić? Nie potraficie wyciągnąć wniosków nawet z takiej tragedii? Nawet w chwili, gdy wszyscy powinniśmy się skupić na opłakiwaniu Wasima, dla was liczy się tylko to, by świat nie dowiedział się, że próbujecie mu wmówić kompletną bzdurę!

– Masz rację, synu – odezwał się w końcu ojciec. – Nic tego nie tłumaczy.

– Jak mogłeś się na to zgodzić? Przecież...

– Nie zgodziłem się – wszedł mi w słowo. – Wuj Ahmed sam podjął tę decyzję. Ale nie mam sumienia go za to winić. Zwłaszcza teraz. To był błąd. Gorzka pigułka. Przełkniemy ją razem, ale od tej pory koniec z czarowaniem rzeczywistości za wszelką cenę. Opinia publiczna pozna prawdę. Jakakolwiek by była.

I poznała. Wasim zmarł z powodu toksycznego koktajlu kokainy, alkoholu i środków antydepresyjnych. Bezpośrednią przyczyną jego przedwczesnej śmierci faktycznie był atak serca, ale utrzymywanie, że była to jedyna przyczyna, było sporym nadużyciem. Media w Emiratach poprzestały jednak właśnie na niej, podczas gdy zachodnie doniesienia analizowały prawdę w mniej lub bardziej życzliwy sposób. Wasim zakończył życie zupełnie inaczej, niż żył – sam i po cichu. Już nigdy do mnie

nie zadzwoni, by pogadać o głupotach, nie zorganizuje imprezy Wasim Style. Już go nie ma.

Jego pogrzeb był smutnym dniem w naszym kraju. Moralność Wasima czasem budziła wątpliwości, zwłaszcza wśród bardzo bogobojnych muzułmanów, ale nawet oni wspominali o uśmiechu, który nigdy nie znikał z jego twarzy. Wasim tryskał pozytywną energią niemal przez całe życie, nawet w trudnych czasach nie brakowało mu optymizmu, dlatego ludzie wybaczali mu wiele i darzyli ogromną sympatią.

Wasim wrócił do domu po cichu. Prywatnym odrzutowcem ojca. Ponieważ jego ciało przeszło sekcję, rytualne obmycie zwłok nie mogło się odbyć zgodnie z tradycją od razu po śmierci. Uczestniczyłem w nim wraz ze starszymi braćmi Wasima i dwójką służących. Każdą czynność podczas obmywania poprzedza formuła: *Bi-smi l-Lahi r-rahmani r-rahim**, która niejako oddaje ciało bliskiej osoby we władanie Allaha. Po obmyciu ciała owinęliśmy je w białe płótno. Bez trumny zostało przeniesione do meczetu i złożone u jego szczytu na podłodze – głową w kierunku Mekki. Tutaj z Wasimem mogli się pożegnać bliscy. Uroczystości żałobne – osobne dla mężczyzn, osobne dla kobiet – były krótkie. Po pierwszym wezwaniu *Allahu Akbar*** wszyscy wyrecytowali pierwszą surę Koranu. Po drugim krótką modlitwę:

> „Chwała Bogu, Pierwszemu i Ostatniemu, Jawnemu i Ukrytemu, Bogu Wszechmogącemu.
>
> Chwała temu, który uśmierca żywych, ożywia zmarłych i wskrzesza ich z grobów.
>
> Chwała Bogu, który jest początkiem i do którego się powraca.
>
> Chwała Mu na tym i na tamtym świecie".

* W imię Boga miłosiernego i litościwego.

** Bóg jest wielki.

Trzecie *Allahu Akbar* brzmiało:

„Boże, przebacz mu! Boże, zaprawdę on jest Twoim sługą i synem sługi Twojego, synem Twojej Wspólnoty! Świadczył, że nie ma Boga oprócz Ciebie, jedynego, który nie masz współtowarzyszy, oraz że Mahomet jest Twoim Sługą i Posłańcem, a Ty wiesz o tym najlepiej. Boże, jeśli czynił dobro, obdarz go dobrem, a jeśli czynił zło, bądź ponad zło, które było jego udziałem. Boże, nie pozbawiaj nas nagrody za niego i nie wiń nas za jego czyny!".

Czwarte i ostatnie wezwanie oznaczało, że każdy z zebranych mógł się pogrążyć we własnej modlitwie, odmawianej w myślach. W meczecie panowała wtedy cisza, tylko na uroczystości dla kobiet zakłócana cichymi szlochami ciotki Latify. Bardzo przeżyła śmierć syna. Blada, osłabiona, w niczym nie przypominała pięknej, postawnej kobiety, jaką zawsze była. Moment osobistej modlitwy zakończyło wzajemne pozdrowienie i przekazanie sobie znaku pokoju: *As-salamu alejkum wa rahmatu Allah*[*].

Do grobu Wasima odprowadzili już tylko mężczyźni. Został pochowany według tradycji, która każe położyć zmarłego tak, aby leżał na prawym boku z twarzą zwróconą w kierunku Mekki. Grób zasypywali służący, podczas gdy my recytowaliśmy fragment Koranu: „Z ziemi was stworzyliśmy i sprawimy, iż do niej powrócicie, i z niej was wyprowadzimy po raz drugi"[**]. Modlitwy w intencji Wasima odmawiane były tradycyjnie jeszcze przez kolejne czterdzieści dni. Mój brat spoczął w rodzinnym grobowcu, zadziwiająco skromnym, nawet w porównaniu ze zwykłymi grobami stawianymi na cmentarzach w Europie. Na arabskich

[*] Z arab. – Pokój i miłosierdzie boże niech będą z wami.

[**] Koran, sura 20, 55.

grobach jest bardzo ascetycznie. Nie ozdabia się ich kwiatami, nie zapala się na nich świec ani lampek, a odwiedza się je nie po to, by wspominać zmarłego, ale po to, by pamiętać, że każdy z nas kiedyś będzie miał własny grób. Muzułmanie często w takich sytuacjach cytują słowa Al-Ghazalego, jednego z bardziej poważanych uczonych w piśmie: „Kto często myśli o własnym grobie, ten znajdzie w nim rozkosze nieba. Natomiast kto o nim zapomni, ten znajdzie w nim otchłań piekła”. Wasim przez całe życie organizował sobie raj na ziemi, żył tak, jakby piekła nie było. A ja mam wielką nadzieję, że nie jest mu ono pisane.

Wszystko, co się dzieje po śmierci człowieka na ziemi, zgodnie z islamem ma dopomóc duszy zmarłego w jego podróży do raju. W momencie śmierci każdy, kto kończy żywot na tym świecie, widzi anioła Izra'ila. To Anioł Śmierci. Zabiera on duszę umierającego w zaświaty, gdzie czeka na nią sąd – jeśli należała do człowieka bogobojnego, który spełniał swoje podstawowe powinności jako dobry muzułmanin. Jak wiadomo, do *dżannah* dostają się tylko wierni w nagrodę za wiarę, modlitwę i dobre uczynki. Po tym wstępnym sądzie dusza zostaje uznana za godną raju lub potępienia. W obu przypadkach wraca do swego ciała. Dusze, które żyły zgodnie z boskimi przykazaniami, oczekują w nim na zbawienie. Pozostałe czekają na pogrzeb, a po złożeniu ciała do grobu udają się na tak zwane przesłuchanie aniołów. Rolę przepytujących grają aniołowie o imionach Munkar i Nakir. Mają oni, delikatnie mówiąc, dość dwoistą naturę. Kiedy na przesłuchaniu pojawia się osoba bogobojna, są łagodni i przyjaźni. Kiedy jednak przed ich obliczem staje grzesznik, przybierają formę przerażających potworów o oślepiającym spojrzeniu. Zadają tylko cztery proste pytania:

1. *Kto jest twoim Bogiem?* Tu jedyną pożądaną odpowiedzią jest Allah.
2. *Kto jest twoim prorokiem?* Oczywiście Mahomet.
3. *Jaka jest twoja religia?* Odpowiedź też może być tylko jedna – islam.
4. *Jaki jest kierunek zanoszonych przez ciebie modlitw?* I tu oczywiście chodzi o Mekkę.

Pytania nie są trudne nawet dla niewiernego średnio zorientowanego w sprawach islamu, dlatego trzeba się naprawdę postarać, by oblać ten egzamin. Ci, którym mimo wszystko się uda, doświadczą udręk, jednak będą one tylko przedsmakiem piekła, jakie ich czeka. Pełnia nagród i kar ma spotkać muzułmanów dopiero w dzień sądu ostatecznego, kiedy z grobów mają powstać wszyscy zmarli. Allah, którego wizerunku muzułmanie nie znają, objawi się im tego dnia po raz pierwszy. Dzień nie nadejdzie jednak z zaskoczenia. Poprzedzą go wydarzenia i znaki, które ostrzegą ludzi, by mogli się do niego przygotować.

Koniec świata mają zwiastować okrucieństwo i wojny, które spowodują, że większość mężczyzn poniesie śmierć. Na świecie pozostaną głównie kobiety. Czas znacznie przyspieszy bieg. Wtedy na ziemię „Syn Maryi* na krótko zstąpi i stanie pośród ludu, jako sprawiedliwy władca. Złamie Krzyż, zabije świnię i zniesie *dżizije***". Wydawać by się mogło, że jakość życia na ziemi znacznie się poprawi, gdyby nie fakt, że „pojawi się wtedy również *Dadżdżal* – Antychryst, czyniący wielkie znaki i nazywający siebie bogiem. Będzie miał tylko lewe oko,

* Z arab. – Jezus.
** Podatek pobierany od niemuzułmanów za ochronę ze strony muzułmańskiego władcy.

a na czole znak, który rozpoznają jedynie prawdziwie wierzący muzułmanie". Straszliwe stworzenia Gog i Magog spustoszą ziemię, niszcząc zasoby wody i pożywienia. Słońce wzejdzie na zachodzie, a potężny wybuch ognia zniszczy miasto Aden w Jemenie. Wybuch ten sprawi, że wszyscy ludzie uciekną do miejsca zgromadzenia. „I zadmą w trąbę. Ci, którzy są w niebiosach, i ci, którzy są na ziemi, zostaną porażeni piorunem, z wyjątkiem tych, których Bóg zechce oszczędzić! Następnie zadmą w nią po raz drugi – i oto oni będą stać i patrzeć"*. Te wydarzenia poprzedzą zapowiadany sąd ostateczny. Sam prorok Mahomet mówił o nim tak: „Zobaczycie Allaha, waszego Pana, jak się widzi na czystym niebie księżyc w pełni lub słońce pełne blasku. W Dzień Zmartwychwstania lud zostanie zgromadzony, a on rozkaże, by każdy poszedł za tym, co czcił. I tak jedni pójdą za słońcem, inni za księżycem, jeszcze inni za różnymi bóstwami. Tylko ten naród, muzułmanie, pozostanie na miejscu. Allah przyjdzie i powie: Jestem waszym Panem! Oni odpowiedzą: Zostaniemy na tym miejscu, dopóki nie przyjdzie do nas nasz Pan, my go rozpoznamy! Wtedy Allah powie powtórnie: Jestem waszym Panem! Allah zawoła ich, a As-Sirat** zostanie przerzucony nad piekłem, a ja, jako pierwszy z Wysłanników, przejdę nim z moimi naśladowcami". Dla zapewnienia sprawiedliwości sądu uczynki muzułmanów zostaną zważone na wagach zawieszonych na łukach wokół Kopuły Skały w Jerozolimie. Tylko ci, którzy uczynili więcej dobra niż zła, będą mieli szansę wejść na most razem z Prorokiem i trafić do *dżannah*. Przerażeni ludzie będą szukać wstawiennictwa Adama – pierwszego człowieka, Abrahama – przyjaciela Boga, oraz Mojżesza – prawodawcy. Oni jednak

* Koran 39:68.

** Z arab. – most.

powiedzą, że nie mogą się wstawiać u Allaha za ludźmi, gdyż sami popełniali grzechy. Jezus z kolei odeśle ludzi do samego Mahometa. Dopiero jego modlitwa znajdzie upodobanie przed obliczem Jedynego. Kara dla tych, którzy trafili do *gehenna**, nie musi być ostateczna. Allah w swoim miłosierdziu może posyłać do ognia swoich aniołów, by wydostali stamtąd tych, którzy go czcili. Zostaną oni rozpoznani po tym, że na swoich ciałach noszą ślady modlitwy w postawie prostracji**. Dzień sądu ostatecznego dniem ma być tylko z nazwy, zaplanowano go bowiem aż na pięćdziesiąt tysięcy lat. Sporo czasu, by zastanowić się nad wagą dobrych i złych uczynków wiernych.

* Z arab. – piekło.

** Upadania na twarz.

ROZDZIAŁ 20
Anna

Po śmierci Wasima czułem się rozbity. Tęskniłem za nim. Uroczystości i spotkania z rodziną spowodowały, że w zasadzie nie rozmawiałem z Kate. Przerażała mnie myśl o tym, jak bardzo zawiodłem ją moim bezmyślnym pytaniem. Nie mogłem sobie znaleźć miejsca. Któregoś z tych ciężkich dni, krótko po pogrzebie, do mojego pokoju przyszedł Namib.

– Książę, w Emiratach przebywa gość, który bardzo chciałby się z tobą spotkać.

– Kto taki?

– Prosiła, by nie mówić. Sugeruję jednak, żebyś się zgodził na to spotkanie.

– Prosiła? To kobieta!

– Owszem, ale bądź łaskaw i nie dopytuj mnie o jej tożsamość. Jak cię znam, myślę, że nie będziesz żałował tego spotkania.

Namib brzmiał niezwykle intrygująco. Rzeczywiście, znał mnie na tyle, by wiedzieć, jak reaguję w określonych sytuacjach, dlatego bez wahania zgodziłem się na to spotkanie.

– Ta kobieta nie będzie sama, ale zaufaj mi. Jej towarzysza też chętnie poznasz.

– Dobrze, Namib. Będę ich oczekiwał w pałacu jutro w południe.

– Zajmę się wszystkim.

Byłem nieprawdopodobnie ciekawy, kto chce się ze mną spotkać. Oczywiście mogłem wymusić na Namibie, by mi powiedział, ale z szacunku dla jego lojalności nigdy go nie naciskałem. Wiedziałem, że dba przede wszystkim o moje dobro. Jeśli doradza mi to spotkanie, to dlatego, że sam bym się na nie zdecydował. Przez chwilę przeszło mi nawet przez myśl, że to Kate chce mi zrobić niespodziankę. Postanowiłem natychmiast to zweryfikować.

– Witaj, kochany książę – powiedziała jakby nigdy nic, co przyniosło mojemu skołatanemu sercu niebywałą ulgę. – Jak się masz?

– Nie gniewasz się już na mnie?

– Nie. Wiem, że w innej sytuacji nigdy byś tego nie powiedział. Miałeś rację, dla świętego spokoju tak byłoby łatwiej, a ja wiem z doświadczenia, że w trudnych chwilach ludzie szukają właśnie świętego spokoju. Jednak takie nadużycia nigdy nie pozostają bez echa.

– Całkowicie to rozumiem i bardzo cię za to szanuję.

– Lepiej mi powiedz, kochany, jak się trzymasz.

– Coraz lepiej, choć bardzo mi brakuje Wasima. Zawsze wszędzie było go pełno, bez niego jest tylko niesamowita pustka.

– Tak, to przykre. Powiem ci, że nawet ja przeżyłam jego śmierć. Swego czasu nie miałam o nim najlepszego zdania, ale to nie był człowiek o jednym wymiarze.

– Wszyscy popełniamy błędy. Ważne jest to, jacy jesteśmy w głębi serca. A Wasim był dobry. – Postanowiłem w końcu skierować rozmowę na właściwy tor: – Ale tak naprawdę dzwonię spytać, czy przypadkiem nie wybierasz się do Emiratów.

– Hmm... wiesz, że bardzo bym chciała, ale jestem zawalona robotą.

– Powinnaś ją rzucić.

– Nie zaczynaj.

– Dobrze, dobrze, nic nie mówię. Pytam, bo Namib ustawił mi na jutro spotkanie z jakąś kobietą. Zapewnia, że bardzo chcę się z nią zobaczyć. Ale ty jesteś jedyną kobietą, z którą chciałbym się spotkać...

– Kochany, ale co to za kobieta? Może ojciec znalazł ci żonę!

– Nawet tak nie żartuj. Nie... Tata by tego nie zrobił.

– Wasimowi zrobił.

– To wuj Ahmed. Oni są jak ogień i woda. Niby wychowali się w tym samym domu, ale mają kompletnie inne podejście do kobiet. Wuj Ahmed nie widzi nic złego w aranżowanych małżeństwach, w posiadaniu wielu żon. Mój ojciec poślubił moją mamę z miłości i nigdy nie szukał innej żony.

– Trochę mnie uspokoiłeś. Ale jeśli to jednak kandydatka na żonę...

– To wyleci z pałacu na latającym dywanie. I to bez Aladyna.

– Mój ty Aladynie.

– Tylko twój... Uwielbiam, gdy tak do mnie mówisz.

Tajemniczy goście dotarli do pałacu tuż przed południem. Nie kazałem im czekać. Umierałem z ciekawości, kim są.

Gdy wszedłem do pokoju, zobaczyłem piękną blondynkę w średnim wieku, ubraną w doskonale skrojoną czarną garsonkę i toczek z czarną woalką opadającą na część twarzy. Obok niej siedział ubrany w równie elegancki garnitur na oko dziesięcioletni chłopiec o czarnych włosach i ciemnej oprawie oczu, które błyszczały jak szlifowane agaty. Mój wzrok zatrzymał się na twarzy kobiety. Wyglądała znajomo. Zajęło mi to chwilę, ale wkrótce pamięć wróciła. Nie mogłem w to uwierzyć! Ruszyłem w jej kierunku.

– Anna? Niebywałe! Jakże się cieszę, że cię widzę!

– Nawet nie wiesz, jak mi miło, książę – odparła. – Nie wiedziałam, jak zareagujesz na moją wizytę.

– Mogłem zareagować tylko w jeden sposób! – Przytuliłem ją i pocałowałem. Pachniała jak dawniej. Zmysłową kwiatową wonią. Beztroską dawnych lat. Niesamowite, jak odległe wspomnienia potrafi przywołać zapach. – A kim jest ten elegancki dżentelmen? – Wróciłem się do chłopca i podałem mu rękę.

Wyciągnął nieśmiało swoją, ale na jego twarzy widać było stres.

– To mój syn – powiedziała Anna.

– Wow! Wspaniale! Nie wiedziałem, że wyszłaś za mąż. W ogóle nie wiem, co się wydarzyło u ciebie od czasu naszego ostatniego spotkania... Ile to już lat?

– Też ostatnio się nad tym zastanawiałam. Siedemnaście!

– Niewiarygodne! Czas leci z prędkością światła. Od czasu, kiedy się spotkaliśmy, minęło tyle lat, ile miałem w chwili tego spotkania.

– Tak, czas jest nieubłagany.

– Och, z tobą obchodzi się bardzo łagodnie. Wyglądasz pięknie.

– Jesteś jak zwykle bardzo miły. Sama jestem pod wielkim wrażeniem, jaki wspaniały mężczyzna wyrósł z tego zestresowanego nastolatka.

– Błagam, nie przypominaj mi, bo na myśl o tamtej kompromitacji nawet dziś robi mi się gorąco.

– Zupełnie niepotrzebnie. To była drobna wpadka. Wierz mi, do kompromitacji było ci daleko.

– Lepiej powiedz, co u ciebie. Co cię tu sprowadza?

– Wiele się u mnie zmieniło. Zbyt wiele, by opowiedzieć w kilku zdaniach, ale to raczej pozytywne zmiany. A przyleciałam ze względu na Wasima...

Syn Anny spojrzał na nią, słysząc te słowa. Milczeliśmy przez chwilę, aż zdecydowałem się przerwać ciszę.

– A więc wiesz?

– Tak. Dlatego tu przyjechałam. Wiedziałam, że nie będę mogła uczestniczyć w pogrzebie, ale bardzo chciałam choć w ten sposób oddać mu hołd. Być blisko. Tak blisko, jak się da. Wasim był dla mnie bardzo ważny. Nigdy nie był po prostu klientem. Zmienił moje życie, za co zawsze będę mu wdzięczna. I to zupełnie bezinteresownie. To był kochany chłopak. Zagubiony, czasami głośny i wulgarny, ale czuły. Świat go nie rozumiał, bo świat tak naprawdę go nie znał.

– To piękne, co mówisz. Cieszę się, że Wasim tak ci pomógł. Nigdy mi o tym nie wspominał.

– Byłam jego tajemnicą, ale to ja go o to prosiłam. Nie chciałam być posądzona o interesowność. Kobiety, które spotykał, widziały w nim tylko kasę. Przynajmniej znamienita większość. On zdawał się o to nie dbać, bo, po pierwsze, pieniędzy mu nie brakowało, a po drugie, sam też widział w nich interes.

– Z reguły swój – zażartowałem, by nieco rozładować atmosferę.

Anna się uśmiechnęła. Jej uśmiech w ogóle się nie zmienił przez wszystkie te lata.

– No cóż, Wasim lubił ten sport, ale tak naprawdę szukał bliskości – odparła. – Ja miałam zaszczyt być kobietą, którą traktował inaczej. Dla mnie nigdy nie był workiem z pieniędzmi. Był mężczyzną mojego życia.

– Chcesz mi powiedzieć, że byliście parą?

– Nie… Byłam kobietą, którą szanował, lubił. Zwierzał mi się i chętnie do mnie wracał, ale nie byłam kobietą jego życia. Raczej nie.

– Z tego, co mówisz, wnioskuję, że było inaczej. Są tylko dwie kobiety, z którymi łączyło go coś więcej niż seks: ty i Almas. Almas była jego żoną, ale w zasadzie łączyła go z nią jedynie chęć posiadania potomka. Siedmioletnia walka o dziecko zwieńczona tragedią, o której zapewne słyszałaś, nie zbudowała niczego trwałego. Po śmierci Asifa Wasim odszedł od żony. Pragnął zostać ojcem, a gdy mu się to nie udało, nie chciał być już dłużej mężem.

– Wasim był ojcem…

– Był. Niestety tylko przez chwilę. Malec zmarł krótko po porodzie. Zupełnie niespodziewanie.

Anna zamilkła na chwilę. Widziałem, że bije się z myślami. W końcu powiedziała cicho:

– To wielka tragedia, ale Asif nie był jego pierworodnym synem… – Wskazała na chłopca, który od dłuższego czasu siedział ze spuszczoną głową. – To jest Was, Wasim. Ma imię po ojcu.

Zmroziło mnie. Szok mieszał się z olbrzymią radością. Patrzyłem na swojego bratanka! Wasim odszedł, ale zostawił na ziemi cząstkę siebie. Mimo tragedii, która spotkała ciężarną Jade, mimo śmierci Asifa okazało się, że nie odszedł bezpotomnie. Jego potomek żyje, ma się świetnie, a do tego jest nieprawdopodobnie podobny do swojego ojca. Miałem milion pytań. Chciałem wiedzieć, jak to się stało, że Wasim ukrywał swojego syna przed światem, mimo że wszyscy wiedzieli, jak bardzo chciał być ojcem. Jak to możliwe, że Anna nie ujawniła tej tajemnicy wcześniej, że nie powiedziała o tym choćby mnie? Przecież musiało jej być ciężko, a wiedziała, że jestem w stanie jej pomóc.

Wkrótce wszystko nabrało sensu. Zanim jednak Anna rozpoczęła swoją opowieść, wezwałem Namiba, by zajął się młodym Wasimem. Okazało się, że chłopak odziedziczył po ojcu miłość do koni. Choć Wasim nie był tak zapalonym jeźdźcem jak ja, bardzo cenił jazdę konną. Wizyta w naszej stadninie była dla młodego nieprawdopodobnym przeżyciem.

– Potrenuj, a później wyskoczymy razem na przejażdżkę – obiecałem.

Chłopiec, już nieco bardziej rozluźniony, uśmiechnął się i popędził za Namibem. Ja tymczasem zamieniłem się w słuch i poddałem słowom Anny.

Jak zapewne wiesz, Wasim często korzystał z moich usług w kwestii organizacji dziewczyn na imprezy. Przez lata zdążyliśmy się zaprzyjaźnić. Wiedziałam, że mi ufa. Bywało, że spotykaliśmy się prywatnie, gdy nie planował żadnych imprez. Po prostu miał ochotę się ze mną zobaczyć. Nigdy nie sądziłam, że miało to dla niego jakieś znaczenie, na pewno nie takie jak dla mnie. Miałam jednak wrażenie, że potrzebuje tych spotkań. Bywały momenty, gdy wizerunek księcia hulaki mu ciążył. Lubił go na co dzień, był królem życia, ale nawet królowie bywają zmęczeni. Wtedy spotykał się ze mną. Mówił, że u mnie jest normalnie, zwyczajnie, że może się poczuć jak człowiek. To wtedy zaczynały się rodzić moje uczucia do niego. Wiedziałam, że ta miłość nie ma szans, ale i tak czułam, że mam okazję poznać księcia, jakiego nie zna nikt inny. Normalnego, siedzącego na sofie we flanelowych spodniach od piżamy. Takiego, który nie musi udawać władczego mężczyzny. Przez kilka lat prostytucji nauczyłam się, że mężczyźni często właśnie tego potrzebują. Niby spotykali się na seks, ale tak naprawdę chcieli się poprzytulać. O seks w dzisiejszych czasach łatwo, prawdziwa bliskość jest towarem niezwykle deficytowym.

Kiedy Wasim zaczął do mnie przylatywać, nie uprawiałam już prostytucji. Nie musiałam. Prowadziłam dobrze prosperującą agencję modelek, a dzięki klientom takim jak on nie musiałam się martwić o obroty. Gdy wybuchła afera z Jade, Wasim przyleciał najpierw do mnie. Mówił, że musi dotrzeć do Wielkiej Brytanii anonimowo, dlatego podróżuje łączonym lotem w klasie ekonomicznej. Był jak zbity pies. Płakał, a mnie kroiło się serce. Wierzyłam, że to nie on siedział za kierownicą tego samochodu, ale wiedziałam też, że nie jest kompletnie bez winy. Znałam obie twarze Wasima – wspaniałego mężczyzny, w którym można się zakochać, i tego, o którym lepiej nie pamiętać. Ale nie nam to oceniać. Wtedy spędziliśmy ze sobą noc, pełną czułości i rozkoszy. Wtedy nie wiedziałam, że będzie naszą ostatnią. Spotkaliśmy się jeszcze wiele razy, ale już nigdy ze sobą nie spaliśmy. Jednak tamtej nocy został poczęty mały Was. Niesamowite jest to, że pojawił się w moim życiu chwilę po tym, jak nienarodzone dziecko Wasima zginęło pod kołami samochodu. Dziś byliby niemal rówieśnikami.

Książę zadzwonił do mnie ponownie dopiero po ponad roku. Sprawiał wrażenie zadowolonego. Był już wtedy żonaty. Choć moje uczucia do niego nie wygasły, od samego początku wiedziałam, że jeśli pozwolę sobie na tę miłość, będę musiała się pogodzić z tym, że na zawsze pozostanie niespełniona. Książę nie mógł poślubić byłej prostytutki, a nawet by zignorował konwenanse, musiałby najpierw tego chcieć. Wasim nie chciał. Nie chciał też poślubić Almas, ale w pewnym momencie chyba zrozumiał, że ona może dać mu to, czego szukał u mnie, tylko zupełnie legalnie. Bardzo się cieszę, że to małżeństwo, choć aranżowane, dało mu sporo szczęścia. Śledziłam doniesienia o życiu młodej pary, o ich staraniach o dziecko, obserwując, jak mój syn rośnie. Czasami oczywiście chciałam, by miał ojca, ale nie chciałam się z nikim wiązać tylko po to, by udawać rodzinę. Tak bardzo przyzwyczaiłam się do kochania Wasima, że po prostu nie było mi to potrzebne. Wiem, to brzmi niemal masochistycznie, ale ponieważ wiedziałam, komu oddaję swoje serce, nie mogłam mieć o to do nikogo pretensji. Gdy Was miał około czterech lat, postanowiłam, że powinien poznać swojego tatę. Nie za bardzo znał to pojęcie, ale pomyślałam, że nie mam prawa pozbawiać go szansy spotkania z ojcem. Zadzwoniłam do Wasima. Nie wiem, jak by zareagował w innym momencie, ale gdy rozmawialiśmy, był zupełnie roztrzęsiony. Almas poroniła wtedy po raz drugi. Płakał do słuchawki. Mówił, że nie ma już siły, że to wszystko przez klątwę Jade i że na nią zasłużył. Starałam się go pocieszyć, ale przez telefon niewiele można. To on zaproponował coś, na co ja w takim momencie nie miałabym śmiałości.

Już następnego dnia wylądował w Warszawie. Spędziliśmy fantastyczny czas. Jako para przyjaciół, których los pchał do siebie i zarazem przed sobą powstrzymywał. Poznał małego. Wręcz oszalał na jego punkcie. Widać było, jak bardzo chce mieć syna. A ja tak bardzo chciałam mu powiedzieć, że już go ma... W ostatniej chwili jednak powstrzymałam się przed tym. Zmieniłam młodemu imię; prawdziwego Wasim nigdy nie poznał. To on pierwszy posadził Wasa na koniu i od tego czasu trzeba było obu siłą ściągać z siodła. Wydawało mi się, że Wasim coś podejrzewa. Często pytał o ojca młodego. Co robi? Kim jest? Jak się poznaliśmy? Dlaczego nie jesteśmy razem? Starałam się, żeby wymyślane na poczekaniu kłamstwa składały się w całość. Powiedziałam, że to mój były klient, że jest ważną osobistością, ale jest żonaty, a romans z prostytutką zniszczyłby jego reputację. Kiedy teraz o tym mówię, myślę, że w zasadzie go nie okłamałam. Wasim był moim byłym klientem, ważną osobistością i był żonaty, a oficjalny romans z prostytutką naraziłby go na kłopoty. Nie żeby szczególnie się przejmował swoją opinią, ale na pewno byłaby to komplikacja. Jak znam życie, załatwiono by to pokaźną sumą pieniędzy, a ja nie musiałabym się o nie martwić do końca życia. Wiedziałam jednak, że wyjawienie prawdy złamałoby mi serce i że wtedy już nigdy nie zobaczyłabym Wasima. Dlatego wolałam nie ryzykować.

Po raz kolejny spotkali się dopiero po kilku latach. To było niedawno, już po śmierci małego Asifa. Wasim zachowywał się w stosunku do Wasa jak prawdziwy, kochający ojciec. Jakby się domyślał, kim tak naprawdę jest. A może były to po prostu pokłady kumulowanej ojcowskiej miłości, która musiała znaleźć ujście... Tak czy inaczej, cieszyłam się z tego.

Choć Wasim od dawna nie organizował żadnych imprez, znów zaczął u mnie składać zamówienia na dziewczyny. Robił to regularnie, a przelewy często wielokrotnie przewyższały dotychczasowe kwoty. Za każdym razem mówił, że prześle mi instrukcje mailem, ale te nigdy nie docierały. Gdy upominałam się o informacje, mówił, że musi odwołać imprezę, bo nie ma ochoty albo nie chce denerwować Almas, a pieniądze mogę zatrzymać, bo nie są mu potrzebne. Wtedy nie widziałam w tym podstępu, dziś już wiem, że robił to specjalnie. Przez te wszystkie lata pomagał mi finansowo i dbał o to, by żyło mi się dobrze. Wiedząc, że nie przyjmę od niego pieniędzy za nic, wymyślał rozmaite wybiegi. Początkowo nie chciałam się na to godzić, ale z czasem pomyślałam, że taka jest jego wola, a dzięki niemu Was może chodzić do najlepszych przedszkoli i szkół, a także na lekcje jeździectwa.

Kiedy dowiedziałam się o śmierci Wasima, byłam zrozpaczona. Mogłam znieść to, że jest gdzieś daleko – ale był. Teraz już go nie ma. Nie bardzo potrafiłam sobie z tym poradzić, odszukałam więc adres mailowy Namiba i napisałam. Miałam wielką nadzieję, że w ten sposób choć przez krótką chwilę będę mogła znów być bliżej niego.

***

Słuchałem opowieści Anny ze łzami w oczach, ale gdy wspomniała o znalezieniu adresu mailowego Namiba, coś sobie przypomniałem.

– Anno, wybacz na chwilę. Muszę coś niezwłocznie sprawdzić. Namib zajmie się tobą w tym czasie.

– Oczywiście – odpowiedziała Anna, wyraźnie zaskoczona.

Wypadłem z salonu i pobiegłem do swojego laptopa. Zacząłem przeszukiwać skrzynkę mailową. Wasim powiedział mi kiedyś, tuż po mojej koronacji, że wyśle do mnie wiadomość, której mam nie otwierać do czasu, gdy... „Będziesz wiedział kiedy", tak brzmiały jego słowa.

Nie wiedziałem na pewno, czy to właśnie ten moment, ale miałem nieodparte przeczucie, że lepszego nie będzie. Dotarłem do maila wysłanego kilka dni po mojej koronacji. Jedynego zaznaczonego jako nieprzeczytany. Jego tytuł brzmiał tak jak tajemnicze słowa Wasima: „Będziesz wiedział kiedy". Teraz!

„Kochany Bracie,

piszę te słowa na wszelki wypadek. Skoro je czytasz, to albo jesteś skończonym dupkiem i nie wytrzymałeś z ciekawości, albo zdarzyło mi się przypadkiem zejść z tego świata. Nic się nie martw. W zaświatach bawię się równie dobrze, co ja mówię: zdecydowanie lepiej. Tutaj dziwki nie chcą kasy i nie trzeba im mówić, co mają robić. Dobra, nieważne. Mam do Ciebie mały biznes. Jeśli już mnie nie ma, wyślij Namiba (chyba że jest już za stary na posyłki, wtedy wyślij innego zaufanego służącego) na międzynarodowe lotnisko w Dubaju. W załączniku znajdziesz bilet do wynajętej bezterminowo skrytki. Kod pozwoli Ci odebrać list i bardzo ważne dokumenty. Zrób z nimi, co trzeba.

Twój Wasim".

Byłem nieprawdopodobnie zaintrygowany tym, co znajduje się w skrytce. Nie czekając ani chwili, wezwałem Namiba, by niezwłocznie zorganizował odbiór dokumentów i natychmiast mi je przywiózł. Sam tymczasem wróciłem do Anny, która odpoczywała w ogrodzie.

– Bardzo cię przepraszam, ale ta sprawa nie mogła czekać.

– Oczywiście, książę, rozumiem – odparła. – Jesteśmy trochę intruzami. Nie chcielibyśmy zabierać ci więcej czasu...

– Nie waż się więcej tak mówić. Jesteście bardzo miłymi gośćmi. Nawet nie wiesz, jak się cieszę, że przywiozłaś mi bratanka. Mam wielką nadzieję, że zostaniecie na tyle długo, byśmy mogli się poznać.

– Wracamy pojutrze.

– Pozwól, że tę sprawę jeszcze przedyskutujemy. – Puściłem oko do Anny. – Ale jeśli nawet pozwolę wam wylecieć pojutrze, nie chcę słyszeć o tym, że tego czasu nie spędzimy razem. Będę absolutnie zaszczycony.

– Kochany Abed... Wydoroślałeś, ale w ogóle się nie zmieniłeś.

Namib dotarł z listem od Wasima cztery godziny później. Było tak, jak mój brat napisał w mailu. W skrytce leżała dość gruba szara koperta zaadresowana do mnie i... do Anny. Właśnie kończyliśmy przejażdżkę z małym Wasem. Wtedy żyła jeszcze Silvia, której dosiadłem ja, a maluch doskonale powoził Księżniczką Czardasza. Nawet bez testów DNA widać było, że to nasza krew. Ponieważ koperta zaadresowana była do nas obojga, postanowiłem, że otworzę ją wspólnie z Anną. Tak też się stało. Chwilę później w salonie drżącymi dłońmi rozdzieraliśmy kopertę. W środku znaleźliśmy trzy mniejsze. Jedna była do mnie, druga do Anny, trzecia nie miała adresata. Najpierw przeczytaliśmy zaadresowane listy.

„Kochany Bracie,

skoro to czytasz, pewne jest już raczej, że mnie nie ma. Pamiętaj zawsze, że byłem. I że w życiu żałuję tylko tego, że skrzywdziłem kilka osób, ale nie tego, że spędziłem je na zabawie. Daleko mi do ideału, ale wiem, że kochałem i byłem kochany. To mi wystarczy. Kiedy to piszę, kompletnie nie wiem, jak umrę, ale w sumie wszystko mi jedno. Ty już to wiesz i mam nadzieję, że odszedłem z tego świata w stylu gwiazdy rocka. Byle nie jak Elvis, bo ten podobno kipnął na kiblu. To byłoby słabe. Okej, nieważne! I tak skutek ten sam.

Chciałem Ci powiedzieć, że mam syna. Jego matkę dobrze znasz. To Anna. Ta, którą na własny użytek nazwałeś Silvią, ogierze! No nic. Ważne, że jest moim synem. Jedynym, jakiego mi dał Bóg. Nie potrafiłem docenić tego daru, gdy powiedziała mi o nim Jade, pewnie dlatego umarł Asif, ale gdy dowiedziałem się o istnieniu tego chłopca, postanowiłem, że o niego zadbam. Zrobiłem badania DNA. Kiedy po raz pierwszy go zobaczyłem, a miał wtedy cztery latka, obciąłem jego włos. Podejrzewałem, że to może być mój syn, ale Anna utrzymywała, że ojcem jest ktoś inny. Ale do rzeczy. Uruchomiłem fundusz dla Wasima, proszę, zadbaj, by pieniądze trafiły do niego i Anny. Już nigdy niczego nie będzie im brakować.

Kocham Cię,
Wasim".

Wasim się mylił. Fortuna, jaką zostawił swojemu synowi, oczywiście sprawi, że będzie bogaty, ale to nieprawda, że nie będzie mu niczego brakować. Nam wszystkim będzie brakować tego, czego odzyskać już nie możemy. Mojego głupiego, pozbawionego instynktu samozachowawczego, ale nieprawdopodobnie kochanego brata. Łzy ciurkiem płynęły mi po policzkach.

Anna, czytając swój list, również tonęła we łzach. Do niej Wasim napisał w zupełnie innym tonie:

„Kochana Anno,

bardzo żałuję, że nie mogę Ci tego powiedzieć, patrząc w Twoje piękne oczy, ale to słowa prosto z serca. Niezależnie od tego, jaki był początek naszej znajomości i jaki był jej cel, zawsze czułem, że łączy mnie z Tobą coś więcej niż tylko interesy i żądza. Wielokrotnie marzyłem o tym, byś mnie pokochała, ale wiedziałem, że to nie jest możliwe. Kobiety nie kochają takich mężczyzn jak ja. Kochają ich pieniądze. Wiem jednak, że Tobie na nich nie zależało. Byłaś przede wszystkim moją wierną przyjaciółką, choć żałuję, że to nie była miłość. Gdyby mogła się zdarzyć, pewnie moje życie potoczyłoby się zupełnie inaczej.

Chciałbym Ci powiedzieć, że znam Twoją tajemnicę i rozumiem, dlaczego ją ukrywasz. Jestem dumny z bycia ojcem NASZEGO syna i cieszę się, że ma on taką matkę jak Ty. Póki żyłem, wspierałem Was nieco podstępnie, a teraz zostawiam Wam pokaźny majątek. Abed dopilnuje, żeby pieniądze dotarły na Twoje konto. Pamiętaj, że Cię kocham. Wspomnij mnie czasami i opowiedz mojemu synowi o swoim ojcu. Jeśli możesz, pomiń pikantne szczegóły.

Twój na zawsze
Wasim".

Przez niemal całe dorosłe życie ta dwójka żyła w przekonaniu, że ich miłość nie jest odwzajemniona i że nie mają szans na szczęście. Z perspektywy czasu myślę, że brak spełnienia Wasima i nieszczęśliwa miłość do Anny pchały go do wielu głupstw, ale na to, że było to uczucie prawdziwe i gorące, istnieje żywy dowód. Z miłości powstał mały Wasim. Upragniony syn swojego ojca.

W trzeciej kopercie znaleźliśmy instrukcje dotyczące funduszu dla Wasa i Anny oraz wyniki badań DNA, zrobionych w roku, w którym Wasim poznał Wasa.

Wizyta Anny była pełna wzruszeń, ale też wypełniona radością. Odwołałem wszystkie spotkania zaplanowane do czasu jej wyjazdu i zadbałem o to, by czuła się tak, jak na to zasługuje. I choć postawiła na swoim i wróciła do Polski zgodnie z pierwotnym planem, wciąż jesteśmy w stałym kontakcie. Wie, że zawsze może na mnie liczyć, a ja za każdym razem nie mogę się doczekać spotkania z bratankiem, który z roku na rok coraz bardziej przypomina swojego ojca.

***

– To niewiarygodne! Wasim nie przestał zaskakiwać nawet po swoim odejściu – powiedziałem, gdy książę Abed zakończył swoją opowieść.

– Tak… Strach pomyśleć, co jeszcze nas czeka – zaśmiał się.

– Nie sądziłem, że pisząc o jednym niezwykłym księciu, będę miał okazję napisać o dwóch.

– Taki był mój plan. Jeśli wydasz tę książkę, chcę, żeby opowiedziała prawdziwą historię Wasima. Pytałeś mnie kiedyś, dlaczego zdecydowałem się to wszystko opowiedzieć i skąd ta szczerość. Przyczyniły się do tego dwie osoby. Wasim – bo zasługuje na to, by jego historia została opowiedziana bez ocen i historii wyrwanych z kontekstu. Prawdziwie. Drugą osobą jest Kate. To ona swoją nieugiętą postawą dziennikarską nauczyła mnie, że prawda się opłaca. Nawet najgorsza nie powinna być kolorowana, zmieniana, fałszowana. To dlatego zdecydowałem, że będę mówił prawdę, całą prawdę i tylko prawdę. Nawet jeśli czasami zrobi to ze mnie lub moich bliskich ludzi ułomnych i nie tak cnotliwych, jakby chcieli ich widzieć inni. Na świecie nie ma ideałów. Na szczęście.

– No właśnie, Kate... Przecież jest dziennikarką, uczestniczyła w tej historii, mogła ją opisać zdecydowanie lepiej ode mnie.

– Pewnych rzeczy nie byłbym w stanie jej opowiedzieć. Jeszcze by uciekła. – Książę znów się zaśmiał. – Wolę, żeby to przeczytała. Poza tym w tej chwili ma na głowie zupełnie inne sprawy...

ROZDZIAŁ 21
Wael

Jak podrywają szejkowie? Jeszcze kilka miesięcy temu odpowiedź na to pytanie wydawała się niezwykle prosta. Gdyby przeprowadzić sondę, większość ludzi odpowiedziałaby zapewne bez wahania: „pieniędzmi". W życiu nic jednak nie jest do końca takie, jakie się wydaje. Po spotkaniu księcia Abeda, wysłuchaniu opowieści o nim i o księciu Wasimie wiedziałem, że nie każdego da się kupić. Pieniędzmi nie da się oszukać uczuć, a przede wszystkim wcale nie gwarantują one szczęścia w uczuciach, przeciwnie – mogą być dla nich realną przeszkodą.

Książka była gotowa. Już wkrótce miała trafić w ręce księcia Abeda, ale przedtem musiałem spełnić obietnicę, którą jakiś czas temu złożyłem Waelowi. To dzięki niemu spotkanie z Abedem w ogóle było możliwe. Zadzwonił do mnie kilka dni po tym, jak mu ją wysłałem.

– Musimy się spotkać! Koniecznie! – powiedział niemal z zadyszką.

– Coś się stało?

– Nic. Ale myślę, że powinieneś wiedzieć o czymś jeszcze...

Kilka dni później ponownie leciałem do Dubaju. Słowa Waela bardzo mnie zaintrygowały. Zastanawiałem się, co może dodać i czy pisanie o tym w ogóle ma sens; w końcu książę Abed opowiedział mi wszystko, co postanowił ujawnić. Ale jeśli słowa Waela miały się znaleźć w tej książce, musiałem ich wysłuchać teraz, zanim dotrze ona do Abeda. W przeciwnym razie złamałbym naszą umowę, a bardzo nie chciałem nadwyrężyć zaufania, jakim obdarzył mnie szejk.

Wael odebrał mnie z lotniska, ale nie zabrał mnie do mojego hotelu.

– Jesteś moim gościem – zapowiedział.

– Nadal mogę być twoim gościem, ale mam rezerwację.

– Nic z tego, zapraszam do siebie. To ważny element tego, co chciałbym ci opowiedzieć.

Wiedział, jak mnie podejść.

Kilka lat temu Wael mieszkał w wynajmowanej kawalerce w wybudowanej na środku pustyni raczej taniej dzielnicy zwanej International City. Nie spodziewałem się niczego znacznie lepszego. A jednak! Teraz był właścicielem czteropokojowego, genialnie urządzonego apartamentu w Marinie z widokiem na zatokę.

– Wow! – szczerze się zachwyciłem. – To twoje czy wynajmujesz?

Już wynajmowanie takiego apartamentu byłoby symbolem wysokiego statusu, ale okazało się, że Wael jest jego właścicielem.

– Czasy wynajmu szczęśliwie mam za sobą. Rozgość się i czuj się jak u siebie.

– Jak to się stało?

Wael się zaśmiał.

– Zaraz wszystko ci opowiem. Na pewno chcesz się odświeżyć po podróży. To twoja sypialnia. – Wskazał mi pięknie urządzony pokój. – Ogarnij się i wrócimy do tematu.

Zostałem sam. Moja sypialnia była większa od kawalerki, w której kiedyś odwiedzałem Waela. Nie mówiąc już o tym, że była absolutnym dziełem sztuki wystroju wnętrz. Wael zawsze snobował się na włoską kulturę, czasami nawet udawał Włocha. Robi to zresztą wielu Libańczyków, którym wydaje się, że ich śniada karnacja, czarne włosy i fakt, że są nieprawdopodobnie głośni, kwalifikują ich do okazjonalnej zmiany narodowości na włoską. W przypadku wystroju wnętrz nie miałem mu jednak za złe tej fascynacji. Genialnie zaprojektowane drewniane łóżko w minimalistycznej ramie stało na środku sypialni, tak że można było je obejść dookoła. Postawione było na mięsistym dywanie w kolorze pudrowego różu. Był tak gruby, że odstawał od zimnej, biało-grafitowej podłogi, która wyglądała na marmurową (i pewnie taka była), na dobre kilka centymetrów. Dwie ściany sypialni stanowiły szyby, zasłonięte cienkimi, gładkimi firanami, w rogu i po bokach przedzielonymi grubymi, aksamitnymi zasłonami w odcieniu grafitu. Pozostałe dwie ściany na tle stonowanego pomieszczenia były istnym szaleństwem. Na jednej z nich widniała zachwycająca tapeta z różowymi flamingami, na drugiej równie piękna, bogato zdobiona bukietami kwiatów i wkomponowanymi w nie różowymi piórami flaminga. Ewidentnie przemyślana kompozycja. Sypialnia, cały ten zachwycający apartament, tajemnicza recenzja książki... wszystko to uświadomiło mi, że tak naprawdę niewiele wiem o tym, co przez ostatnie lata wydarzyło się w życiu Waela. Mieliśmy stały kontakt przez media społecznościowe, ale to nigdy nie zastąpi szczerej, przyjacielskiej rozmowy. Wreszcie przyszedł na nią czas.

– Chłopaku! Coś ty odstawił? Obrabowałeś bank? Ożeniłeś się z szejkiem? Odkryłeś prywatne złoże ropy? – zasypałem Waela pytaniami.

Był bardzo zadowolony z mojej niekłamanej reakcji. Zawsze lubił się chwalić, ale robił to tak wdzięcznie, że nie wpływało to na naszą przyjaźń.

– Wszystko to ciężka praca.

– Załatw mi taką pracę – zażartowałem. – Nadal robisz dla tych swoich projektantów drogich kiecek?

– Nie, już dawno nie. Ale od tego wszystko się zaczęło…

– Co się zaczęło?

***

Jak wiesz, przez wiele lat dostarczałem na dwory królewskie i książęce najnowsze kolekcje kilku domów mody, osobiście sprowadzając je z Mediolanu i Paryża. Organizowałem pokazy w pałacach albo prywatne wieczory w Galeries Lafayette* w Dubaju, podczas których księżniczki bez skrępowania mogły przymierzać, wybierać i oczywiście kupować wspaniałe kreacje. Robiłem to wszystko na zlecenie mojego pracodawcy, który przyjmował zamówienia na tego typu imprezy z pałaców w całych Emiratach, Arabii Saudyjskiej, Katarze, Kuwejcie i Bahrajnie. Jedną z moich klientek była księżniczka Almas. To dzięki niej poznałem księcia Wasima, a później samego księcia Abeda. Jednak to nie oni stoją za zmianą kierunku mojej kariery. Kiedy zabrałem cię na spotkanie z Namibem do Armani Prive, działałem na zlecenie księcia Abeda, ale to było zadanie specjalne. Tak naprawdę od dawna nie pracuję w branży modowej, a moim pracodawcą jest zupełnie inny szejk. Przywiezienie cię do Burj Khalifa było w pewnym sensie przyjacielską przysługą przez wzgląd na dawne czasy.

Pewnego dnia poleciałem na zlecenie księżnej Fahdy do Rijadu z najnowszą kolekcją Gucci. Jest znaną na Bliskim Wschodzie miłośniczką mody, podobno każdą parę butów ma na stopach tylko raz; później trafia ona do przepastnej garderoby, która

* Słynny działający od 1893 r. paryski dom handlowy, posiadający swoje filie w Berlinie, Nowym Jorku i Dubaju.

musi aktualnie mieścić co najmniej kilka tysięcy par obuwia. Na lot zarezerwowano cały samolot, bo oprócz kilkudziesięciu osobno pakowanych kreacji na pokładzie znalazło się kilkanaście wybranych przeze mnie modelek, które miały zaprezentować księżnej wszystkie projekty, a do tego kilku fryzjerów i makijażystów. Jeszcze przed opuszczeniem samolotu dziewczyny musiały włożyć abaje, zasłonić głowy i twarze. Z lotniska kolumna limuzyn zabrała nas prosto do pałacu, a tam niemal natychmiast zaczęliśmy przygotowania do pokazu. To było istne szaleństwo! Wypuszczałem kolejne modelki do sali, w której księżna gościła spory tłum arystokratek i żon bogatych mężów. Ze względu na panujące w Arabii Saudyjskiej obyczaje sam pozostawałem na zapleczu. Pokaz okazał się olbrzymim sukcesem. Kolekcja sprzedała się w całości, a zamówienia na kreacje opiewały na dziewięć milionów dolarów. Po evencie osobiście podziękował mi szejk Imad. Bardzo mnie to zdziwiło, bo mężowie rzadko interesują się organizowanymi przeze mnie prywatnymi pokazami mody. Ograniczają się jedynie do ich sponsorowania. Nie wiem, jak to się stało, że szejk Imad widział pokaz, bo na sali raczej go nie było, ale pogratulował mi nie tylko dbałości o detale, ale też świetnego gustu, co wkrótce okazało się kluczowe dla tej historii.

Wróciłem do Emiratów w poczuciu świetnie wypełnionej misji, ale okazało się, że był to dopiero jej początek. Mój szef, dziękując za zamówienie, znacznie przekraczające jego oczekiwania, powiedział mi, że książę Imad chce, bym wrócił do Arabii, tym razem z kolekcją garniturów i koszul. Organizacja pokazu nie była konieczna. Miałem wybrać najmodniejsze modele w podanym rozmiarze i przylecieć ponownie do jego pałacu w wyznaczonym terminie.

Dwa dni później siedziałem w wyłożonym od sufitu do podłogi ciemnym drewnem gabinecie, który swoim wystrojem bardziej pasowałby do brytyjskiego dygnitarza niż arabskiego szejka. Ale nie to było największym zaskoczeniem tego dnia.

– Witaj, przyjacielu – przywitał mnie serdecznie szejk.

– Witaj, książę. Jestem zaszczycony, że możemy się spotkać ponownie. Mam nadzieję, że kolekcja, z którą przyjechałem, przypadnie ci do gustu.

– Jestem o tym przekonany. Dlatego kupuję ją całą i składam zamówienie na kolejne dwa garnitury z każdego modelu.

– Nie chcesz ich obejrzeć, książę?

– To nie jest konieczne, w końcu wybierał je prawdziwy ekspert.

Byłem niezwykle zdziwiony, ale zrozumiałem, że kolekcja garniturów jest tylko pretekstem do tego spotkania. Książę zadbał, by moi szefowie byli zadowoleni ze sprzedaży ubrań, których wcale nie potrzebował. Potrzebował spotkania ze mną.

– Jak wiesz, bardzo doceniam twój doskonały gust – podjął po chwili milczenia.

To wiedziałem. Szejk gratulował mi go już wcześniej osobiście, choć nie sądziłem, że zna się na modzie na tyle, by docenić wybór sukni, które wtedy przywiozłem.

– Dziękuję. Przydaje się w mojej pracy – odparłem.

– Nie wątpię. Byłem pod ogromnym wrażeniem pokazu, jaki zorganizowałeś dla mojej żony.

– Nie wiedziałem, że go widziałeś, książę...

– Mam swoje sposoby, by widzieć, pozostając niezauważonym. – Uśmiechnął się i mrugnął.

– Te suknie faktycznie są piękne.

– Tak, suknie też. Ale widzisz, chciałbym porozmawiać z tobą o modelkach, które je prezentowały. Najpierw jednak muszę zapytać, czy mogę liczyć na twoją dyskrecję.

Kompletnie zbity z tropu, zapewniłem księcia, że nikt się nie dowie o tej rozmowie. Tak, wiem, że w pewnym sensie łamię teraz tę obietnicę, ale prawdziwej tożsamości księcia nie zdradzę nikomu, dlatego jest zupełnie bezpieczny. Szejk przesunął w moją stronę kopertę, która od początku spotkania leżała na oddzielającym nas niskim stole, a następnie położył na niej złote pióro i gestem zachęcił mnie do przeczytania jej zawartości. W środku znajdowała się spisana na jednej stronie umowa, która dość jasno określała oczekiwania szejka wobec mnie. Przeczytałem jej treść. Krótko mówiąc, książę Imad chciał, żebym dostarczał na jego dwór dziewczyny chętne do uprawiania seksu z nim i jego gośćmi. Oczywiście o seksie w umowie nie było ani słowa, ale doskonale wiedziałem, o co tak naprawdę chodzi. Trzymałem kontrakt w dłoni i wpatrywałem się w niego, unikając wzroku mojego gospodarza. Przez dłuższą chwilę nie wiedziałem, co powiedzieć. Szejk postanowił wybawić mnie z opresji.

– W kopercie jest czek – powiedział. – To na początek. Jeśli się zgodzisz, taka kwota będzie wpływać na twoje konto co trzy miesiące.

Wyjąłem czek i oniemiałem. Pół miliona dolarów! Co trzy miesiące!

– To oczywiście pieniądze tylko dla ciebie. Otrzymasz też budżet na wynajmowanie modelek.

– A co ze skautami? Myślałem, że szejkowie właśnie w tym celu ich zatrudniają.

– A jak myślisz? Co my tu w tej chwili negocjujemy? – zaśmiał się szejk Imad. – Pracuje dla mnie kilku skautów, ale ich dotychczasowe metody coraz rzadziej przynoszą rezultaty, których oczekuję. Mam wrażenie, że w twoim przypadku będzie inaczej.

– Jestem zaszczycony tą ofertą, ale nie wiem, czy podołam. Do tej pory wynajmowałem modelki w profesjonalnych agencjach.

– To wcale nie musi się zmienić.

– Ale to są modelki.

– Wszystkie dziewczyny, które przylatują na moje epickie przyjęcia, są modelkami. „Dziwka" to takie brzydkie słowo. Zwłaszcza na trzeźwo – powiedział Imad kpiąco.

On nie widział różnicy pomiędzy pracą modelki z profesjonalnych agencji a usługami prostytutki. Patrzyliśmy na tę sprawę z dwóch różnych perspektyw, ale miałem wrażenie, że jego doświadczenie w tej dziedzinie sprawia, iż wcale nie jest taki daleki od prawdy. Modelki, z którymi pracowałem, z dużym zaangażowaniem prezentowały ubrania bogatym Arabkom, ale podejrzewałem, że za odpowiednią sumę równie chętnie zrzuciłyby je przed bogatymi Arabami. Ku mojemu zdziwieniu okazało się, że wersja, w którą wierzył Imad, była zdecydowanie prawdziwsza. Przyjąłem jego ofertę. Przez kilka miesięcy łączyłem poprzednią pracę ze zleceniami dla Imada, a gdy byłem pewien, że podołam temu, czego oczekuje ode mnie szejk, postanowiłem pracować tylko dla niego. Jak do tej pory nie żałuję.

***

– To wyjaśnia, skąd ta bajeczna chata... Chłopaku, nieźle się urządziłeś! – Byłem niemal zahipnotyzowany tym, co opowiedział mi Wael.

– Nie mogę narzekać. – Uśmiechnął się.

– Ale jak w to wszedłeś? Przecież mimo wszystko wynajmowanie modelek i prostytutek różni się dość znacznie.

– Nie aż tak. Oczywiście są dziewczyny, które nie przyjmują tego typu ofert, i ja to rozumiem, ale wiele z nich w modelingu upatruje szansy na to, by się ustawić. Na zleceniach modowych można zarobić sporo, jednak prawdziwe pieniądze zarabia się w zupełnie inny sposób. Chyba nie muszę ci tego tłumaczyć.

– Domyślam się. Ale co proponujesz tym dziewczynom? Że mogą zarobić małą fortunę, jeśli wezmą udział w orgii organizowanej przez saudyjskiego szejka? Tak wprost?

– Wiesz, to wymagało wielu prób i błędów, ale z czasem wypracowałem swoją własną metodę, która doskonale się sprawdza. Grunt, że szejk jest zadowolony z moich usług.

– Zdradzisz, jaka to metoda?

– Nie ma w tym większej filozofii. Modelki wynajmuję jak do tej pory do zleceń modowych. Kiedy przychodzą na fitting*, badam teren, podpytuję, a potem przedstawiam ofertę wprost, a jeśli dziewczyna jest zainteresowana, wyjaśniam, o co chodzi dokładnie. Jeśli decyduje się na lot do Arabii, agencja dostaje swoje pieniądze, a ona otrzymuje do ręki całą sumę oferowaną za dane zlecenie. Ja nie biorę procentu, jak wielu agentów w Europie czy Stanach. Czek od szejka wystarczy mi całkowicie, a dzięki temu dziewczyny chętniej się godzą na współpracę ze mną.

– A ile dostają za takie zlecenie?

– To zależy. Często wracają z trzema, a nawet pięcioma tysiącami dolarów w kieszeni za dwa, trzy dni pracy. Tyle nie są w stanie zarobić nawet za najlepszy pokaz czy sesję. I doskonale o tym wiedzą.

– Ale to tylko jednorazowy zarobek…

– Dla niektórych tak. Jednak szejk Imad zawsze zapamiętuje imiona dziewczyn, z których jest szczególnie zadowolony. Tak powstaje złota lista stałych bywalczyń. Dostają zlecenia bardzo często i z nimi kontaktuję się już bez pośrednictwa agencji.

– A co je wyróżnia?

– Poza urodą? Na pewno otwartość na przygody. – Wael puścił do mnie oko.

* Z ang. – przymiarki.

– Przygody!

– Oj, wierz mi, niektóre z tych imprez są tak niewiarygodne, że trzeba mieć w sobie ciągoty do sportów ekstremalnych, by to znieść…

***

Szejk Imad oprócz skautów wynajmuje też specjalistów, którzy prześcigają się w wymyślaniu najbardziej wyuzdanych sposobów uatrakcyjniania orgii na pustyni. Jedna z imprez miała realizować fantazje dotyczące stewardes. Widać te są dość powszechne wśród arabskich bogaczy. To było prawdziwe przedsięwzięcie, bo dziewczyny musiały być ubrane w seksowne mundury, do których zaprojektowania musiałem zatrudnić projektantkę z Londynu. Uszyciem zajęła się armia dwunastu krawcowych. Mundury musiały być wiarygodne, ale jednocześnie łatwe do zdjęcia. Cała operacja zajęła blisko dwa tygodnie, kosztowała pół miliona dolarów i… okazała się zupełnie niepotrzebna, bo podnieceni widokiem kilkunastu chętnych na seks długonogich stewardes szejkowie pozbawili je mundurów w czasie krótszym niż godzina.

Pamiętam, jak na jednej z imprez na środku wielkiego patio postawiono gigantyczny lodowy penis wykonany przez Gläce Luxury Ice Co – firmę z Kalifornii, która dostarcza lód najbogatszym ludziom tego świata. Ich standardowy produkt, zupełnie przejrzyste kostki lodu, kosztuje trzysta dwadzieścia pięć dolarów za pięćdziesiąt małych kostek. Cena lodowego penisa musiała być niebotyczna, ale pewnie była niczym przy jego zawartości. Zamrożono w nim bowiem biżuterię wartą czterysta tysięcy dolarów i zachęcano dziewczyny, by się do niej dostały. Te, którym się to uda, mogą zabrać błyskotki na własność. To było istne szaleństwo! Półnagie laski lizały lodowy penis, niektóre próbowały ogrzewać go piersiami, a nawet na niego wchodzić... Wszystko, byle się dostać do biżuterii. Zgromadzeni faceci przyglądali się tym zawodom jak walkom w kisielu, kibicowali swoim faworytkom i szaleli z podniecenia. Sam nie obserwowałem tego przedstawienia do końca, nie bardzo wiem, komu przypadła w udziale biżuteria, ale sądząc po zaangażowaniu dziewczyn, walka trwała do ostatniej krwi. Niektóre z nich zostały odciągnięte od zabawy przez mniej cierpliwych albo bardziej podnieconych szejków, którzy zapewne zrekompensowali im rezygnację z walki o kosztowności w inny sposób.

Takie ekstrema są częste. Najbardziej obrzydliwe z tych, które obserwowałem, to gdy szejkowie odkryli Gold Poop Pills*. Każdy z gości dostał pakiet złotych pigułek, choć jedna z nich na wolnym rynku kosztuje czterysta dwadzieścia pięć dolarów. Szejkowie chętnie przystąpili do zabawy. Niektórzy połknęli po trzy lub cztery naraz. Pigułka działa bardzo prosto. Po jej zażyciu kupa osobnika, który ją połknął, przybiera złoty kolor. Trudno sobie wyobrazić bardziej dopasowany do stylu życia szejków produkt i trudno się dziwić, że tak bardzo przypadł im do gustu. Dzięki niemu mogą dosłownie srać złotem. Chętnie to robili... niestety na piersi modelek.

Przy tym impreza z pigułkami, które zmieniają zapach wydalanych gazów na czekoladowy, to kaszka z mleczkiem. A taką też pamiętam. Zaproszone przeze mnie dziewczyny zostały któregoś razu poproszone o połknięcie ich jeszcze na pokładzie samochodu. Przekonanie ich do tego okazało się trudniejsze, niż myślałem. Były pewne, że podaję im narkotyki. W sumie wcale się nie dziwię. Sam musiałem zażyć trzy pigułki na ich oczach, by udowodnić, że są zupełnie nieszkodliwe. Jedyny skutek ich zażycia

* Z ang. – pigułka na złotą kupę.

to zapach czekolady, jaki będą z siebie wydalać, gdy zdarzy im się pierdnąć. Gdy dziewczyny upewniły się, że wszystko ze mną w porządku, zgodziły się połknąć pigułki. Ta impreza zapowiadała się naprawdę bardzo dziwnie, ale w sumie po złotej kupie nic już nie było w stanie mnie zaskoczyć, choć animatorzy imprez organizowanych dla szejków wykazują się kreatywnością godną najbardziej perwersyjnych reżyserów filmów pornograficznych.

***

– Jestem w szoku. I podziwiam, że masz do tego cierpliwość – przerwałem wywód Waela, obawiając się, że opowieści o kolejnej perwersji nie będę w stanie znieść.

– Z czasem skóra ci twardnieje i już nic nie jest w stanie cię zdziwić.

– Ale nadal nie wiem, dlaczego to właśnie ja zostałem wybrany do napisania tej książki? – zapytałem.

– W życiu zawsze dobrze jest się znaleźć w odpowiednim miejscu o odpowiedniej porze. Ty miałeś to szczęście. Z moją pomocą, oczywiście. Można zatem powiedzieć, że twoim największym szczęściem jest fakt, że znasz mnie. Ale ogromny sentyment księcia Abeda do Polski też nie był tu bez znaczenia.

– Aż dziw, że książę nie woli Libanu. Przecież to najlepszy kraj na świecie – zażartowałem.

– Nie zaczynaj! – Wael szturchnął mnie w ramię.

– Znalezienie autora książki to jedyne zlecenie, jakie dostałeś od Abeda?

– Pytasz, czy kiedykolwiek załatwiałem mu dziwki?

– A załatwiałeś?

– Nie. Książę Abed pod tym względem jest zupełnie inny od większości bogatych arystokratów. Ubierałem księżniczkę

Almas, a z księciem Wasimem zetknąłem się kilkakrotnie na imprezach szejka Imada. To było pod koniec jego życia. Bardzo smutny widok. Jego śmierć zdruzgotała Abeda. Żałobę wykorzystał w dość osobliwy sposób, prowadząc swego rodzaju śledztwo. Chciał wiedzieć jak najwięcej o tym, co się działo z Wasimem, gdy znikał dla świata. Tak dotarł do mnie. Rozmawialiśmy bardzo długo. Opowiedziałem mu, jak byłem świadkiem, gdy podczas jednej z imprez Wasim siedział bez ruchu w stanie kompletnej katatonii, jakby nie docierało do niego to, co się dzieje dookoła. Innym razem wychodził z siebie, by bawić się jak najlepiej. Książę Abed odwdzięczał mi się wspomnieniami, które opowiedział również tobie. To wtedy powstał pomysł postawienia Wasimowi pomnika w postaci książki. To też Abed postanowił zrobić po swojemu. Byłem przekonany, że zgodnie z wszechobecną hipokryzją książę będzie chciał, by powstała lukrowana biografia wychwalająca zasługi Wasima, ale jak już wiesz, Abed jest zupełnie inny. Od najmłodszych lat buntował się przeciwko blichtrowi, udawaniu i wygładzaniu rzeczywistości. Opowiedział historię Wasima taką, jaką była. Historię człowieka z krwi i kości. Z wadami i zaletami. Szukającego szczęścia, ale w gruncie rzeczy bardzo nieszczęśliwego.

– Myślisz, że nie będzie miał nic przeciwko temu, bym dopisał do jego historii to, co mi teraz opowiedziałeś?

– Wiem, że nie będzie miał. To wbrew pozorom był jego plan. Wierz mi, w świecie szejków nawet rzeczy z pozoru przypadkowe zawsze są zaplanowane.

Spis treści